Geknipt voor jou

Van dezelfde auteur:

Zwaar verliefd!
Zwaar beproefd!

Chantal van Gastel

Geknipt voor jou

the house of books

Copyright tekst © 2010 Chantal van Gastel
Copyright © 2010 The House of Books, Vianen/Antwerpen

Omslagontwerp en art-direction
Studio Marlies Visser

Omslagbeeld
Getty Images en marliesvisser.nl met dank aan Evelien

Foto auteur
Priscilla van Gastel

Opmaak binnenwerk
ZetSpiegel, Best

www.chantalvangastel.nl
www.thehouseofbooks.com

ISBN 978 90 443 2816 5
D/2010/8899/109
NUR 340

Voor Priscilla,
die Sven *niet* ging halen
en het met een simpel telefoontje rechtzette.

HANNAH

Precies een uur. Dat is de tijd die ik heb om van kantoor, dwars door de drukke binnenstad, bij de lunchroom te komen waar ik met mijn vriendinnen afgesproken heb, mijn lunch te eten die zij al voor me besteld hebben, af te rekenen en weer terug naar mijn werk te gaan. Gekkenwerk, dat is het. Maar soms kost het nu eenmaal wat moeite om je sociale contacten te onderhouden. Ik heb het er graag voor over. 'Hannah!' roepen ze alle drie tegelijk als ik me door de smalle doorgang naar het tafeltje achterin bij het raam begeef.

Ik laat mijn tas van mijn arm glijden, geef ze allemaal drie kussen, leg mijn BlackBerry op tafel, maak mijn sjaal los, hang mijn jas over mijn stoel en plof neer. Mijn wangen gloeien van het haasten. 'Wat fijn dat we allemaal tijd hebben om te lunchen, vandaag. Dat is zeker alweer een maand geleden! Wat is dit?' Ik kijk naar het lichtgroene drankje dat voor mijn neus staat.

'Vers groentesap,' zegt Deb. 'Iets met avocado en limoen. Dat kun je wel gebruiken, dacht ik zo. Met al die lange dagen die je maakt. Proef maar, het is best lekker. Kijk, ik heb het ook.' Ze zet het rietje aan haar lippen en drinkt. Ze maakt nog net geen zwaaigebaar naast haar oor.

'Dank je, mam,' antwoord ik en ik merk dat ik haar voorbeeld volg. Deb was altijd al degene bij wie we terechtkonden voor een luisterend oor en een arm om ons heen, maar sinds ze kinderen heeft, is ze echt het moedertje van ons vieren.

We hebben een heel leuk clubje. Debbie is de verantwoordelijke, Jessica de carrièrevrouw en Micky de losbol. Ik weet eigenlijk niet wat mijn rol is. Of misschien toch. Ik ben degene die ons bij elkaar heeft gebracht.

Micky woont bij mij in het flatgebouw en toen ik net verhuisd was, was zij de eerste vriendin die ik maakte. Zij maakte me hier wegwijs, leerde me de leukste restaurantjes, cafés en winkels kennen, nam me op sleeptouw als ze uitging, kortom: ze zorgde ervoor dat ik mijn plekje vond. Jessica is haar nichtje, ze is kandidaat-notaris en werkt keihard. Ik zag haar wel eens bij Micky thuis en soms ging ze met ons mee als we uitgingen. Dat was heel gezellig en daarom nodigde ik hen allebei uit om mijn eerste verjaardag in de grote stad te vieren, wat inmiddels alweer jaren geleden is. Debbie was destijds mijn studiegenootje en uiteindelijk bleven we midden in de nacht, met z'n vieren in mijn kleine flatje over. Dat klikte zo goed dat we besloten een nieuwe afspraak met elkaar te maken. En dat doen we nu nog steeds. Al jarenlang. Al is dat tegenwoordig lastig met vier volgepropte agenda's.

'Ik heb maar een uurtje de tijd,' zeg ik, 'dus vertel... zijn er nog nieuwtjes?'

Jess haalt haar schouders op. 'Niet bij mij. Ik word gek op het werk, zoals gewoonlijk.'

'Echt, jij moet eens gaan leven!' roept Micky.

'Ik? En zij dan?' Ze knikt naar mij. 'Hannah is minstens even erg!'

'Dat is waar. Maar zij heeft een hoger doel.'

'Ik ook. Dat heet notaris worden.'

'Dat heet werkweken van zestig uur, mensen die doodgaan of dood zijn, in scheiding liggen, ruzie hebben om een erfenis, de gezamenlijke woning of van wie de grijsgestippelde zakdoek was. Of mensen die dat vóór willen blijven en de grijsgestippelde zakdoek laten beschrijven in hun samenlevingsovereenkomst. Geweldig hoger doel.'

'Ik spreek jou nog wel als ik in een vrijstaand huis woon, twee auto's voor de deur heb staan en jaarlijks drie vakanties in vijfsterrenresorts boek. En uitsluitend maatpakken van Anna Lee draag.'

'Stil!' roep ik. 'Geen Anna Lee, alsjeblieft. Ik heb pauze!'

'Sorry...'

Micky roert met haar rietje door haar groenige drankje. 'Dan zal ik maar weer beginnen. Ik heb toch een leuke man ontmoet in de galerie afgelopen week!'

'Echt?' vraag ik. 'Vertel!' Dat is tenminste een leuk gespreksonderwerp.

'Nou, hij kwam een kunstwerk uitzoeken voor in zijn nieuwe huis, aangezien hij net uit een relatie komt en zijn ex hun lievelingsschilderij heeft ingepikt.'

'Zie je? Daarom heb je dus een notaris nodig,' zegt Jessica.

'Ik zeg niet dat we die niet nodig hebben. Ik vraag me alleen af waarom je zonodig alles opzij moet zetten om er zelf een te worden. Hoe dan ook, hij – de man van de galerie – deed dus erg zijn best om mij duidelijk te maken dat hij beschikbaar was...'

'En?' vraag ik gretig. De mannen in mijn leven haken tegenwoordig steeds sneller af, dus moet ik het een beetje hebben van de verhalen die Micky me vertelt.

'Ik heb zijn visitekaartje en hij komt vrijdag weer langs om een definitieve keuze te maken. Dan zorg ik natuurlijk dat ik er op mijn best uitzie en ga ik uitvogelen waar hij het weekend in gaat luiden. Misschien kunnen we samen wat gaan drinken op zijn nieuwe aanwinst.'

'Bedoel je nu het schilderij of jezelf?' vraagt Deb geamuseerd.

'Beide.' Micky zet het rietje aan haar lippen en drinkt een derde van haar glas leeg.

'Nou, ik heb toevallig ook nieuws. Benji kan zijn eigen veters strikken en Nina slaapt soms al een hele nacht door!'

'Dat is echt super,' antwoord ik.

'Wacht maar tot jullie kinderen hebben,' zegt Deb. 'Dan heb je ook geen eigen leven meer en ga je uit je dak van nieuws als dit.'

'Het leven draait niet alleen om het versieren van mannen,' zeg ik. 'We vinden het net zo leuk om over de kinderen te horen. Toch?'

De anderen knikken braaf. 'Maar nu we het toch over mannen hebben,' gaat Micky dan verder, 'heb je nog iets gehoord van die laatste, kom... hoe heette hij nou?'

'Alex,' antwoord ik. 'Nee, niks meer gehoord. Op een of andere manier kun je maar twee keer ongestraft halverwege een vrijpartij opstaan en weglopen om een dubbele low fat decafé latte machiato voor je bazin te gaan halen die aan de andere kant van de stad aan het overwerken is. Ik zweer het je, bij de derde keer hoef je niet meer terug te komen. Zo weinig inlevingsvermogen!'

'Tsss!' sist Micky. 'Ze snappen toch ook wel dat ze op de

tweede plaats komen als je moet kiezen tussen hen en je bitchy baas! Mannen!'

'Wacht maar,' zegt Jessica. 'Er komt een dag dat je een man ontmoet die wel op nummer één komt en dan vertel je Anna Lee dat ze tot haar nek in de low fat skimmed milk whatever kan zakken.'

'Dat moet dan wel een héél leuke man zijn. Zo één uit de film. Die worden hier niet gemaakt.'

'Je vindt hem wel,' verzekert Jess me.

'Wie had de Mexicaanse salade?' vraagt de serveerster vrolijk. Micky en ik steken tegelijk onze handen in de lucht. De Club Sandwich gaat naar Jess en Debbie heeft de saté met frietjes.

'Misschien weet ik wel een leuke voor je,' zegt Deb terwijl ze het vlees van de spies probeert te snijden. 'Binnenkort komt een oude vriend van Tom bij ons eten. Ik heb begrepen dat hij single is.'

'Je weet hoe ik over koppelen denk, Deb.' Ik zet mijn vork in een stukje hete kip. 'Denk je niet dat het een beetje geforceerd zal zijn?'

'Ach, wat maakt dat uit,' zegt Micky. 'Dan heb je een rotavond? Nou en? Die hebben we wel vaker, toch? Alsof je thuis in je eentje altijd zo blij bent.'

'Nee, maar dan kan ik wel iets nuttigs doen. Ik ben iets aan het maken voor een werkfeestje binnenkort...' Ik wil vertellen wat ik precies aan het maken ben, maar op dat moment wordt onze lunch wreed verstoord door mijn BlackBerry. En eigenlijk weet ik dan al dat mijn pauze voorbij is.

'Anna Lee?' vraagt Jessica bevreesd.

Ik knik en neem op. Mijn vermoeden wordt al snel bevestigd. 'Crisis in het atelier. Ik moet gaan... Sorry. Ik maak het wel weer goed met jullie. Ooit.'

'Maak je niet druk,' zegt Deb. 'Wij zijn niet zoals je vriendjes. Maar eet wel eerst een paar happen, want je wordt er niet bepaald dikker op!'

Ik ben echt dol op mijn vriendinnen.

Het is acht uur 's avonds als ik de deur van het atelier achter me dichtdoe. De crisis is zo goed als bezworen. Er was een fout gemaakt door de leverancier waardoor er een verkeerde stof is geleverd die in de verste verte niet voldoet aan de eisen die Anna Lee eraan stelt. Je zou verwachten dat zoiets wel een uurtje kan wachten, maar zo werkt het hier niet. Als Anna Lee iets wil, dan wil ze het meteen en wie tegen haar durft te zeggen dat het niet kan, vliegt eruit. Dus als zij zegt: 'Spring!', dan vragen wij: 'Hoe hoog?'

Anna Lee lijkt misschien onmogelijk om voor te werken, maar dankzij haar krijg ik ook kansen die normaal niet binnen mijn bereik zouden liggen. De modewereld is zo klein en je komt er niet zomaar tussen. Daar kwam ik op mijn achttiende al achter. En op mijn negentiende weer. En op mijn twintigste. Elk jaar dat ik probeerde op de modeacademie aangenomen te worden. Het is nooit gelukt, maar ik heb wel prachtige dingen gemaakt voor de toelatingsopdrachten, waardoor ik nu een portfolio heb waar ik heel trots op ben.

Ik probeer het niet persoonlijk op te vatten, want het ligt gewoon aan het feit dat er jaarlijks zoveel aanmeldingen zijn en maar een paar plaatsen op de opleiding. Ze kunnen kiezen uit zoveel talent dat de kans heel erg klein is dat je uitverkoren wordt. Dat is althans wat ik mezelf de hele tijd wijs maak. De andere optie: dat ik gewoon niet geschikt ben, daar wil ik nog niet aan. Dus werk ik elke vrije minuut aan het maken van een eigen collectie. Ik maak schetsen, zoek stoffen, bedenk opvallende details en soms werk ik de hele nacht door tot het allemaal samenkomt in een creatie waarmee ik mezelf overtref. Soms lukt het en als ik dan vroeg in de ochtend mijn bed inrol, kan ik niet slapen van enthousiasme. En als het niet lukt, kan ik ook niet slapen, maar dan van frustratie. Uiteindelijk komt er altijd wel weer een nieuw idee, iets waarmee ik verder kan en waar ik me dan weer helemaal op stort. Dit is wat ik het allerliefste doe. Ik vergeet alles om me heen als ik aan het werk ben. Ik kan me niet voorstellen dat ik ooit iets anders zal doen. Daarom moet ik volhouden.

Ik weet gewoon dat er een moment komt dat het allemaal de moeite waard zal blijken te zijn. Natuurlijk moet ik er nu veel voor opofferen, maar dat is toch tijdelijk? Ooit zal ik aan Anna Lee kunnen laten zien wat ik allemaal kan. En alle contacten die ik nu opdoe, zullen dan hun vruchten afwerpen. Als ze het ziet. Als ze het eindelijk eens zou zien.

Anna Lee is een van de succesvolste couturiers van dit moment. Ze maakt waanzinnige mannenpakken. Soms waanzinnig mooi en soms ook gewoon waanzinnig... punt. Haar laatste hit was een avant-gardistisch pak met veren. En vorig seizoen herintroduceerde ze de broekrok. Ik dacht zelf ook dat het nooit iets zou worden, maar ook dat werd een enorm succes. Als de letters AL in het label staan, loopt iedereen er warm voor. Dus als ik haar aan mijn kant heb, dan ben ik al zo goed als binnen. Dat is mijn plan. Zo zal het gaan.

Alleen – en dat is dus het probleem – Anna Lee ziet mij niet staan. Ze ziet niemand staan behalve als ze ook maar een centimeter uit het gareel lopen. Ik had het me zoveel gemakkelijker voorgesteld. Ik zou heel simpel steeds mijn eigen ontwerpen dragen en dan zou er onvermijdelijk een moment komen dat zij zou vragen waar ik dat geweldige jurkje vandaan had. Ik werk nu al ruim drie jaar als haar assistente en nog steeds is dat nooit gebeurd. Ze kijkt dwars door me heen. Als ik een zoom een tiende millimeter verkeerd leg, ziet ze het. Als er een korrel suiker in haar koffie zit, proeft ze het. Als ik per ongeluk een stukje stof verknip, heeft ze het meteen in de gaten. Niet dat dat zo vaak gebeurt... Waar het om gaat is dat ze alle kleine dingetjes ziet die iemand verkeerd kan doen, maar alles wat goed gaat, neemt ze voor lief. Nooit een complimentje, nooit een aardig woord of een kletspraatje in de pauze. Volgens mij neemt ze niet eens pauze. Misschien gaat ze zelfs niet eens naar huis aan het eind van de dag. Ze zou heel goed een robot kunnen zijn. Een werkende, supertalentvolle en steenrijke robot. Misschien sluit ze zich gewoon aan op netstroom en kan ze er dan weer tegen.

Ik loop de trappen naar mijn flatje op. Nou ja, sjokken komt meer in de richting. Ik sleep me naar boven, doodmoe. Ik open de deur en zie meteen de chaos die ik vannacht heb achtergelaten. Meters stof over de bank gedrapeerd, speldenkussens op tafel, naast schetsen, talloze schetsen van hetzelfde idee uitgewerkt op steeds een andere manier. Een andere lengte, een andere kleur, een andere snit. Ze liggen overal. Op de vloer, op de tafels, tegen de muur. Knipsels van dingen die me inspireren, uitgescheurd uit tijdschriften en modebladen. Mijn paspoppen in het midden van de kamer met halve creaties erop gespeld. Mijn naaimachine op de eettafel en alle dozen met knoopjes, ritsen, applicaties, garen en wat voor materialen dan ook. Mijn huis. Mijn atelier. Hier ben ik de baas. Ik leg de zomen hoe ik ze wil en ik verknip zoveel stof als ik maar wil. En als het niet mooi is, of gewoon niet naar mijn zin, dan begin ik opnieuw. Want hier maak ik dat allemaal zelf uit.

Ik screen snel de post op iets belangrijks of interessants. Dan kijk ik of er iets te eten is. Ik open de koelkast. Het lijkt erop dat ik boodschappen moet doen. Maar ik heb nog een pak Spaanse toastjes, een lekkere tapenade en een fles rosé. Ik gris het allemaal mee, trek de voordeur weer achter me dicht en neem de trap naar de etage boven mij, waar Micky woont. Ik klop op de deur. We hebben een geheim klopje zodat we weten dat we veilig open kunnen doen, ook al zitten we in onze pyjama of zonder make-up, met bril op de bank. Zoals Micky nu. Maar zij ziet er ook in pyjama goed uit. Haar korte geblondeerde haar is net gewassen en piekerig van het droogwrijven en de wax. 'Nu pas thuis?' vraagt ze.

'Ja, heerlijk dat overwerk! Maar ik heb wat lekkers bij me. Was het nog gezellig met de lunch?' Ik loop naar binnen en plof neer op haar heerlijk ingezakte bank.

'Ja, hoor. Jammer dat je zo snel weg moest. We moeten trouwens echt iets doen om Jessica weer aan de man te krijgen.'

'Als ze eraan toe is, gaat ze vanzelf weer daten, joh.' Ik maak de fles alvast open terwijl Micky glazen haalt.

'Volgens mij heeft ze nu de overtuiging dat alle mannen klootzakken zijn. Wat als ze er nooit meer zin in heeft?'

Ik kan een schamper lachje niet tegenhouden. Nooit meer zin, dat klinkt ronduit belachelijk. 'Soms overweeg ik wel eens om Alex te bellen voor...'

'Voor wat?' vraagt ze plagerig.

'Voor wat simpel entertainment. Hij heeft het uitgemaakt omdat hij het gevoel had een oproepkracht te zijn die mocht komen en ophoepelen wanneer ik daar zin in had. Maar hij heeft er niet zoveel moeite mee als hij oproepbaar moet zijn als het alleen om komen gaat.'

Ze giechelt en komt naast me zitten. 'Nee, dat snap ik.'

'Soms is dat gewoon even gemakkelijk. Geen gedoe, alleen seks. Even tegen iemand aan kunnen liggen en daarna geen gezeik als je even wat minder tijd hebt. Misschien moet ik het daar maar bij houden.' Ik trap mijn grijze enkellaarsjes uit, die ik zelf met allerlei riempjes en gespjes heb gecustomized en trek mijn voeten onder me op de bank. Ik geef Micky een glas wijn aan en nip van het mijne.

'Nee… dat is leuk voor eventjes. Maar jij bent geen meisje voor "geen gedoe, alleen seks". We gaan een heel leuke man voor je zoeken, met seks, met gedoe…' Ze pakt de afstandsbediening en zapt. '… en nu gaan we lekker *Grey's Anatomy* kijken.'

'Over leuke mannen gesproken,' zeg ik en ik maak het me gemakkelijk op Micky's bank terwijl ik lekker wegdroom bij McDreamy. 'Kijk, voor hem zou ik Anna Lee wel laten wachten…'

Van Anna Lee laten wachten komt natuurlijk ook de rest van de week niets terecht. Integendeel. Vandaag is het zo erg dat ik om halfacht 's ochtends al het gevoel heb dat ik niet aan haar eisen voldoe. Ik ben als eerste op kantoor, waar ik ervoor moet zorgen dat alles er piekfijn uitziet. Anna Lee heeft een interviewdag. Er komen diverse modebladen langs om een uitgebreid artikel over haar nieuwe collectie te plaatsen. De pr heb ik allemaal geregeld en daarom moet ik ervoor zorgen dat alles piekfijn in orde is.

In de conferentiezaal staan honderden verse bloemen. Die heb ik vanochtend vroeg bij de bloemist afgehaald, die ze voor ons heeft laten invliegen. Ze waren speciaal voor mij om zeven uur 's ochtends al aanwezig in de winkel zodat ik de tijd zou hebben om ze uit te stallen. Ze staan door het hele gebouw verspreid. In de gangen, in de kantoren, in het atelier. Zelfs op de toiletten. Overal dus, waar mensen kunnen komen.

Verder heb ik de hele nacht in de keuken gestaan om appeltaarten te bakken. Ikzelf dus. Je zou denken dat we die ook bij een luxe bakker hadden kunnen bestellen, maar ik was zo dom om me tijdens de voorbereidingen te laten ontvallen dat de geur van huisgemaakte appeltaart een therapeutische werking op veel mensen schijnt te hebben. Je voelt je meteen thuis als je dat ruikt. Als je dus je huis wil verkopen, moet je als je kijkers krijgt, zorgen dat er een appeltaart in de oven staat te bakken en voor je het weet kun je de vraagprijs verdubbelen. Nu is Anna Lee niet van plan om het pand te verkopen, maar ze wil natuurlijk niets liever dan alinea's vol lof over de heilzame werksfeer. Overal staan dus appeltaarten op mooie zilveren plateaus. En schalen luxe bonbons ernaast.

Behalve op Anna Lee's werkkamer, natuurlijk. Daar vind je geen taart en geen bonbons. Alleen schalen exotisch fruit. Lychees, kumquats, mango's, ananas en verse kokos. Anna Lee eet natuurlijk geen taart of chocolade. Hoe zou ze anders haar size zero kunnen behouden? Ik weet zelf wel hoe. Als ze zelf zou uitvoeren wat ze haar personeel opdraagt, zou ze kunnen eten wat ze wil. Net als ik. Ik heb zoveel stress dat ik al jaren in maat 36 pas. Ook al vind Anna dat aan de zware kant. 'Mode staat nu eenmaal mooier op maatje 32,' laat ze zich soms doodleuk ontvallen. Anna Lee stelt hoge eisen aan hoe wij, haar personeel, eruitzien. Ik moet regelmatig naar de kapper. De kosten daarvan kan ik zelfs bij haar declareren. Ze is doodsbang dat er ooit een foto van haar zal opduiken, met naast zich een grijs muisje. Saai door associatie. Het zou haar hele reputatie te grabbel gooien. Daarom ben ik alleen het afgelopen jaar al van hoogblond naar kastanjebruin gegaan en van lang in lagen naar een schuine bob. Met pony, zonder pony, als het maar in beweging is. Langer dan vier maanden hetzelfde en ik word weer zonder pardon naar de haarstylist verwezen. Heel vervelend...

En dan de schoenen. Altijd hakken van minstens acht centimeter. Anna houdt er niet van tegen mensen op te moeten kijken en ik als haar assistente moet me met haar kunnen meten. Bovendien kun je niet succesvol zijn op lelijke schoenen. Dat zegt ze altijd. Misschien is dat een van de weinige standpunten die ik met haar gemeen heb.

Hoewel we dus gewend zijn ons op een bepaalde manier te presenteren als we aan het werk zijn – en dat geldt voor iedereen, van de naaisters tot de inkopers – geldt vandaag een nog strengere norm. De kans is groot dat er foto's gemaakt zullen worden, dus zijn we wekenlang bezig geweest met het produceren van een werkkledinglijn. Het is op het oog niet bepaald Anna Lee, want het gaat hier duidelijk om prêt à porter. 'Draagbaarheid' is niet het juiste woord om de ontwerpen van Anna Lee te omschrijven, maar voor deze shoot heeft ze zich ingehouden. Het gaat om mooie jurkjes en soepele broekpakken die op het eerste gezicht allemaal van een ander label zouden kunnen zijn. Maar als je ze samen ziet, vormen ze toch een duidelijk geheel. Het kleurenpalet van alle items gezamenlijk is perfect. Het zullen geweldige foto's worden en niemand zal uit de toon vallen. Het zal een goed geoliede machine lijken. Een team van mensen die allemaal aan de Anna Lee-norm voldoen en toch zal geen van hen je bijblijven. Dat is natuurlijk precies waar mode niet om draait, maar wat Anna Lee vraagt, krijgt ze. Ik heb dus wekenlang gewerkt aan kledingstukken met als enige doel dat ze niet opvallen zodat de kleding op de paspoppen dat juist wel doet. Als je goed kijkt, zul je zien dat de mensen op de foto er geweldig uitzien, maar ik weet nu al dat niemand zo goed zal kijken. In feite zou ik juist gefaald hebben als het wel iemand op zou vallen. O ja, als ik dus zeg dat Anna Lee zich heeft ingehouden met de werkoutfits, heb ik het over het accorderen van andermans schetsen. De mijne in dit geval. Het zou belachelijk zijn als zij haar talent zou verspillen aan een paar setjes die puur en alleen als achtergrond zullen dienen. Ik moest maar op zoek gaan naar iemand die dat even op zou zetten. Dat heb ik dus zelf gedaan. Ze heeft nooit gevraagd hoe ik aan de ontwerpen gekomen ben. Prima geslaagd dus. Of juist niet. Het is maar hoe je het bekijkt.

Om tien uur arriveert Anna Lee. Ze is onberispelijk gekleed in een zwart broekpak met een slank silhouet en haar haren zijn vakkundig opgestoken. Ik heb er inmiddels voor gezorgd dat in het hele gebouw nergens ook maar een paperclipje of een notitieblaadje ligt dat daar niet met voorbedachten rade geplaatst is. De journalisten zitten klaar in de conferentiezaal. Ze hebben allemaal hun vragen bij mij ingeleverd zodat Anna Lee niet overvallen zal worden door onverwachte zaken. Beneden in het atelier zit iedereen klaar om 'spontaan' gefotografeerd te worden. We zullen vanavond allemaal langer moeten werken om de achterstand in te halen die ontstaat doordat er geen rommel gemaakt mag worden. Iedereen zit maar een beetje voor de show af te spelden. Degenen die stiekem toch echt aan het werk zijn, doen dat op zo'n manier dat er meteen mee opgehouden kan worden als er iemand voorbijkomt. Er zal geen foto verschijnen van mensen die in paniek met rollen stof, scharen en een strijkijzer aan het rondrennen zijn. Bij Anna Lee is iedereen volkomen zen. Tot de laatste fotograaf het pand verlaat.

De eerste vragenronde verloopt prima. We lopen iets uit, maar ik weet het programma aardig in de hand te houden en kap het vriendelijk doch beslist af als we verder moeten. Daarna loop ik met Anna Lee en een aantal fotografen door het gebouw, zodat er een reportage gemaakt kan worden. Ze poseert in haar kantoor, bij de ingang van het gebouw waar het logo in het glas met het zonlicht erachter zo schitterend tot zijn recht komt en in het atelier, waar ik stiekem toch hoop dat mijn outfits goed zichtbaar zullen zijn. Om één uur zijn we klaar en dus hebben we een halfuurtje tussen nu en het grote interview met *Elle* en *Glamour* vanmiddag. Anna Lee trekt zich terug met een komkommersmoothie waardoor ik ook een halfuur voor mezelf heb. Wat een luxe.

Normaal gesproken vind ik het heel leuk om even aan mijn bureau een tijdschrift door te bladeren terwijl ik lunch. Als ik al tijd heb om pauze te nemen, want meestal werk ik gewoon door. Vandaag kan ik geen tijdschrift meer zien, dus pak ik mijn tas en mijn jasje. Ik ben onderweg naar buiten voor een beetje frisse lucht als ik zie dat ik vier oproepen gemist heb. Dat is vreemd, want meestal komen de oproepen van Anna Lee en zij is de hele ochtend bij me in de buurt geweest. Ik luister het eerste bericht af en het tweede en nog steeds snap ik het niet precies waar het over gaat. Ik heb 'Klauterkabouter' op een papiertje gekrabbeld. Dat is het kinderdagverblijf waar de kinderen van Debbie naartoe gaan. Ik heb ze er wel eens opgehaald als de planning van Deb in de war raakte, dus dat verklaart hoe ze aan mijn nummer komen. Maar Deb werkt helemaal niet vandaag en dus is er geen logische reden dat ze mij zouden bellen. Bovendien hebben ze het niet over Benji of Nina, maar over ene Sven. En ik ken geen Sven. Ik luister nog een keer het laatste bericht af.

'U spreekt met De Klauterkabouter, ik bel nogmaals over Sven. Wilt u hem alstublieft snel op komen halen, want hij heeft koorts en ik kan op deze manier niet alle kinderen in de gaten houden. De afspraak is dat hij bij een graad verhoging opgehaald wordt en hij heeft al achtendertighalf. Ik heb uw man ook al geprobeerd te bereiken en uw telefoniste heeft het bericht al twee keer genoteerd. Ik weet niet wat ik nog meer kan doen. Als u dit hoort, komt u dan meteen uw kind ophalen.'

Ik kies meteen de optie terugbellen. Blijkbaar heeft ze zich in het nummer vergist en ik wil het niet op mijn geweten hebben dat een ziek kind tevergeefs op zijn moeder zit te wachten omdat de leidster denkt dat ze haar gebeld heeft. Die vrouw klonk behoorlijk gestrest, trouwens. Misschien moet ze eens een weekje voor Anna Lee komen werken. Dan zijn een paar vervelende kinderen een peulenschil.

Geen gehoor. Ik verbreek de verbinding en bel nog een keer. De telefoon blijft maar overgaan en ik word een beetje ongeduldig. Zo lang is een halfuur ook weer niet. Straks heb ik geen tijd meer om even naar buiten te gaan. Ik kijk op de klok. Dat kinderdagverblijf is niet zo ver hiervandaan. Ik kan onderweg een bagel halen en even binnenlopen om te zeggen dat ze een verkeerd nummer gebeld heeft.

Er schijnt een flauw winterzonnetje als ik me op mijn hoge hakken door de binnenstad haast. Waarom moet die vrouw nu uitgerekend mijn nummer bellen? Heb ik eindelijk eens een halfuurtje pauze, kan ik dit weer gaan opknappen. Gelukkig is het vlakbij. Met mijn bagel in een papieren zakje, loop ik naar De Klauterkabouter. Ik laat mezelf binnen met de code die ik van Debbie heb en ik zie meteen dat de situatie nogal hectisch is. Een beetje zoals op een gemiddelde dag bij Anna Lee. Kinderen huilen en jengelen en een meisje is in haar eentje bezig om de boel te sussen. In een hoekje zit een klein jongetje met zijn jasje en das al aan. Hij ziet er pips en zweterig uit. Niet gek, want de verwarming staat hier op de hoogste stand.

'Ik ben blij dat u er bent,' zegt ze terwijl ze het jongetje van zijn stoeltje plukt en in mijn richting dirigeert. 'Hij is grieperig en eist al mijn aandacht op waardoor ik met alles achterloop. Ze moeten nu allemaal verschoond worden en de helft heeft nog geen eten gehad. Mijn collega is ziek en ik krijg pas over een uur ondersteuning. Ik sta er alleen voor... '

'O, wat vervelend,' zeg ik zo meelevend mogelijk. 'Maar ik kom hem niet ophalen. U heeft het verkeerde nummer gebeld. Ik wilde alleen maar zeggen dat u denkt dat u zijn moeder heeft ingelicht, maar dat is niet zo. Ik ben zijn moeder niet.'

'Nee, dat zie ik. Ik weet heus wel wie zijn moeder is, maar hij wordt zo vaak opgehaald door een van haar secretaresses.'

'Maar ik ben ook haar secretaresse niet.'

'O, nee? Je komt hier toch wel vaker...'

'Voor Benji en Nina. Niet voor dit jongetje. Je hebt het verkeerde nummer gedraaid, ik kan hem niet meenemen.'

Ze ziet eruit alsof ze elk moment in tranen uit kan barsten en kijkt naar Sven alsof ze geen idee heeft wat ze nu met hem moet beginnen. 'Ik heb alle telefoonnummers al geprobeerd. Niemand neemt op. Ik weet niet wat ik moet doen, ik kan het niet aan, alleen. Ik kan zijn ouders niet bereiken.'

Opeens valt me op hoe jong het meisje is. 'Rustig maar.' Ik voel met haar mee, want zelf sta ik ook vaak met een rood hoofd van alles tegelijk te doen in de hoop dat niemand erachter komt dat ik het niet in de hand heb. Maar ik ben inmiddels wel wat gewend. Zij lijkt nog geen enkele ervaring met overmacht te hebben. 'Probeer het straks nog eens, misschien zijn ze buiten kantoor voor de lunch. Ze komen vast snel terug en dan ontvangen ze je berichten wel.'

Ze duwt Sven terug op het krukje. 'Wacht jij nog maar even. Je mama is er nog niet.'

Ik zie zijn onderlipje trillen en zijn hele gezicht vertrekt in de uitdrukking die aan een hysterische huilbui voorafgaat.

'Nou, dat kan er ook nog wel bij,' zegt ze. 'Ik ga wel weer bellen, maar waarschijnlijk komen ze gewoon om zes uur aankakken. Neem dan geen kinderen als je er niet voor wil zorgen!' Ze beent weg en pakt een huilende peuter uit een bedje. 'Eerst die luiers maar.'

Ik kijk naar Sven, die met grote betraande ogen naar me terugkijkt. 'Sorry,' zeg ik. 'Ik kan er ook niets aan doen.' Ik loop naar de deur en dan zet Sven een enorme keel op. Het klinkt echt hartverscheurend. Alsof hij helemaal alleen op de wereld is. Ik blijf staan op de drempel en draai me om. De leidster is druk bezig en er is verder niemand die naar hem omkijkt. Ze roept dat ze er zo aankomt, maar Sven laat zich daar niet door troosten. En dat snap ik best. Lekker makkelijk als al die volwassenen die voor je zouden moeten zorgen, beweren dat ze 'er niets aan kunnen doen'. Dat is natuurlijk niet zo. Er is altijd wel iets wat je kunt doen. En als ik dat al jarenlang voor Anna Lee doe, waarom dan niet één keertje voor dit kleine jongetje? 'Zou het helpen als ik hem meeneem?' roep ik door de gang.

Het blijft stil, maar na een paar tellen verschijnt haar hoofd hoopvol om de hoek. 'Zou je dat willen doen?'

'Nou, ik weet het niet. Denk je dat het mag van zijn moeder? Zij kent me tenslotte niet.'

'O, maar dat is geen probleem! Ik geef de boodschap wel door op haar werk. Ik zeg wel dat ik hem heb meegegeven aan de au pair van Benji en Nina en dan is het vast goed. Zoals ik al zei, ze laat hem vaak oppikken door haar assistenten. Ik zal je het adres geven van haar werk, daar is ze waarschijnlijk en als je haar niet te pakken krijgt, moet je het kantoor van zijn vader maar proberen. Ik schrijf het allemaal wel even voor je op.'

'Ik heb maar een halfuurtje pauze, hoor.' En daar zijn nu nog achttien minuten van over. 'Ik heb geen tijd om de hele stad door te crossen.'

Daar heeft ze duidelijk geen boodschap aan.

Even later sleep ik kleine Sven dus aan zijn handje mee naar buiten. Ik kan hem onmogelijk meenemen naar Anna Lee. Ik moet dit gewoon even oplossen. Als ik in een mum van tijd de top of the bill van de Parijse modewereld aan de telefoon kan krijgen, zal het me toch zeker lukken de ouders van dit jongetje binnen een halfuur op te sporen.

Ik loop in een onmogelijke houding naast Sven. Zijn armpje reikt nog niet hoog genoeg om comfortabel naast me te lopen. Ik probeer de gegevens op het briefje te lezen zonder Sven los te laten. Dat lukt dus niet. Ik ben druk bezig het blaadje met mijn mond open te vouwen als ik merk dat Sven steeds stroever met me mee beweegt. Ik stop even en kniel naast hem neer. Hij kijkt me een beetje droelerig aan. Ik maak zijn sjaal los. Zijn haartjes plakken aan zijn klamme voorhoofd.

'Je voelt je niet lekker, hè?' Hij reageert niet, maar het was ook een retorische vraag. 'Nou, maak je maar geen zorgen. Ik zorg wel dat je bij je papa en mama terechtkomt. Het komt heus wel goed. Oké?' Dat laatste zeg ik meer om mezelf moed in te praten dan om Sven te overtuigen.

Ik gebruik dit moment meteen maar om het briefje door te lezen. Het kantoor van zijn moeder ga ik nooit redden, maar dat van Svens vader moet lukken. Als ik flink doorloop tenminste. Ik hijs Sven op mijn heup en klem mijn mobiel tussen mijn kaak en schouder. Ik blijf alle nummers afwisselend proberen terwijl ik in een drafje de straten doorkruis op zoek naar het kantoorpand van A&S Advocaten. Na een tijdje geef ik het bellen op, eigenlijk alleen omdat mensen me verontwaardigd aanstaren en concentreer ik me op Sven die als een zak aardappelen op mijn heup hangt. Ik ben doodop als ik het naambord op de gevel zie. Je zou denken dat zo'n peuter makkelijk te dragen is, maar voor mijn gevoel weegt het kind nu echt een ton. Ik duw met mijn andere heup de deur van het gebouw open en beland buiten adem voor de receptie.

'Ik ben op zoek naar...' Ik vis het briefje uit de zak van mijn jasje, '... de heer Stevens.' Ik laat Sven op de grond zakken. Hij laat zich meteen op zijn kont vallen en nestelt zich tegen mijn benen.

De receptioniste lacht vriendelijk. 'Meneer Stevens is vandaag niet bereikbaar. Morgen om halfnegen kunt u het nog eens proberen.'

Ik glimlach vriendelijk terug en kijk op mijn horloge, nog maar negen minuten. 'Ik moet hem heel erg dringend spreken, het is erg belangrijk!'

'Mevrouw, mag ik u adviseren telefonisch contact op te nemen met de heer Stevens alvorens een persoonlijk bezoek te brengen aan A&S Advocaten? Onze advocaten zijn drukbezette mensen en zijn niet zonder afspraak te spreken.'

Ze laat me niet eens uitpraten voordat ze met haar achterlijke verhaal komt. 'Mevrouw, mag ik u adviseren de heer Stevens nu hierheen te sommeren! Ik heb zijn kind bij me en hij zal het zeer op prijs stellen als u hem daarvan op de hoogte brengt.'

De receptioniste buigt over de balie heen en kijkt naar Sven. 'Ik kan zijn mobiele nummer eens proberen.'

'Hij neemt zijn telefoon niet op,' zeg ik gefrustreerd. 'Waar is zijn kantoor? Ik lever dit jongetje even bij hem af en dan ben ik weer weg.'

'De heer Stevens is momenteel buiten de deur.'

'Zeg dat dan meteen! Kan ik hem bij jou laten?'

'Dat kan echt niet, mevrouw. Mijn baas zou het niet accepteren als ik oppas zou spelen voor een ziek kind!'

'Die van mij gelukkig wel!' antwoord ik sarcastisch. Ik heb nog maar zeven minuten. 'Zodra u de heer Stevens spreekt, zegt u hem dan dat hij zijn zoon op dit adres kan ophalen.'

Ik buk om Sven weer op te tillen en voel de spier in mijn arm alweer trillen, waarna mijn handtas van mijn schouder zakt en tegen de achterkant van mijn hoofd slaat. Ik kijk even omhoog om te zien of de receptioniste mijn actie heeft gezien. Ze doet in ieder geval alsof dat niet zo is. Goed genoeg. 'Kom op Sven, we gaan er weer vandoor. Papa komt je zo halen!'

Als ik hem optil zie ik dat hij tegen mijn been heeft gekwijld. Ik veeg de plek zo goed als het kan van mijn legging, maar hij blijft zichtbaar.

Ik moet nu echt sprinten om op tijd te zijn. Ik houd Sven niet meer op één arm en heb hem als een aapje aan mijn bovenlijf geklemd. Hopelijk houdt hij niets over aan het gehobbel. Ik voel mijn hakken slijten bij elke stap die ik zet en ik hoop uit alle macht dat ze het niet begeven. Ik ben blij dat ik iets zwarts heb aangetrokken want ik vermoed dat ik, ondanks de kou, behoorlijke zweetplekken heb opgelopen.

Als Anna Lee hier achter komt, vlieg ik eruit. Ik ren het gebouw van Anna Lee binnen, loop ongezien naar mijn kantoor en smokkel Sven mee naar binnen. Ik sjor zijn jasje uit en vis een tuitbeker uit zijn rugzakje. Ik duw het in zijn handen en werk mezelf tegelijkertijd uit mijn eigen jas.

'Nu moet je even heel lief zijn,' fluister ik. Aangezien hij geen kik meer heeft gegeven na zijn hysterische huilbui bij de kinderopvang, ga ik ervan uit dat het nu ook goed moet gaan. 'Ik ga even wat kleurpotloden voor je zoeken, maar dan moet je wel heel stil zijn.'

Hij kijkt me aan alsof ik gestoord ben.

Ik glimlach en loop dan zachtjes mijn kantoor uit. Het blijft stil, zelfs als ik aan het einde van de gang ben. Ik ben net op tijd bij de conferentiezaal als Anna Lee aan komt lopen. Helemaal sereen, onberispelijk en niet bezweet. Ik glimlach en begeleid haar naar binnen zonder dat ze iets kan zeggen. Ik zie dat ze naar me kijkt, ik weet ook heus wel dat ik rode wangen heb en dat mijn haar niet meer super zit. Misschien denkt ze dat ik een halfuurtje hebben liggen rollebollen met een van de mannelijke modellen. Dat is namelijk wel eens voorgekomen, al hoop ik dat ze daar niet van weet.

'Jullie hebben een uur voor het interview,' zeg ik tegen de redacteuren van het modeblad. Normaal blijf ik wat langer bij een interview hangen om ervoor te zorgen dat alles in goede banen geleid wordt, maar nu glip ik weg zodra ik weet dat Anna Lee me niet meer mist. Ik ren door de gangen en vis hier en daar wat kleurpotloden van de tekentafels.

'Het duurde even, maar ik heb ze gevonden, hoor!' zeg ik vrolijk als ik mijn kantoor weer binnenloop. Sven zit nog precies zoals ik hem achter heb gelaten. Ik voel me een beetje schuldig. Ik ga naast hem zitten en leg een paar lege velletjes papier voor hem neer. 'Kijk eens, hier kun je heel mooi op tekenen,' zeg ik met een kinderstemmetje. 'Dit zijn echte grote-mensen-kleurpotloden. Niet iedereen mag daar zomaar mee tekenen, hoor! Omdat jij zo lief bent, mag dat wel.' Ik hoop dat ik hem een beetje kan paaien met mijn samenzweerderige toontje. 'Zullen we samen gaan kleuren?' Ik geef hem een potlood en ga zelf aan de slag. Ik zet een paar lijnen op het papier en wacht tot hij meedoet.

Hij kijkt een beetje bedenkelijk naar het potlood. Alsof hij het niet helemaal vertrouwt.

'Teken maar!' moedig ik hem aan. Hij blijft naar het potlood staren, maar doet niets. Waarschijnlijk maak ik hem onzeker. Hij gaat vast tekenen als ik even de deur uitga. Ik moet sowieso even terug naar Anna Lee. Ik loop naar het keukentje, vul een aantal kannen met water en voeg er verse schijfjes limoen aan toe. Intussen kijk ik in het spiegeltje dat naast de deur hangt en fatsoeneer mijn haar. De kleur in mijn gezicht is weer bijgetrokken. Ik loop de gang in met twee kannen water en hoor dan een hoop lawaai uit mijn kantoor komen. Ik herken het geluid als een heen en weer rijdende bureaustoel. Welk kind vindt het nu niet geweldig om op zo'n stoel rond te zwieren? Ik ga Sven niet vertellen dat hij dat niet mag doen. Als ik het verbied, gaat hij vast weer pruilen. Dat is juist wat ik nu niet moet hebben.

Ik loop door naar de conferentiezaal en ververs de kannen water. Ik blijf nog even staan en Anna Lee betrekt me meteen bij het gesprek. Het is niet zo dat ik iets heb in te brengen, maar ze vindt het erg prettig als ik haar antwoorden beaam. Dus ik sta daar maar een beetje stom te grijnzen en te knikken, terwijl ik de wieltjes van mijn bureaustoel steeds harder hoor piepen. Het is Anna Lee nog niet opgevallen, maar voor het geval het uit de hand loopt, deins ik al langzaam naar de uitgang. Ik zet weer een stap achterwaarts als ik een enorme knal hoor. Volgens mij was dit een botsing met een archiefkast. Dit kan ze niet gemist hebben. Ik hoop dat het geluid niet gevolgd wordt door een jengelend kind, want dan ben ik er gloeiend bij. Ik glimlach. 'Ik ben zo terug.'

Ik wandel in snel tempo naar mijn kantoor, maar het is ineens verdacht stil. O mijn god, hij zal toch niet knock-out gegaan zijn? Ik zwaai de deur open. Sven zit nog steeds op de plek waar ik hem achtergelaten heb. Ik ben toch niet gek, ik hoorde mijn stoel toch rollen? 'Heb je lekker gespeeld?' vraag ik.

Hij knikt.

Ik loop naar hem toe en bekijk het velletje papier. Er staan nog steeds maar drie strepen op. Die van mij. 'Vind je het niet leuk om te tekenen?'

Hij knikt weer.

'Toch wel? Waarom heb je nog niet getekend dan?'

'Heb ik wel,' zegt hij trots.

Ik lach. Hij probeert te verbergen dat hij mijn kantoor rond geracet heeft met mijn stoel. 'Laat eens zien wat je getekend hebt,' speel ik zijn spel mee.

Hij draait rond op zijn stoel en wijst naar mijn hagelwitte muur. Of wat mijn hagelwitte muur was. Over de gehele breedte staat nu een rode gekartelde streep. Op ooghoogte. Het lijkt wel een hartslag. Sven heeft op mijn stoel gestaan en over de hele muur getekend, totdat hij gestopt werd door de archiefkast. Waar nu dus een deuk in zit. Ik kan wel huilen! Hoe moet ik dit nu weer oplossen? Sven moet hier weg. Ik krijg hier gegarandeerd problemen mee. Ik kijk op mijn horloge, over tien minuten eindigt het interview en dan moet ik Anna Lee weer terzijde staan. Het lukt me nooit om hem voor die tijd weg te brengen. Ik heb hulp nodig en op dit moment kan ik maar één persoon bedenken. Ik grijp de telefoon. 'Hé, Deb... ben je thuis?'

Debbie, mijn reddende engel. Ik moet het nog een kwartier zien vol te houden. Dan kan ik hem naar Debbie brengen en kan ik me op mijn werk concentreren. Ik duw Sven met stoel en al naar de andere hoek van de kamer. Hij ziet er de lol nog van in en giert het uit. Ik vind het niet grappig, maar ik kan het hem onmogelijk kwalijk nemen. Je zult maar twee ouders hebben die niet genoeg om je geven om je op te halen als je ziek bent. Ik geef een draai aan de stoel zodat hij even bezig is, waarbij ik even vergeet dat hij ziek is. Hopelijk wordt hij niet te misselijk. Ik pak een gummetje en probeer de rode streep van de muur te vegen. Het werkt niet, hij is nu alleen een beetje vervaagd. Ik heb nu een smoezelige hartslag. Er zit niets anders op, de archiefkast moet van zijn plaats. En wel voor de streep. Ik duw met al mijn kracht tegen de kast en langzaam verdwijnt de streep erachter. Ik sta nog even uit te puffen als ik de stem van Anna Lee mijn kant op hoor komen. Shit, ze moet nu naar de fotoshoot. Ik trek Sven van mijn stoel en plant hem achter mijn bureau, uit het zicht. 'We doen nu verstoppertje. Niet bewegen tot ik het zeg, anders ben je af.'

Ik haast me naar de deuropening. 'Zal ik jullie even begeleiden naar het atelier, daar zullen de foto's gemaakt worden,' zeg ik zo rustig mogelijk.

Anna Lee wuift mijn opmerking weg en duwt me terug mijn kamer in. Ze sluit de deur achter ons. 'Ik wil even mijn make-up bijwerken,' zegt ze terwijl ze tegen de hoek van mijn bureau leunt en een handspiegeltje tevoorschijn tovert.

Ik houd het niet meer van de zenuwen. 'Anna Lee, we hebben niet veel tijd meer. Het interview is enigszins uitgelopen. We zullen de shoot in moeten korten.' Ik weet dat ze een fotoshoot geweldig vindt en hiermee hoop ik haar mijn kamer uit te werken.

Ze haalt een lipstick uit haar tasje en begint haar lippen te stiften. Vanuit mijn ooghoek zie ik een voetje van Sven achter mijn bureau vandaan piepen. Ze kijkt de andere kant op, maar als ze even beweegt... 'Er is iets anders aan je kamer.'

Ik loop naar de deur in de hoop haar mee te lokken. Straks gaat ze nog rondlopen. 'Ik heb de kast verzet.'

Anna Lee reageert zoals ik hoopte en volgt me naar de hal. 'Dat is het niet, het ruikt naar baby. Doe er iets aan, zet een appeltaart neer of zo.'

'Ik zal het meteen doen.' Ik breng het hele gevolg naar het atelier en vertel de fotografen wat de wensen van Anna Lee zijn. Ik wijs ze ook op de mogelijkheid om buiten foto's te maken op ons mooie dakterras. Dan haast ik me zo snel als ik kan terug naar mijn kamer. Ik moet nu maken dat Sven wegkomt. Straks krijg ik dat nooit meer ongezien voor elkaar.

Even raak ik in paniek als ik hem niet meteen zie, maar dan besef ik dat ik hem had gezegd dat hij achter het bureau moest blijven zitten. En dat heeft hij dus gedaan. Hij heeft alleen wel mijn tas omgekeerd en de bagel gevonden. Zijn wangen zitten onder het roze glazuur en hij zit prinsheerlijk te snoepen. 'Sven! Je bent ziek! Straks moet je overgeven!' Ik pak de bagel uit zijn handen en doe hem terug in het zakje. Hij kijkt een beetje beteuterd, maar hij heeft hem al half op dus ik denk dat hij te vol zit om er ophef over te maken.

'Kom, we gaan. We hebben nu wel genoeg lol gehad hier, vind je niet?'

'Ja,' antwoordt hij serieus. Ik hijs hem weer terug in zijn jas en gris zijn rugzak mee terwijl ik hem optil. Ik neem de trap naar de parkeergarage onder het gebouw. De lift vind ik te riskant. Je komt altijd wel iemand tegen. Ik druk op het knopje van de sleutel en zie de lichten van de auto van de zaak een eindje verderop knipperen.

Ik vind het vervelend om Deb met een vreemd kind op te zadelen, maar ik weet ook niet hoe ik het anders op moet lossen. Ik heb nog niks van die ouders gehoord. Met een beetje geluk bellen ze me straks terug en kunnen ze hem zelf bij Deb ophalen.

Ik heb geen kinderzitje, maar het is maar een paar honderd meter rijden dus zet ik hem op de achterbank met de heupgordel vast. 'Mama toe?' vraagt Sven.

Ik stap achter het stuur. 'Nog heel even wachten. Je mag eerst nog even met een ander jongetje spelen. Ken je Benji?'

Ik kijk achterom om uit het parkeervak te rijden en zie Sven een halve bagel en een tuitbeker ranja over de achterbank kotsen.

Ik ben laat, ik ben laat, veel te laat. Deb heeft me geholpen de enorme kotsvlek van de bank te verwijderen, maar het ruikt nog steeds zurig en ik hoop maar dat niemand de auto nodig heeft tot ik hem goed heb laten reinigen.

'Waar was je?' bijt Anna Lee me toe als ik me haastig bij haar voeg vlak voor ze haar laatste interview in gaat. 'Het is dat Angela in de buurt was om de ontvangst te begeleiden.'

'Sorry, er was een dringende kwestie vanuit het expeditieteam inzake de organisatie van...'

'Stil nu,' onderbreekt ze me met een grote nepglimlach. 'We gaan beginnen.'

Wat een geluk dat Anna Lee zich niet bezighoudt met details. Ik open de deur van de conferentiezaal en laat haar binnen.

Het is echt ellendig om Anna Lee steeds dezelfde antwoorden te horen geven, terwijl ik nog zoveel te doen heb. Ik ben de hele dag nog niet aan mijn eigen werk toegekomen. Ik had gedacht tussen de bedrijven door nog wat mails te beantwoorden, telefoontjes te plegen en dingen te regelen, maar daar is dus niets van gekomen. Ik moet bekennen dat ik nu ook even de draad kwijt ben van wat ik allemaal nog moet doen vandaag. Ik kan maar beter een overzicht maken van taken die echt vandaag nog volbracht moeten worden. Dat kan ik vanavond dan allemaal in gaan halen. Waarschijnlijk kan ik dan wel even doorwerken. Anna heeft straks een benefietdiner waar ik niet naartoe hoef. Hopelijk gaat ze vroeg weg en heb ik geen last meer van... O! Shit! Ik word opeens misselijk van schrik. Hoe heb ik dat nu kunnen vergeten? Het is een *benefiet*diner. Ik had een bedrag moeten overmaken naar een of ander goed doel. Vergeten. Helemaal vergeten. Ik wilde het gisteren doen, maar er kwam iets tussen. Ik ben niet meer aan de betalingen toegekomen en ik moet ook nog Anna's declaraties verwerken. Ik wilde het allemaal tegelijk doen, maar nu is het me helemaal ontschoten. Ik kijk onopvallend op mijn horloge. Als ik het voor vier uur als een spoedbetaling overmaak, staat het nog op tijd op de rekening. En ze zullen haar de toegang toch niet weigeren? Ze hebben heus geen lijst met wanbetalers. Toch? Het staat hooguit wat slordig als ze er achter zouden komen. Anna Lee haat slordigheden.

Ze werpt me een boze blik toe. Kan ze nu ook al gedachten lezen? Toevallig is een fout pas een fout als die aan het licht komt. Tot die tijd is het alleen een uitdaging om het nog terug te draaien voor iemand erachter komt. En deze fout is nog niet eens gemaakt. Dan besef ik dat ze zo boos kijkt omdat ik zenuwachtig met mijn pen op mijn klembord tik. Al komt dit op Anna Lee waarschijnlijk eerder ongeduldig over. Ik stop er meteen mee en glimlach verontschuldigend. Ik ben de rust zelve. Schiet nou maar op...

Net op tijd weet ik de betaling nog de deur uit te doen. Ik heb Anna's pas en code, dus kan ik zelf autoriseren en verzenden. Ik breng even in kaart wat mijn achterstallige werkzaamheden zijn en loop dan naar de toiletten. Anna Lee heeft het pand ondertussen verlaten, dus gun ik mezelf voor het eerst vandaag de tijd voor een kleinigheid als plassen. Nadat ik mijn handen heb gewassen, blijf ik even staan voor de grote spiegel die de hele wand aan de kant van de wasbakken beslaat. Ik zie er afgemat uit. Mijn chocoladebruine lokken beginnen te vervagen. Ze kunnen niet eens meer voor melkchocolade doorgaan, eigenlijk. Vreemd dat Anna Lee er nog niets van gezegd heeft. Ik buig me iets voorover en staar in blauwgrijze ogen, vandaag meer grijs dan blauw, die leeg aandoen. Mijn huid ziet er ook niet zo goed uit. Een beetje vlekkerig en rood. Ik kan wel wat vochtinbrengende crème gebruiken, zie ik. Ik neem weer wat afstand van mijn spiegelbeeld, aangezien het me vandaag niet al te vrolijk maakt.

Ik ben over het algemeen best tevreden met mijn uiterlijk. Ik ben geen opvallende verschijning of zo, maar daarom is er met de juiste middelen altijd wel iets van te maken. Als ik een beetje moeite doe, kan ik er best mee door. Ik heb niet de ravenzwarte glanzende haardos en mysterieuze oogopslag van Jessica. Ik heb mijn haar wel eens zwart geverfd, maar die look gaf me eerder een sm-meesteres uitstraling dan de sexy wicca look van mijn vriendin.

Ik heb ook niet het lange, lenige lichaam van Micky en haar natuurlijke flair, noch Debbies flirterige glimlach, volle borsten en speelse krullen. Maar die krullen heeft ze meedogenloos gekortwiekt na de geboorte van haar jongste en ze klaagt nog steeds over de extra kilo's die ze nog meetorst van haar laatste zwangerschap. Daar heb ik dan weer geen last van. Mijn lijf is al jaren hetzelfde. Ik heb geen cellulite, tenzij ik heel hard knijp en ik heb ooit eens een striaestreepje ontdekt op mijn heup, maar toen ik het aan Micky wilde laten zien, moest ik twintig minuten zoeken, dus daarover heb ik ook nooit meer geklaagd.

Ik verlaat het toilet en loop terug naar mijn kantoor. Ik heb geen tijd om langer over mijn droge huid in te zitten. Ik moet me op mijn volgende project storten: Sven. Ik vind het echt belachelijk dat ik nog steeds niets van zijn ouders gehoord heb. Stel je voor dat het een noodgeval was geweest. Nu is er misschien geen ernstige situatie, maar wat als dat wel zo geweest was? Je hoort gewoon bereikbaar te zijn voor je kind. Klaar. Dat zal ik hun wel duidelijk maken, ook.

Ik wil net Debbie bellen om te vragen hoe het met Sven gaat

als de telefoon op mijn bureau gaat. Het is de receptie. 'Met Hannah...'

'Hannah, er staat een meneer hier aan de balie... hoe is uw naam ook weer?... Stevens? Meneer Stevens is hier voor jou. Jij had hem gebeld over zijn zoon?'

'Ja, zeg maar dat ik eraan kom.' Ik hang op, trek mijn jasje aan, pak mijn tas en loop naar de lift. Dat zou tijd worden, zeg. Het is nu vier uur later dan de eerste keer dat ik hem belde. Ik ben benieuwd wat voor man dat is. Zo'n oude vent die alleen voor zijn werk leeft en een groen blaadje aan de haak heeft geslagen die nog per se een kind wilde? Zo'n tweede-legfiguur voor wie het allemaal niet meer hoeft, maar die toch het vrouwtje tevreden moet zien te houden?

Als ik beneden in de ontvangsthal kom, zie ik hem al staan. Ik moet toegeven dat hij er iets anders uitziet dan ik in gedachten had. Dit is allesbehalve een oude vent. Ik schat hem rond de dertig. Hij is lang en goedgebouwd. Heel erg goed gebouwd zelfs. Hij draagt een mooi pak en hij wordt knapper met elke stap die ik in zijn richting zet. Hij heeft mooi haar. Een beetje krullerig. Hij lijkt wel wat op McDreamy, eigenlijk.

Ik kijk de hal rond. Dit kan hem niet zijn. Zo ziet iemand die zijn kind verwaarloost er niet uit. Er moet ergens een ongeïnteresseerde, uitgezakte, kalende kerel staan.

Deze licht gespannen, verontrust voor zich uit kijkende knapperd komt vast gewoon een kopieerapparaat repareren. Gekleed in Armani.

Hij veert op als hij het geluid van mijn hakken door de hal hoort echoën. 'Hannah Fisher?' vraagt hij terwijl hij op me afstormt.

'Hoi,' zeg ik en ik glimlach op mijn charmantst. Ik weet wel dat er ook een moeder in het spel is, maar je weet maar nooit. Deze is te leuk om geen goede indruk te willen maken. 'Ik heb Sven...'

'Waar is mijn zoon?' onderbreekt hij me. 'Mijn secretaresse zei dat ik hem hier op kon halen, waar is hij?'

Goed, hij is natuurlijk een beetje geschrokken. Logisch dat hij dat niet helemaal kan verbergen. 'Hij is bij een vriendin van me, hier vlakbij...'

'Ben jij wel normaal?' buldert hij dwars door mijn zin heen.

'Wie haalt het nu in zijn hoofd om een kind op te halen zonder dat zijn ouders het weten? Hij kan maar beter in orde zijn, want als er ook maar iets aan hem mankeert, dan heb jij een heel groot probleem, juffie!'

'Zeg, doe zelf normaal! Ik heb dat kind opgevangen omdat jij het te druk had met dingen die blijkbaar veel belangrijker voor je zijn. Ga mij nu geen verwijten maken!' Ik heb me vergist. Hij is niet knap. Hij is een egocentrische, arrogante, onbeleefde, ondankbare... brulaap.

Hij is even stil en het lijkt alsof hij bijdraait. Misschien biedt hij zijn excuses aan en dan kan ik hem toch weer een beetje knap vinden. 'Jij weet niks van mij of van wat ik belangrijk vind. Bemoei je met je eigen zaken en breng me naar mijn zoon.'

Niet dus. Nu ben ik er klaar mee. Hij is niet knap en hij zal het nooit meer worden. 'Moet ik me nu met mijn eigen zaken bemoeien of je naar je zoon brengen? Volgens mij spreken die twee dingen elkaar een beetje tegen.'

'Goed, dan breng je me eerst naar mijn kind en dán bemoei je je met je eigen zaken.'

'Nou, heel graag! Alsof ik niks beters te doen heb dan op een vervelend joch passen. Weet je wel hoe druk ik het heb?'

'Dat valt vast wel mee, anders zouden we hier niet staan discussiëren.' Hij loopt weg.

'Je redt het wel in je eentje, neem ik aan?'

'Nee! Ik loop naar mijn auto die ieder moment weggesleept kan worden en jij komt achter me aan.'

'Ik stap echt niet met jou in een auto.'

Hij draait zich woest naar me om en even durf ik geen kik meer te geven. 'Kom mee.'

'Wie zegt eigenlijk dat jij zijn vader bent?' stamel ik dan.

Zijn blik vermorzelt me bijna. Hij is niet alleen een vader, hij is een vader die geen tegenspraak duldt.

'Oké, ik geloof je wel,' zeg ik terwijl ik hem met tegenzin volg. Ik stap in zijn patserige BMW en geef hem het adres zodat hij het kan intoetsen in het navigatiesysteem. Ondertussen bel ik Deb om te vermijden dat ik een gesprek met hem moet voeren. Ik vraag hoe het met Sven gaat en zeg dat we zo bij haar zijn. Als ik opgehangen heb, merk ik dat hij sowieso niet met me praat. 'Hij slaapt, mocht het je interesseren,' zeg ik na een paar tellen.

Hij geeft geen antwoord en houdt zijn blik strak op de weg. Het is een gekkenhuis rond deze tijd in de binnenstad, maar hij dwingt overal voorrang af. Blijkbaar iemand die gewend is altijd zijn zin te krijgen. Ik mag hem niet. Ik mag hem helemaal niet. Niet te geloven hoe lang een ritje van een paar minuten kan duren als je naast zo iemand zit. Als het aan mij lag, stapte ik lekker uit en dan kon hij het zelf uitzoeken. Ik word steeds bozer. Alsof ik hier om gevraagd heb. Ik ga er iets van zeggen.

'Ik heb de hele middag met je kind rondgesjouwd omdat niemand tijd voor hem had. Als ik dat niet gedaan had, zou hij nu nog met zijn jas aan en zijn rugzakje om op een krukje in de crèche zitten wachten. Je zou wel wat beleefder mogen zijn.'

Weer geen antwoord. Zijn kaak verstrakt. Ook goed. Ik heb mijn best gedaan. Ik kan van onfatsoenlijke mensen niet verwachten dat ze dat waarderen. Je moet nooit dankbaarheid verwachten, van niemand. Als ik iets geleerd heb van Anna Lee is het dat wel. Je moet dingen om je eigen redenen doen en dat heb ik gedaan. Ik heb voor Sven gezorgd met de beste bedoelingen en ik heb deze eikel niet nodig om me daar goed over te voelen.

Deb opent de voordeur al zodra we bij haar in de straat stoppen. Hij trekt de handrem aan en laat de auto met draaiende motor staan terwijl hij naar haar toe beent. Ik heb zin om de handrem weer los te maken voor ik uitstap, maar aangezien hij advocaat is, laat ik dat maar achterwege. Ik volg hem Debbies huis in en zie meteen een heel andere man dan een paar tellen geleden. Hij knielt voor Sven neer, die met een slaperig hoofd en bungelende beentjes op de bank van Deb zit.

'Hé Sven, hoe is het, mannetje? Ben je ziek?' Zijn stem is opeens heel rustig en zacht en hij bevoelt het voorhoofd van Sven. 'Gaat het?' vraagt hij bezorgd.

'Ik heb gespeeld,' antwoordt Sven met een krakerig stemmetje. 'We gingen racen en botsen.' Hij lijkt veel wakkerder, nu hij zich mijn bureaustoel herinnert.

Zijn vader is minder enthousiast en kijkt boos naar me om. 'Ik heb hem in mijn auto laten rijden,' leg ik uit. Wat denkt hij nou?

'Boem,' zegt Sven, 'kapot!'

'Kom maar, we gaan naar huis.' Hij tilt Sven van de bank en zonder iets tegen mij of Deb te zeggen, loopt hij terug naar zijn dure auto. Hij vraagt niet eens wat er kapot is en of hij de schade kan vergoeden. Nee joh, niks aan de hand. Graag gedaan. Fijne avond!

Sven zwaait naar me over de schouder van zijn vader.

'Dag Sven!' roep ik hem na en dan gooi ik de deur dicht. Ik kijk naar Deb die er verbaasd bij staat. 'Wat een lul!'

FRANK

'Het is jouw schuld!' bijt Jackie me toe. Ze staat me buiten al op te wachten en trekt, zodra ik de auto stilzet, het achterportier open. Ze maakt Sven los uit het zitje. Hij slaapt bijna en laat zijn hoofdje tegen haar schouder vallen als ze hem optilt.

'Hoezo mijn schuld?' vraag ik terwijl ik de autodeur achter haar dichtdoe. Zij is alweer onderweg naar binnen.

'Wiens schuld is het dan? Je wist dat ik de hele dag bezig was met die reorganisatie. Jij zou toch bereikbaar blijven?'

Ik sukkel volgzaam achter haar aan. 'Dat was ik ook. Kan ik er wat aan doen dat het bij niemand opkomt om me mobiel te bereiken? Jij hebt zeker alleen je eigen nummers doorgegeven aan die stomme kaboutergrieten. Ik heb altijd al gezegd dat ik niet wil dat hij daarheen gaat.'

'Nou, soms moet je je maar bij bepaalde dingen neerleggen, Frank. Het gaat niet altijd zoals jij het wilt.'

'Alsof ik dat nog niet gemerkt heb.'

'Doe niet zo zielig. Dit bewijst maar weer eens dat we niet op je kunnen rekenen.' Ze houdt Sven beschermend tegen zich aan. Bijna alsof ze hem tegen mij in bescherming wil nemen. 'Maar dat wist ik natuurlijk allang.'

'Wat had ik dan moeten doen? Ik kreeg het bericht pas na de zitting door via de zaak en toen ben ik halsoverkop vertrokken.'

Ze gaat zitten en probeert het jasje van Svens hangerige lijf te pellen. 'Toen was hij al een halve dag bij een vreemde in huis.'

'Ja dat weet ik ook wel! Denk je dat ik blij ben dat het zo ge-gaan is? Als jij hem niet steeds door een andere secretaresse op zou laten halen...'

'Dus nu heb ik het gedaan? Bedankt, Frank! Ik voelde me nog niet ellendig genoeg.'

'Dat zeg ik toch niet?'

33

'Dat suggereer je wel! En ik ben het spuugzat dat ik altijd de enige ben in dit gezin die ergens verantwoordelijkheid voor neemt! Het is nooit jouw schuld! Het ligt altijd aan anderen. Het ligt altijd aan mij!' Haar stem slaat over en ze vecht met de laatste mouw die nog aan het armpje van onze zoon zit. Ze snuft en veegt vluchtig met de rug van haar hand onder haar oog.

'Jackie...'

'Laat me met rust.'

'Wat wil je nou van me?'

'Dat zeg ik toch? Dat je me met rust laat!' schreeuwt ze. De mouw verliest het gevecht en schiet los, waardoor Sven opschrikt en paniekerig van zijn moeder naar mij kijkt. Zijn onderlip begint te trillen en Jackie kijkt boos naar me op. 'Zie je nu wat je doet? Nu is hij ook overstuur! Stil maar Sven, het is al goed, hoor. Mama is hier.'

Ze begint hem te troosten, waardoor hij blijkbaar denkt dat er iets aan de hand is en echt begint te huilen.

'Er is niks met hem. Je moet hem niet zo betuttelen.'

'Ik ben zijn moeder en hij is ziek en als ik hem wil betuttelen, dan doe ik dat.'

Sven gaat nu met kopstem huilen en loopt rood aan. 'Prima, maak er maar een jankerd van, dan kun jij tenminste laten zien wie hier de boeman is, toch?'

'Dat hoef ik niet te laten zien, dat doe jij zelf al! Kom maar, Sven, we gaan lekker in bad.' Ze staat op en steigert naar boven. De deur valt achter haar dicht, maar houdt het geluid van een krijsende Sven niet tegen. Jackie praat sussend tegen hem en ik hoor aan haar stem dat ze ook huilt. Ergens heb ik het gevoel dat ik iets zou moeten doen om hen te troosten, maar waarschijnlijk maak ik het dan alleen maar erger. Ik heb mijn jas nog aan, dus ik hoef alleen naar buiten te lopen, de deur achter me dicht te trekken en te wachten tot ik het geschreeuw van Sven vanuit de badkamer niet meer hoor.

'Weet je, Roy, mijn leven is ruk...'

'Gewoon doordrinken,' zegt hij terwijl hij nog een glas bier bij me neerzet, 'dan wordt het vanzelf beter.'

'Het wordt niet beter, het *lijkt* alleen beter en als je dat uiteindelijk beseft, wordt het juist nog slechter.' Toch laat ik het restant van mijn eerste biertje in mijn keel verdwijnen en ga ik door met het volgende. Dit is wat ik doe met Roy. We zuipen, versieren meiden, spelen spellen op zijn *XBox*, eten vieze afhaalmaaltijden, kijken voetbal en 'tieten, schieten, helikopters' en soms, bij gelegenheid, bespreken we belangrijke dingen die ons bezighouden. Vanzelfsprekend kan Jackie hem niet luchten, maar Roy is al mijn beste vriend sinds ik dertien was en ruzie had met de grootste, gemeenste jongen uit de klas. Roy hielp me toen ik op het punt stond in elkaar gerost te worden en we hebben dan wel niet gewonnen, maar de klappen werden in ieder geval over twee man verdeeld.

'Kom op, man. Het is toch goed afgelopen?'

'Kun je dat Jackie ook wijsmaken?'

'Ach... fuck Jackie!'

'Dat zal er even niet inzitten, denk ik.'

'Nou ja, vrouwen genoeg. Kijk langzaam over je schouder, aan het eind van de bar zit een lekker stuk en ze kan haar ogen niet van me af houden. En omdat jouw leven zo ruk is, mag jij haar hebben, vanavond.'

Ik kijk even om. 'Nee, dank je.'

'Wat? Niet lekker genoeg? Dat meen je niet!'

'Ze is best lekker, maar mijn hoofd staat er even niet naar.'

'Tja, zo blijft het rukken, natuurlijk.'

'Grappig!' Ik drink mijn bier op en Roy gebaart meteen naar de barman.

'Doe ons er nog twee en vraag of die dames daar ook iets willen drinken.' Hij tovert een tandpastaglimlach op zijn gezicht en knipoogt terwijl de barman de boodschap overbrengt. 'Tien, negen... acht,' telt hij af. Het erge is dat ze meestal happen voor hij bij één is. Deze hebben blijkbaar klasse, want hij is al bijna klaar en ik zie nog geen beweging. Hij kijkt een beetje verbaasd. '... twee, één... een half...'

'Vergeet het maar, Roy. Je hebt je dag niet.'

'Ik zou toch durven zweren...'

'Laat ze nu maar met rust, ik heb echt geen zin om leuk te gaan zitten doen.'

'Ik zou het toch maar proberen.'

'Waarom? Voor jou?'

'Ze komen er aan. Zoals ik al voorspelde.' De tandpastaglimlach verschijnt weer en ik kijk toe terwijl hij alles uit de kast haalt om een goede indruk te maken. Een van de vrouwen reageert heel enthousiast. De andere staat er chagrijnig bij te kijken. Natuurlijk maakt dat haar meteen tot zijn project. Mij kan het allemaal gestolen worden en ik stort me op mijn volgende biertje.

'Hoi,' zegt de vrolijke.

'Hé,' antwoord ik. Onbeleefd zijn is ook weer niet mijn bedoeling.

'Dankjewel voor het drankje.'

'Dat moet je tegen hem zeggen. Hij subsidieert ook mijn aankomende kater.'

'Wat aardig van hem. Ik doe hetzelfde voor mijn vriendin. Ze is al drie maanden non-stop aan het werk en de enige levende wezens die ze tegenkomt zijn collega's, cliënten en haar kat. En natuurlijk moest ik haar vanavond aan haar haren mee naar buiten slepen.'

'Echt waar? Ik ben ook niet bepaald in feeststemming. Misschien zou ik met haar moeten praten. Dat klikt waarschijnlijk geweldig.'

'Pech dan.'

'Hoezo?'

Ze neemt een slokje rosé en staart met grote ogen over de rand van haar glas. 'Ik zag je eerst...'

Eerst is er bonkende hoofdpijn. Dan een droge keel en een heel, héél vieze smaak in mijn mond. Dan gevoelloosheid in mijn rechterarm en de reden daarvoor. Ze heeft haar naam meerdere keren herhaald gisteravond. En vannacht. Toch kan ik er nu even niet opkomen. Ik haat het als dat gebeurt. Ik probeer mijn arm onder haar vandaan te krijgen, maar ze werkt niet erg mee. Ik kom een beetje overeind en til het dekbed een stukje op. Zo! Dat heb ik niet slecht gedaan. Ze zag er in de kroeg ook heus wel aardig uit, maar de details zijn nogal wazig. Het zou jammer zijn als ik me dit niet herinnerd had.

Er ontstaat beweging naast me en ik laat het dekbed los. 'Hé,' zegt ze, schor van een avond vunzigheden in mijn oor schreeuwen. 'Ben je er nog?'

'Ja, jij ook zo te zien.'

'Het is dan ook mijn flat.'

Ik knik. 'Dat dacht ik al, want ik heb geen gebloemd beddengoed.'
'Ik vond het erg gezellig gisteren.' Ze tilt haar hoofd een stukje op, waardoor mijn arm eindelijk vrijkomt. Ik dacht dat de
gevoelloosheid erg was, maar nu mijn bloed weer gaat stromen,
wordt het pas echt vervelend.
'Ik ook, maar...'
'Maar ik ben niet op zoek naar een relatie,' gaat ze verder.
'Tenminste, niet met jou. Er is eigenlijk iemand anders. Het is
nog niet heel serieus, maar ik zie hem wel heel erg zitten. Misschien had ik het eerder moeten zeggen, maar ik vond je leuk en
ik had zin in je.'
'O. Oké, geen punt.' Ik masseer mijn arm. 'Ik ben ook niet op
zoek...'
'Perfect!' Ze lacht een rij keurig rechte tanden bloot en gaat
rechtop zitten, zonder moeite te doen om haar naakte lichaam te
verhullen. 'Nu dat opgehelderd is... Wil je even douchen? Ontbijten? Je kunt gerust nog even blijven. Ik heb niet veel te doen
vandaag.'
Ik kijk op mijn horloge. 'Ik moet zo wel gaan, eigenlijk. Maar
douchen en ontbijten, dat klinkt best goed.'
'Oké dan. Maar ik moet wel eerst heel nodig plassen!' Ze
springt uit bed en rent naar de badkamer. Als we een uurtje later
allebei gedoucht en gegeten hebben, voelt het toch een beetje
raar.
'Moeten we niet toch iets van nummers uitwisselen, of zo?'
vraag ik als ik op het punt sta om weg te gaan. 'Gewoon voor
het geval dat?'
Ze twijfelt even. 'Nou goed dan, je weet maar nooit.' We wisselen onze gsm uit en zetten onze nummers erin. *Micky* zie ik als
ik de mijne terugkrijg. O ja, nu weet ik het weer.
'Frank,' zegt ze hardop. 'Ik was je naam vergeten.'
Ik geef haar een kus op haar wang. 'Als je de rest maar niet
vergeten bent.' Dan loop ik naar buiten. Misschien is het nu echt
tijd om hiermee op te houden. Ik heb een vrouwelijke versie van
mezelf geneukt.

Ik ben laat op kantoor, maar die uren haal ik vanavond wel in.
Dat is ook veel effectiever. De maten hebben het niet eens door

als je elke dag om halfacht begint. Wat ze wel zien, is dat je elke avond nog druk aan het werk bent als zij weggaan. Kijk, dat is effectief. En de letter S zit al in de bedrijfsnaam, dus partner worden kan haast niet makkelijker. Bovendien zijn er niet zoveel andere kandidaten. Het zou tussen mij en Roy gaan en hoewel Roy vleugels krijgt in de rechtszaal, is hij niet bepaald het prototype van een harde werker. Ik weet zeker dat de keuze eerder op mij zal vallen en zal blij zijn als het zover is. Ik ben benieuwd wat Jackie daarvan zal zeggen. Al dat geklaag over dat ik een workaholic ben. Ik hoor haar nooit zo hard klagen als ze met mijn creditcards de stad in geweest is. Misschien krijgt ze wel spijt. Dat lijkt me lachen. Als zij eens degene is die haar excuses maakt. Ik ben die rol ondertussen wel zat.

Ik log in en bekijk mijn agenda en binnengekomen mails. Er zit er een van Roy bij met het onderwerp 'Lekker?' Hij laat me weten dat hij zich de hele avond kapot gewerkt heeft om grappig, leuk en geïnteresseerd over te komen met als resultaat een bruisende conversatie en geen enkele vorm van seks. Hij hoopt dat ik meer geluk gehad heb, wat natuurlijk zo is, maar ik vraag me wel af waarom hij niet gewoon blij kan zijn dat hij een vrouw heeft leren kennen die hem de hele avond genoeg heeft weten te boeien om met haar in gesprek te blijven. 'Wel eens gehoord van iets langzaam opbouwen?' mail ik terug. Daarna neem ik het stapeltje post op mijn bureau door. Allemaal dingen waar ik geen zin in heb, zie ik al gauw. Maar één envelop is nog gesloten. Er staat een onbekend embleem in de hoek en er staat 'Vertrouwelijk en Persoonlijk' boven de adressering, die op mijn naam is, zonder A&S erbij te vermelden. Hmm. Ik scheur de envelop slordig open.

Geachte heer Stevens,

Naar aanleiding van ons zeer onprettige onderhoud van gisterenmiddag stuur ik u hierbij een declaratie van de door mij gemaakte kosten inzake het opvangen van uw zoon Sven. Graag zie ik binnen veertien dagen het totaalbedrag van € 1.211,-- op rekeningnummer 17.62.22.000 t.n.v. H.H.M. Fisher tegemoet.

Drie uur oppas door H.H.M. Fisher	€	225,00
Een uur oppas door D.W.J.M. Jansen	€	100,00
Vergoeding kosten levensonderhoud	€	40,00
(bagel, 2 bekers limonade, fruithap, verbruik		
luiers, verbruik benzine i.v.m. vervoer)		
Reiniging bedrijfsauto i.v.m. verwijderen braaksel	€	173,50
Kosten stomerij i.v.m. verwijderen braaksel		
van jas	€	45,00
Reparatie schoenen	€	13,50
(i.v.m. slijtage aan de hak veroorzaakt door		
zoektocht binnenstad naar uw kantoor)		
Aanschaf nieuwe archiefkast	€	198,00
(i.v.m. 'boem-kapot')		
Kosten stukadoor	€	375,00
(i.v.m. grote streep viltstift op hagelwitte muur)		
Telefoonkosten (12 maal)	€	33,00
Administratiekosten	€	8,00
Totaalbedrag	€ 1.211,00	

Ten slotte wil ik nog benadrukken dat het niet mogelijk is alle kosten bij u in rekening te brengen. Vanwege uw nalatigheid als vader heb ik mijn pauze moeten inleveren. Mocht het u niet duidelijk zijn: mijn vrije tijd is onbetaalbaar!

Omdat ik mijn ogen niet kan geloven, lees ik de factuur wel drie keer over. Die meid is niet goed bij haar hoofd. Volslagen debiel. Als haar vrije tijd zo belangrijk is, vraag ik me af waarom ze die besteedt aan het opmaken van facturen die nevernooit betaald zullen worden. Echt, ze moet wel gek zijn om te denken dat ik dit serieus neem. Ze mag blij zijn dat ik geen aangifte tegen haar gedaan heb. Dat zal ik haar laten weten ook. Ik kan zo een aantal overtredingen bedenken. Ik gooi er even een aantal bepalingen uit het BW tegenaan en ze schrikt zich een ongeluk. En aangezien zij zo creatief met de waarheid omgaat (mijn kind lust geen bagels en we hebben thuis ook witte muren waar nog nooit een stipje op aangetroffen is), zal ik ook eens wat leuks op papier gaan zetten. Eindelijk iets waar ik wel zin in heb.

Het is al bijna acht uur als ik thuiskom. Er staat nog een kliek-je pasta van twee dagen geleden in de koelkast dat ik straks even in de magnetron kan schuiven. Jackie is boven bij Sven en ik hoor haar een verhaaltje vertellen voor hij moet gaan slapen. Zo vrolijk en lief als ze tegen hem doet, zo kortaf klinkt ze als ze tegen mij praat. Het is heel lang geleden dat ik die kant van haar heb gezien en ik kan me haast niet meer voor de geest halen hoe ze eruitziet als ze naar me lacht. En dan bedoel ik omdat ze me leuk vindt, in plaats van uitlachen, want dat kan ze heel erg goed. We zitten al heel lang in hetzelfde patroon, waarin ze het hoognodige tegen me zegt en dan weer haar eigen plan trekt. Omdat ze het zo ongelooflijk druk heeft met god weet wat.

Ik trek mijn jasje uit en raap de brief op die uit de zak valt. De factuur van Hannah Fisher. Terwijl ik hem openvouw, ga ik op de bank zitten en ik lees hem voor de zoveelste keer vandaag vluchtig door. Ik ga het steeds leuker vinden. Ik heb ook grote lol gehad met het opstellen van mijn reactie. Jammer dat ik er niet bij ben als mevrouwtje Fisher het leest. Ik moet hardop lachen om het absurde eindbedrag dat onder de streep staat, maar die lach verdwijnt gênant snel als Jackie met een uitgestreken gezicht voor me komt staan.

'Ze heeft een factuur gestuurd,' leg ik uit. 'Voor de kosten die ze zogenaamd heeft gemaakt toen ze op Sven paste. Echt bizar. Lees maar eens, het is een supergrap.'

'Ik zie dat je dat vindt,' antwoordt ze en één wenkbrauw trekt een tikje minachtend op. Heel subtiel, maar ik herken de signa-len heel goed tegenwoordig.

Ze pakt haar tas van de stoel en zoekt driftig naar haar sleu-tels. 'Ik ga. Als ik er tenminste op kan vertrouwen dat ik Sven langer dan tien minuten aan je kan toevertrouwen zonder dat hij bij vreemden belandt. Of erger.'

Ze draait haar rug naar me toe en ik mimiek haar laatste woorden geluidloos na. Zoals ik dat vroeger deed als ik brutaal was tegen mijn moeder.

'Wat denk je? Gaat dat lukken?' vraagt ze onderweg naar de voordeur. Ze wacht geen antwoord af en verdwijnt naar buiten. Ik weet niet wat ze gaat doen en het kan me weinig schelen ook. Ik loop naar boven. Misschien slaapt Sven nog niet en dan heeft hij me tenminste nog even gezien. Soms ben ik bang dat hij denkt dat ik hem in de steek laat.

'Svennie,' fluister ik door de kier van zijn slaapkamerdeur. Als hij nu slaapt, wil ik hem niet wakker maken, natuurlijk. Ik hoor hem een beetje murmelen. Dat is wakker, toch? Ik loop naar zijn bed en aai over zijn bolletje. 'Sven, ben je wakker?'

Hij opent zijn ogen en als hij me ziet, breekt er langzaam een lach op zijn gezicht door die zo groot is dat zijn duim uit zijn mond valt. Hij steekt een nat, slijmerig handje naar me uit. 'Papa!'

Ik ga zitten op de poef naast zijn bed en druk een kus in zijn haar. 'Hé vent.'

Hij kijkt me glunderend aan. Zijn oogjes glanzen in het donker. 'Spelen?'

'Nee. Eerst slapen. Morgen gaan we lekker spelen.'

'Nu spelen. Sven niet moe.'

'Volgens mij ben je wel een beetje moe.'

Hij schudt driftig zijn hoofd, maar zijn ogen vallen alweer dicht. Ik aai door zijn haren terwijl hij weer in slaap valt. Eigenlijk heb ik best zin om hem uit bed te trommelen en een potje te ravotten. Best erg toch? Als een kind van drie de enige op de wereld lijkt te zijn die je begrijpt?

Geen idee hoe ik op dit punt ben gekomen. Ik kan me nog goed herinneren hoe het begon met mij en Jackie. Onze eerste date. *Titanic* draaide net in de bioscoop en ze huilde tranen met tuiten toen Jack en Rose samen op dat stuk wrakhout in het ijskoude water dreven. Voor haar en mij zat er geen romantiek meer in die avond. Ze was zo onder de indruk van de film dat ze het begin van ons eigen liefdesverhaal gemist heeft. De laatste tijd heb ik steeds vaker teruggedacht aan die scène uit *Titanic*. Alleen ben ik dan degene die aan dat stuk hout hangt en Jackie probeert me er met alle geweld vanaf te pleuren.

Ik dek Sven nog even zorgvuldig toe. Jackie en ik hebben misschien veel fouten gemaakt, maar met hem zitten we toch echt helemaal goed.

HANNAH

Geachte mevrouw Fisher,

Met aandacht heb ik kennisgenomen van de door u verzonden factuur d.d. 7 januari 2010 inzake de vermeende kosten voor opvang van mijn zoon Sven. Hierbij maak ik kenbaar dat ik voornoemde factuur geenszins zal voldoen.

De door u zeer ruim geraamde kosten zijn uiterst misplaatst. Er dient een aantoonbaar causaal verband te zijn tussen de posten en de werkzaamheden die u hebt verricht met betrekking tot de 'opvang' (welke omschrijving mijns inziens vervangen kan worden door de term 'vrijheidsberoving' in de zin van art. 282 WvSr) van mijn zoon. Het behoeft geen uitleg dat 'boem-kapot' in deze tekortschiet. Ik kan mij niet aan de indruk onttrekken dat u niet alleen uw verouderde kantooruitrusting, maar ook uw garderobe een nieuwe impuls poogt te geven. Als u bij uw standpunt wenst te blijven, stel ik voor dat ik op uw kosten een onafhankelijke derde partij inschakel om de schade op te nemen.

Tevens attendeer ik u op diverse strafbare feiten door u gepleegd:

– U hebt mijn kantoor, een publiek toegankelijke ruimte, betreden en geweigerd het pand te verlaten na hiertoe dringend en meerdere malen verzocht te zijn door mijn secretaresse, hetwelk zij als zeer bedreigend ervaren heeft. Lokaalvredebreuk is strafbaar in navolging van art. 139 lid 1 WvSr.

– U hebt zich schuldig gemaakt aan onttrekking van een minderjarig kind aan het gezag over hem.

– *Mijn zoon heeft lichamelijke schade opgelopen, hem toege-*
bracht door de ondeugdelijke wijze waarop u hem vervoerd
hebt. U geeft aan dat dit in een bedrijfsauto gebeurd is. Na-
vraag bij uw bedrijf heeft opgeleverd dat in de auto waaraan
u refereert geen deugdelijk kinderzitje bevestigd is. Ik ver-
moed dat mijn kind in de auto gevallen is en hierdoor diverse
kneuzingen heeft opgelopen. De term 'boem-kapot' zou in deze
wel te verklaren zijn.

– *U hebt zich tevens schuldig gemaakt aan wanprestatie als*
bedoeld in art. 74 boek 6 BW. U hebt een verantwoordelijk-
heid op u genomen door mijn kind zonder mijn toestemming
mee te nemen en bent tekortgeschoten in de informatieplicht
die hierdoor jegens zijn moeder en mij ontstaan is. Ten slotte
wil ik u erop wijzen dat verdere ruchtbaarheid aan deze kwes-
tie u wel eens grote problemen met uw werkgever zou kunnen
bezorgen. Art. 611 boek 7 BW verplicht u tot goed werkne-
merschap. U bent onder werktijd drie uren bezig geweest met
werkzaamheden die niet vallen onder uw taakomschrijving en
niet strekken tot enig nut voor het bedrijf waarvoor u werk-
zaam bent.

Natuurlijk ben ik bereid te schikken. Dat de door u in reke-
ning gebrachte kosten niet opwegen tegen de tienduizenden
euro's aan geldboetes die u boven het hoofd hangen, als u op
grond van bovenstaande veroordeeld zou worden, is evident.
Tevens bestaat de mogelijkheid dat u op grond van boven-
staande een gevangenisstraf opgelegd krijgt. Bovendien vraag
ik me af waar u nog tegen een uurtarief van € 75,00 aan de
slag zult kunnen indien u oneervol ontslagen wordt.

Als ik niets van u verneem, ga ik ervan uit dat u deze uiterst
vermakelijke poging mij financieel uit te kleden, zult staken.
Erop vertrouwende dat u in de toekomst geen kinderen meer
wederrechtelijk zult meenemen, verblijf ik,

hoogachtend,

mr. F.M. Stevens

Een pluk blond haar is het enige van Alex wat boven mijn dekbed uitsteekt. Mijn dekbed dat hij helemaal ingepikt heeft. Ik hang met mijn hele gewicht aan een puntje om het onder zijn lichaam vandaan te trekken. Ik krijg er geen beweging in en opeens staat het idee om verder te slapen onder een deken, die de hele tijd onder zijn blote kont geplet heeft gelegen, me tegen. Ik had hem gewoon naar huis moeten sturen gisteravond. Dan had ik tenminste eens een uurtje kunnen uitslapen. Ik sta op en loop naar de douche. Misschien heeft Micky wel gelijk en ben ik hier niet geschikt voor. Ik kan in ieder geval niet zeggen dat ik er nu zoveel plezier in had vannacht.

Toen ik hem net kende, vond ik Alex heel aantrekkelijk en na een paar dates heb ik echt de kleren van zijn lijf gescheurd. Ik herinner me heel goede seks met hem, maar nu was het niet bepaald halleluja. Ik ben niet eens klaargekomen en het principe van een seksrelatie ligt toch in snelle bevrediging? Nou, snel was het wel.

Ik vind het heel irritant van mezelf. Moderne vrouwen horen dit toch te kunnen? Ik snap echt niet wat mijn probleem is. Alex ziet er goed uit. Er is niks mis met zijn blote kont. En als ik hem een tijdje niet gezien heb, gaat het kriebelen. Dan wil ik hem toch weer bellen en iets afspreken. En als ik hem dan zie, denk ik, goh... hij kon altijd wel heel lekker zoenen. Waarom doen we dat niet nog een keertje? Soms is het gewoon fijn om even iemand te hebben die je het gevoel geeft niet alleen te zijn. Iemand tegen wie je aan kunt kruipen 's nachts, die je vasthoudt, lief voor je is. Of gewoon iemand die precies weet wat je lekker vindt en waanzinnig in bed is. En Alex is wel zo iemand. Op zich. Hij is het gewoon niet voor mij, denk ik. En ik kan niet zeggen hoe jammer dat is, want waar moet ik hem dan vinden? Ik baal hier echt van.

Als ik klaar ben met douchen, ligt Alex nog diep te slapen. Ik kijk naar hem en probeer hem met mijn blik uit mijn bed en flat te dwingen. Dat heb ik niet echt onder de knie, geloof ik, want hij draait zich om en neemt nu het hele bed in beslag.

'Alex?' Geen reactie. 'Lex!'

'Wat?' vraagt hij zonder te bewegen.

'Ik eh...' Het lijkt wel alsof hij gewoon doorslaapt. 'Alex! Ik moet weg.'

'Hoezo?'

'Naar kantoor.'

'Het is zaterdag.'

'Ja, maar... ik heb het druk.' Hij antwoordt niet en even ben ik bang dat hij nooit meer weggaat. Het liefst zou ik hem aan een arm van het matras slepen, zo de hal op. 'Ik ga,' zeg ik. 'Trek de deur maar achter je dicht als je weggaat.'

Op zaterdag kan ik tenminste rustig doorwerken. Ik heb nog een kleine achterstand van gisteren weg te werken, maar eigenlijk ben ik hier om gebruik te maken van de werkruimte. Ik heb een idee in mijn hoofd voor een jas en hier heb ik alles bij de hand. En ik heb dat kleine detail van die brief nog af te handelen. Die belachelijke brief van Bullebak F.M. Stevens. Wat een lul. En wat een waardeloze dreigementen. Ontvoering! Alsof ik dat kind niet gewoon in mijn maag gesplitst heb gekregen! Ik heb de brief expres een paar dagen laten liggen, zodat hij denkt dat hij van me af is, maar zo is het mooi niet. Ik heb hem meteen door-gefaxt naar Jessica en zij heeft wat op de mail gezet dat ik kan gebruiken om hem van repliek te dienen. Dat type denkt gewoon maar over iedereen heen te kunnen walsen. Ik doe daar dus niet aan mee.

Ik ga achter mijn computer zitten en knip en plak wat zinnen uit de mail van Jess in die van mezelf tot ik tevreden ben.

Aan: F.Stevens@A&S-advocaten.eu
Van: Hannah.Fisher@al.com
Datum: 16-01-2010, 10:17
Onderwerp: brief d.d. 8 januari 2010

Geachte heer Stevens,

Ik herinner u aan art. 255 WvSr. Hij die opzettelijk iemand tot wiens onderhoud, verpleging of verzorging hij krachtens wet of overeen-komst verplicht is, in een hulpeloze toestand brengt of <u>laat</u>, wordt gestraft.... U zult begrijpen dat de toestand van Sven zeker als hulpeloos aan te merken was en dus heb ik gehandeld in de strekking van dit wetsartikel.

Uw zoon, door de kleuterleidster aan mij in bewaring gegeven in de zin van art. 600 boek 7 BW, is niets tekort gekomen en mij valt niets

45

te verwijten. Met vertrouwen zie ik daarom uw betaling tegemoet.
Met nog steeds vriendelijke groet,
Hannah Fisher

Zo! Daar heeft hij vast niet van terug. Wat goed dat ik Jessica in
mijn hoek heb. Ik loop naar beneden, waar het atelier is, zet de
radio lekker hard aan en ga aan de slag. Ik mouleer het ontwerp
dat nu alleen nog in mijn hoofd bestaat met stukken stof op de
paspop en maak daarna het ontwerp op papier. Dit wordt de
technische tekening waar ik verder mee kan werken. Als ik het
wil vergelijken met het vluchtige schetsje dat ik thuis gemaakt
heb, merk ik dat ik mijn map nog boven op mijn kantoor heb
liggen. Hardop zingend loop ik terug naar boven en ik zie dat
mijn grote vriend al teruggemaild heeft. Nog zo'n gek die op zaterdag op kantoor zit?

Aan: Hannah.Fisher@al.com
Van: F.Stevens@A&S-advocaten.eu
Datum: 16-01-2010, 10:59
Onderwerp: Re: brief d.d. 8 januari 2009

Hannah,
No fucking way!
Frank

Aan: F.Stevens@A&S-advocaten.eu
Van: Hannah.Fisher@al.com
Datum: 16-01-2010, 11:11
Onderwerp: Re: brief d.d. 8 januari 2010

Frank,
Ik ben echt heel erg boos over deze gang van zaken. Misschien moet
ik je even iets bijbrengen over goed fatsoen. Als iemand zijn best
gedaan heeft om jou te helpen, is het beleefd hiervoor te bedanken.
Een mooie bos bloemen, een cadeaubon of zelfs gewoon een aardig
mailtje was hier gepast geweest.
Jouw reactie, een scheldkanonnade in de openbare hal van mijn
werkplek, je norse gedrag in de auto en het ronduit onbeschofte
binnenstormen bij mijn vriendin thuis, is <u>niet</u> beleefd.

Daarnaast had je ook even kunnen vragen wat Sven precies kapotgemaakt heeft bij mij op kantoor en aan kunnen bieden daar voorzieningen voor te treffen. Als mijn kind andermans auto onderkotst en een kantoor verbouwt, zou ik niet weten wat ik doen moest om het goed te maken. Ik besef dat jij daar anders over denkt, maar ik wijs je erop dat ik je nooit een factuur had gestuurd als jij wat aardiger was geweest. Dus Frank: betalen graag. En anders je welgemeende excuses. Succes!
Hannah

Aan: Hannah.Fisher@al.com
Van: F.Stevens@A&S-advocaten.eu
Datum: 16-01-2010, 11:15
Onderwerp: Re: brief d.d. 8 januari 2010

Hannah,
Ik ga niet betalen en ik ga me ook niet verontschuldigen bij iemand die mijn kind meeneemt zonder mij even daarvan op de hoogte te brengen. Leuk dat je hem op mijn werk wilde dumpen, maar je had mij persoonlijk moeten bellen. Ik ben altijd bereikbaar voor mijn kind en als je me mobiel gebeld had, was ik meteen gekomen om hem op te halen. Blijkbaar was dat iets te moeilijk voor jou om te bedenken. Jij ook succes.
Frank

Aan: F.Stevens@A&S-advocaten.eu
Van: Hannah.Fisher@al.com
Datum: 16-01-2010, 11:17
Onderwerp: Re: brief d.d. 8 januari 2010

Wat een arrogante kwal ben jij! Ik heb je de hele tijd mobiel gebeld, maar jij nam niet op. Waar denk je dat al die telefoonkosten op de factuur voor waren? Sukkel!

Aan: Hannah.Fisher@al.com
Van: F.Stevens@A&S-advocaten.eu
Datum: 16-01-2010, 12:38
Onderwerp: Re: brief d.d. 8 januari 2010

Hannah,
Ik dacht dat jij goed fatsoen zo hoog in het vaandel had staan. Is dat niet een beetje in strijd met de toon van dit mailtje? Nogmaals: ik ben altijd bereikbaar voor mijn kind. Mijn mobiel stond de hele middag aan. Ik begin deze discussie steeds minder grappig te vinden.
Frank

Aan: F.Stevens@A&S-advocaten.eu
Van: Hannah.Fisher@al.com
Datum: 16-01-2010, 12:45
Onderwerp: Re: brief d.d. 8 januari 2010

Het interesseert me geen reet wat jij grappig vindt.

Halverwege de middag verlaat ik het pand. Ik moet nog wat boodschappen doen en loop onderweg naar huis langs de supermarkt. Ik heb weinig gedaan vandaag. Het grootste gedeelte van de ochtend heb ik starend naar mijn computerscherm doorgebracht, in afwachting van een nieuwe mail.

Na het laatste mailtje dat ik stuurde, was ik zo kwaad dat al mijn creativiteit geblokkeerd werd door een bijzonder gefrustreerd gevoel dat zich als een prop in mijn keel ophoopte. Ik heb nog een beetje aan mijn jas gemorreld, maar om het kwartier ging ik naar mijn pc om te kijken of hij nog iets teruggestuurd had. Dat was natuurlijk niet zo. Eerst maakt hij me zo boos dat ik niet meer normaal kan functioneren en dan gaat hij gewoon weg zonder mij te antwoorden. In een opwelling heb ik alles van de paspop getrokken. Het werkte toch voor geen meter. Ik kan net zo goed opnieuw beginnen met die jas. Ik wil geen gefrustreerde jas maken.

Als ik thuiskom, is Alex gelukkig weg. Ik ruim mijn boodschappen op en haal het beddengoed van mijn bed. Ik heb geen zin om het meteen weer op te maken en smijt het vuile goed in een hoek van mijn toch al krappe badkamertje. Daarna ga ik op de bank hangen en nutteloze zaterdagmiddagprogramma's op tv kijken. Ik eindig bij een documentaire over het productieproces van pleisters die ik helemaal afkijk.

Voor 's avonds probeer ik nog een van mijn vriendinnen over te halen om iets leuks met mij te doen. Ik word hartstikke depressief van een zaterdagavond zielig in mijn eentje. Ik ben best goed in alleen zijn. Normaal kan ik me uren bezighouden met het bedenken van een nieuw ontwerp, maar nu staat mijn hoofd er niet naar. Ik wil een beetje afleiding, dus bel ik eerst Micky. Ik krijg tot twee keer toe haar voicemail en ik herinner me dat ze een date heeft met de galerieman. Dan Jessica maar proberen.

'Hoi Jess,' zeg ik als ze opneemt.

'Hannah? Is er iets?' Ze klinkt ontzettend verbaasd.

'Nee, niks. Ik heb zin om nog even een kroeg in te duiken of zo. Ga je mee?'

'Maar het is al bijna halftwaalf, ik stap net in bed.'

'Op zaterdagavond?' vraag ik. Nu ben ik degene die verbaasd is. Als we nu al zo inkakken, hoe moet dat dan over tien jaar?

'Ja, ik ben echt kapot, joh. Ik ben blij dat ik het weekend heb om bij te slapen.'

'Jess...,' zeg ik zeurderig als een klein kind. 'Ik verveel me dood, kun je niet iets leuks aantrekken en nog een paar uurtjes met me meegaan?'

'Nee, echt niet. Het is deze week al elke avond laat geworden. En als ik nu met je meega, staan er binnen een paar minuten weer twee gladde kerels naast ons, waar we niet meer vanaf komen.'

'Is dat erg?'

'Nou, ik was laatst met Micky weg en toen had ze binnen no time met iemand aangepapt en ik heb geen drie woorden meer met haar gewisseld. Erg gezellig. Ik dacht dat ik een leuke avond met haar zou hebben, maar ik heb de hele tijd met de vriend van háár scharrel opgescheept gezeten.'

'O. En? Was het wat, die vriend?'

'Ach. Het ging wel. Volgens mij wilde hij gewoon met me naar bed en deed hij alsof hij me leuk vond om dat voor elkaar te krijgen.'

'En toen ben je met hem naar bed geweest?'

'Nee!'

'Toen hij doorkreeg dat je niet met hem meeging, haakte hij zeker af?'

'Nou, we hebben nog wel een hele tijd zitten praten. Tot Micky wild stond te tongen met die andere vent en ik het voor gezien hield.'

49

'Misschien vond hij je wel echt leuk. Anders was hij niet de hele tijd met je in gesprek gebleven.'

'Hij had niet veel keus, hoor. Het was een doordeweekse avond en zijn maatje had zijn handen en zijn mond vol aan onze Micky.'

'Tja. Dat kun je wel aan haar overlaten. Maar ik dacht dat ze die man uit de galerie zo leuk vond. Daar is ze toch vanavond mee weg?'

'Ja, ze kan goed multitasken.'

Ik moet lachen. 'Ga je echt niet mee, Jess? Voor mij?'

'Nee, zelfs niet voor jou.'

'Ik beloof dat ik met jou blijf kletsen en me niet vergrijp aan de eerste de beste die me aanspreekt...'

'Welterusten, Han.' Ze hangt op en ik besef dat ik bij Debbie al helemaal geen kans maak. Die zit natuurlijk met manlief op de bank en is blij dat ze even een paar uurtjes met hem samen heeft zonder jengelende kinderen die haar aandacht opeisen. Ik staar even naar mijn mobieltje op zoek naar andere opties.

'Niet doen,' zeg ik hardop tegen mezelf als de naam Alex in me opkomt. Ik denk aan vanochtend, toen ik spijt had dat ik hem gebeld had. Ik ga hem niet weer bellen. Zo goed was hij niet gisteren. Maar wat als hij nu gewoon zijn dag niet had? Het was ook niet heel slecht of zo. Het was gewoon... gemiddeld. Ik leg mijn gsm neer. Er was geen klap aan vannacht en ik ga er niet opnieuw aan beginnen. Het is over met Alex, ik moet het zien te accepteren. Precies op dat moment gaat mijn telefoon over en verschijnt zijn naam in het display. Misschien moet ik niet opnemen, maar ergens hoor ik een stemmetje dat me vertelt dat het toch iets moet betekenen dat hij me belt als ik net aan hem zit te denken. Dat bestaat toch? Voorbestemde zielen en zo. Voor ik het weet zit ik met de telefoon aan mijn oor en zeg ik mijn naam.

'Ben je thuis?' vraagt Alex. Hij klinkt heel erg vrolijk.

'Nee,' zeg ik.

Hij lacht hard. 'Ik zie dat je lichten branden.'

'Nou en? Dan ben ik die vergeten uit te doen. Sta je voor de deur of zo?'

'Yep. Ik zat wat te drinken in die nieuwe tent hier verderop, maar er was niet veel aan. Bij jou is het vast veel leuker. Mag ik niet even langskomen?'

'Nee.' Het is stil aan de andere kant van de lijn. 'We kunnen wel in het café afspreken, als je wilt.'

'Dat wil ik niet. Kom op Hannie, laat me binnen. Ik doe dat ene met mijn tong, dat jij zo lekker vindt...' Hij doet zijn best veelbelovend te klinken, maar het zou de eerste keer zijn dat hij 'dat ene met zijn tong, dat ik zo lekker vind' doet. Hij heeft vast een andere scharrel voor zich. Maar ach. Ik kan hem op zijn minst een kans geven. Wie weet is hij er goed in.

'Oké,' zeg ik en ik verbreek de verbinding. Ik doe de voordeur open en wacht in de deuropening tot ik hem met een brede grijns op zijn gezicht boven aan de trap zie verschijnen. Hij trekt me tegen zich aan en kust me hongerig, terwijl hij me naar binnen duwt en de deur in het slot laat vallen. Een minuut later ploffen we op mijn net verschoonde bed neer. Zijn handen glijden over mijn lichaam en zijn tong glijdt in mijn mond. En verder komt zijn tong helaas ook deze keer niet. De praatjesmaker.

'Misschien probeert je lichaam je duidelijk te maken dat je dit niet moet doen,' zegt Micky. Het is elf uur 's ochtends en ze maakt tosti's als ontbijt. Ik heb mijn toevlucht tot haar flat genomen tot Alex weer in het land der levenden is. Ik had me zo voorgenomen om hem meteen na het hoogtepunt naar buiten te dirigeren, maar ik wacht nu nog steeds tot het zover is.

'Ik vind dat mijn lichaam zich niet moet bemoeien met zaken waar het geen verstand van heeft,' antwoord ik. 'Als ik zin heb in vluchtige seks, wil ik verdomme vluchtige seks.'

'Waarom?'

'Waarom? Dat moet jij nodig vragen, Koningin van de ranzige ontmoetingen. Hoeveel heb je er deze maand al versleten?'

Ze legt een tosti op mijn bord. 'Wat een nare opmerking, Hannah.' Er verschijnt een schunnig lachje op haar gezicht. 'Zoveel zijn het er niet.'

'Ik hoorde gisteren van Jess dat je haar aan haar lot hebt overgelaten voor je eigen pleziertje.'

'Nou, zij moet nodig klagen!' Ze hapt een groot stuk van haar eigen tosti. 'Ik had haar in goede handen achtergelaten, hoor. Kan ik er wat aan doen dat zij zoveel kansen laat liggen.'

'Misschien is dat ook haar lichaam dat haar duidelijk wil maken dat het niet de juiste man voor haar is, Mick.'

51

'In haar geval is het anders, want zij staat voor niemand open. Zij mag echt wel weer eens uit de band springen en het waren leuke mannen. Die van mij heeft bijna de veren uit mijn matras laten springen.' 'Maar die veren zijn dan ook al zo versleten dat ze nog maar een klein zetje nodig hebben.' Ik moet lachen om mezelf, maar Micky steekt een tong vol fijngekauwde tosti naar me uit.

'Trut! Je bent gewoon jaloers dat ik zo'n lekker ding versierd heb.'

'Was hij echt zo lekker of zit je me gewoon te stangen?'

'Dat zou ik nooit doen. Wil je zijn nummer? Ik probeer nu toch eerst in de broek van Galerieman te komen.'

'Weet je nu nog niet hoe hij heet?'

'Jawel. Hij heet Rick, maar ik vind Galerieman zo leuk klinken.'

'Rick en Mick...' zeg ik. 'Grappig.'

'Eerder een reden om hem Galerieman te blijven noemen,' antwoordt ze.

Ik lach. 'Dus... je hebt met hem nog geen veren laten springen?'

'Nog niet. Dat moet je niet te snel doen, als je het serieus meent. Maar ik zit er bovenop.'

'Juist niet, toch?'

'Wacht maar af, nog even en hij is van mij. Maar als jij echt zo graag seks zonder verplichtingen wil, kan ik die andere van harte aanbevelen. Hij weet precies waar alles zit en hij heeft meerdere keren de juiste plek geraakt. Zeg het maar.'

'Micky, zo wanhopig ben ik niet. Ik zal het nooit doen met een ex van jou. Ook al valt dan de halve stad af.'

Als ik mijn tosti opheb, sluip ik terug naar mijn eigen flatje. Zodra ik de deur openmaak, hoor ik Alex keihard zingen onder de douche. Is hij nu nog niet weg?

'Hé schatje,' zegt hij als hij met alleen een handdoekje om zijn lendenen uit de badkamer komt. Ik snap het echt niet. Alles zit erop en eraan. Waarom vind ik er nou niks aan?

Ik glimlach, maar het gaat niet van harte.

'Heb je een ontbijtje voor ons gehaald?'

Ik schud mijn hoofd.

'Zal ik dat dan even gaan doen? Je hebt vast honger na vannacht.' Hij komt achter me staan en drukt kleine kusjes in mijn nek.

'Alex, het ging toch alleen om de seks?'

'Weet ik. Maar als ik nu zin heb om nog even bij je te blijven?' Hij aait mijn haar uit de weg en fluistert in mijn oor. 'Je weet toch wel dat ik nog steeds gek op je ben?'

Ik draai me geschrokken naar hem om. Dat wist ik helemaal niet! Hij was degene die mij dumpte omdat ik nooit tijd voor hem had, dus hoe had ik dat moeten weten? Hij kijkt me hoopvol aan en juist op dat moment ontvang ik een bericht op mijn BlackBerry. En ik weet dat de enige die me op zondag daarop probeert te bereiken, Anna Lee heet. En ik weet ook dat als ze dat doet, ik maar beter snel kan doen wat ze vraagt.

Alex staart ook naar het apparaatje, alsof het zijn grootste vijand is. En ergens ben ik opgelucht dat dit nu gebeurt. 'Het is zondag!' mompelt hij terwijl ik lees wat ze me gestuurd heeft.

'Ik moet naar kantoor,' zeg ik.

'Zoals altijd,' antwoordt hij teleurgesteld.

'Inderdaad, Alex. Zoals altijd. Daarom zijn we uit elkaar, weet je nog? Dit hoort er allemaal bij en jij kunt er niet tegen, dus daarom is het alleen seks en geen ontbijt. En eigenlijk denk ik dat we met die seks ook maar moeten stoppen.'

Hij kijkt me zwijgend aan en ik zie dat ik hem gekwetst heb.

'Jij eindigt eenzaam en verbitterd als je zo doorgaat, Hannah.' Dan loopt hij naar de slaapkamer om zijn kleren bij elkaar te zoeken.

FRANK

'Sven, wacht. Het is koud, ik moet je jas goed dichtdoen.' Hij blijft voor me staan terwijl ik hem tot zijn kin insnoer en een muts over zijn hoofd trek. Hij ziet er grappig uit. Net een sumoworstelaar. Als ik hem een duwtje geef, valt hij zo om. Ik pak zijn in een want verpakte hand in de mijne en loop met hem aan de ene hand en zijn fietsje in de andere de straat uit. In het park zet ik zijn fiets voor hem neer. Hij klimt erop en trapt zich ongans met zijn korte beentjes om mij voor te blijven. Om de paar seconden kijkt hij gespannen achterom om te zien of ik hem al inhaal, waarop ik doe alsof hij me veel te snel af is. 'Jij kan me niet pakken!' zingt hij keer op keer. Natuurlijk kan ik dat wel. Ik hoef mijn hand maar uit te steken en ik heb hem bij zijn kraag, maar het is leuker voor hem als hij denkt dat het niet zo is.

Hij trapt zich suf en ik wandel achter hem aan terwijl een fel winterzonnetje tussen de bomen door schijnt. Het is niet zo druk in het park vandaag. Verderop loopt een ouder echtpaar met een rollator. Ze zien er aandoenlijk uit samen, maar ik kijk toch net iets liever naar wat erachter loopt. Een slank figuurtje, lange benen en een mooi kontje in een strakke spijkerbroek, blond haar tot op haar schouders en een sexy loopje.

'Papa, pak me dan!' hoor ik Sven roepen en opeens is hij een stukje bij me vandaan. Het pad loopt een beetje bergafwaarts en Sven blijft vaart maken. Hij stevent recht op de twee oudjes af.

'Remmen, Sven!' waarschuw ik, maar natuurlijk weet hij even niet hoe dat moet. Hij kijkt achterom en slingert vrolijk verder, gierend van pret. Ik zet het op een drafje om hem tegen te houden en op dat moment draait het blondje zich om en komt Sven tot stilstand tegen haar benen.

Mijn hart staat op datzelfde moment ook een seconde stil als ik Sven 'boem-kapot' hoor zeggen. Het zal toch niet waar zijn. Als dat zo is, neem ik alles over haar lekkere kont per direct terug. Ze kijkt me aan en ik herken meteen de verontwaardigde trek op haar gezicht. 'Niet te geloven,' zegt ze pissig. Vertel mij wat. Ik vond haar een paar seconden geleden nog aantrekkelijk. 'Jij had toch bruin haar?' Ik ben echt een beetje over de zeik, nu ik op die manier naar haar gekeken heb. Kan ik mijn eigen kijk op vrouwen niet eens meer vertrouwen?

'Vorige week, ja,' antwoordt ze alsof dat iets is wat je om de paar dagen verandert.

'Boem-kapot,' herhaalt Sven blij. Hij herkent haar blijkbaar nog wel.

'Lichamelijk letsel door schuld, welk artikel was dat ook alweer?' vraagt ze terwijl ze over haar been wrijft. 'Ik ga hier nog heel lang last van houden, denk ik.'

'Jammer dat aanstellerij niet bij wet verboden is.' Ik pak Sven bij zijn arm en stuur hem langs haar heen, zodat we verder kunnen.

'Zeg jij ooit wel eens sorry?' vraagt ze nijdig.

Soms heb ik het idee dat ik dat de hele dag zeg, maar dat hoeft zij niet te weten. 'Nee.'

'Nou, dat zou ik dan maar eens leren, tenzij je dat kind wil zien opgroeien tot een egoïstisch monster.'

'Sorry,' zegt Sven met een lief stemmetje.

Ze glimlacht naar hem, wat in eerste instantie een beetje bevreemdend op me overkomt. 'Jij hoeft dat niet te zeggen, Sven. Ik had het tegen papa. Papa is heel stout geweest.'

Ik zou haar eens met Jackie in contact moeten brengen. Kunnen ze me gezellig samen zwartmaken bij mijn zoon. 'Kom Sven, je mag niet met vreemden praten, weet je nog?'

'Ik ben geen vreemde. Sven heeft lekker bij mij op het werk gespeeld. Weet je dat nog Sven?'

Hij knikt heftig.

'Echt?' vraag ik. Dat is al meer dan een week geleden. Hij weet niet eens welke dag hij leeft.

'Wat heb je bij mij allemaal gedaan, Sven?' vraagt ze.

'Op de stoel gefietst,' zegt hij trots.

Ze knikt. 'Heel rustig, toch?'

'Nee! Ikke had heel hard gefietst.'

'En je had een mooie tekening gemaakt, hè?'

Hij knikt en kijkt naar mij. 'Op de muur!'

'Eigenlijk mag dat niet, hoor,' zegt ze. 'Dat weet je toch wel?' Hij knikt weer. Nu een beetje verlegen. 'Ik heb het er met je papa over gehad en hij zegt dat het bij andere mensen niet mag, maar hij vindt het helemaal niet erg als je thuis op de muren tekent.'

'Dat vind ik wel erg,' antwoord ik en ik kijk serieus naar Sven zodat hij begrijpt dat daar geen misverstanden over bestaan. Hannah lacht en geeft me een por alsof we oude vrienden zijn. 'Grapjas! Dit hoort gewoon bij het spel, hoor, Sven. Papa doet alsof hij boos wordt, maar eigenlijk vindt hij het heel leuk als je op de muren tekent. Als je straks thuiskomt, mag je meteen beginnen.' Ze kijkt me aan met een gemeen lachje om haar lippen.

'Niet naar haar luisteren, Sven,' zeg ik, maar ik zie aan zijn glunderende hoofd, dat hij het allemaal prachtig vindt wat ze vertelt. Ik kan hem maar beter zo snel mogelijk bij haar vandaan halen. 'Kom, we gaan maar eens verder.'

Maar Sven heeft helemaal geen zin om verder te gaan. Hij grijpt Hannahs hand vast. 'Spelen?'

'Dat kan niet.' Ik ben vastbesloten.

'Kan niet?' herhaalt hij zielig.

Ik schud streng mijn hoofd, maar Hannah knielt naast hem neer. 'Weet je Sven, ik heb best even tijd om met jou te spelen. Wat wil je doen?'

Even later rennen ze samen naar de wipkippen. Het lijkt wel alsof zij ook drie jaar is. Ze doet met hem mee alsof buitenspelen haar grootste hobby is. Ze klimt met hem op het klimrek, gaat met hem van de glijbaan en ik hoor haar heel hard gillen dat ze piraten zijn. Ik bekijk het vanaf een afstandje op een bankje aan de rand van het speeltuintje. Ik weet niet waar ik me meer aan stoor. Aan haar of aan het feit dat ik niet een van de piraten ben. Na een tijdje zijn ze allebei moe en komen ze mijn kant op. Sven pakt zijn fietsje en rijdt voor het bankje heen en weer. Hannah blijft recht voor me staan.

'Dit is het Stockholmsyndroom,' constateer ik.

'Wat?' vraagt ze.

'Wat er met Sven aan de hand is. Ken je dat verhaal niet van die mensen die gegijzeld werden en uiteindelijk sympathiseerden met de dader?'

'Jij bent echt erg,' zegt ze, een lachje onderdrukkend. Ik vond de grap zelf ook best goed. Ze ploft naast me neer. 'Ik heb je gisteren na die mailtjes nog een keer of twintig op je mobiele nummer gebeld. Ik kreeg elke keer je voicemail. Ligt het nog steeds aan mij?'

'Ik heb dat ding de hele tijd aanstaan, dus ja.'

Ze zucht en haalt een BlackBerry uit de zak van haar jasje. 'Goed, je laat me geen keus.' Ze drukt op wat knopjes en kijkt me verwachtingsvol aan. Er gebeurt niks. 'Ik ben je nu aan het bellen, hoor,' zegt ze betweterig.

Ik controleer mijn gsm, die gewoon aanstaat en snap er helemaal niks meer van. 'Geef hier.' Ik pak het apparaat uit haar handen en kijk naar het nummer dat ze gebeld heeft. Dan snap ik het opeens. Ik staar een paar seconden naar het schermpje en voel me knap lullig. Hoe stom kun je zijn? Ik geef haar Black-Berry terug. 'Het is een oud nummer.'

'Een oud nummer, meneer "ik ben altijd bereikbaar voor mijn zoon"?'

'Ik dacht dat Jackie het doorgegeven had aan de Kabouters, maar blijkbaar niet, dus.' En dan is het dus háár schuld in plaats van die van mij!

'Dus al die tijd loop je mij af te blaffen terwijl je zelf vergeten bent je nieuwe nummer door te geven?'

'Oké, juffrouw Fisher,' breng ik met tegenzin uit. 'Spits je oortjes, want ik zeg dit echt maar één keer... Sorry.'

Ze doet alsof ze stomverbaasd is. 'Wat zei je nu? Het ging te snel, ik heb het gemist.'

'Jammer dan, meer krijg je niet.'

Ze kijkt naar me met een grote zelfvoldane grijns op haar gezicht en ik heb moeite mijn eigen lach te onderdrukken. Eigenlijk is ze best leuk. Ze zakt onderuit en slaat een been over het andere. 'Laat je nu je aanklachten vallen?'

'Weet ik niet. Laat jij die factuur zitten?'

'Misschien. Als ik een nieuwe bagel van je krijg.'

'Lijkt me een goede deal.' Ik kijk even naar haar terwijl ze haar ogen sluit in de zon, maar kijk snel weer weg als ze ze weer opent. 'Misschien moeten we een nieuwe start maken.'

'Denk je?' zegt ze onverschillig.

Ik steek mijn hand naar haar uit. 'Ik ben Frank. Bedankt dat je op mijn zoon gepast hebt.'

57

Ze aarzelt even, maar schudt dan mijn hand. Haar nagels zijn knalroze gelakt, zie ik. 'Hannah. Graag gedaan. Het is een engeltje. Je hebt er geen kind aan.'

'Ik hoop echt dat hij je geen overlast bezorgd heeft.'

'Nee joh, ben je gek. Zo'n welopgevoed kind.'

'Wat doe je eigenlijk?' vraag ik. Het hoort niet meer bij het rollenspel. Ik wil het echt weten.

'Zegt de naam Anna Lee je niets?'

'Volgens mij heb ik een maatpak van haar in de kast hangen. Verschrikkelijk ding. Zit voor geen meter.'

Haar ogen vallen bijna uit hun kassen. 'Dat meen je niet. Onze maatpakken zijn de beste die er zijn. Is dat een sport voor jou? Overal een afwijkende mening over hebben?'

'Nee. Die pakken zijn gewoon niet mijn ding. Ik vind ze eerlijk gezegd nogal... pretentieus.'

'Nou, ze zijn ook niet bedoeld voor de grijze massa.'

'Goh... bedankt.'

Ze grijnst naar me en richt haar gezicht dan weer naar de winterzon.

'Dus...' ga ik verder, hongerig naar meer informatie. 'Wat heb jij precies te maken met die Anna Lee en haar akelige pakken?'

'Alles wat je maar kunt bedenken. Ik ben haar personal assistent. Haar rechterhand. Haar vertrouwenspersoon. Het is een fantastische baan. Met heel veel verantwoordelijkheid. Noem het maar op en ik regel het. Heel veelzijdig. Het is werkelijk de leukste baan die een mens kan hebben. Ik zou niets anders willen doen.'

'Hmm.'

'Wat nou "hmm"?' vraagt ze.

'Niks, vertel verder.'

'Ik weet niet wat er verder te vertellen valt. Ik ben dol op mijn werk. Echt dol.'

Ik kijk naar haar. Haar lippen zijn in een diplomatieke glimlach gedwongen. Eentje die ze tot in de puntjes beheerst, maar die in niets lijkt op de lach die ik gezien heb toen ze piraatje speelde met mijn zoon. 'Heel overtuigend. Ik was er bijna ingetrapt,' zeg ik.

'Hoezo?' brengt ze verbaasd uit. 'Ik meen wat ik zeg.'

'Je bent dol op je werk? Is dat een grap?'

Ze schiet overeind. 'Ik zou niet weten wat daar zo grappig aan

is. Mijn werk is toevallig reuze interessant. Ik ken alle belangrijke mensen in de modewereld, weet je dat? Als ze mijn naam horen, gaan alle deuren open omdat ze weten dat ze om bij Anna Lee te komen, eerst langs mij moeten.'
'En wat vind je daar dan precies zo geweldig aan?'
Ze kijkt naar me alsof ik volslagen idioot ben dat ik zoiets nog moet vragen. 'Alles. Ik bedoel... is dat niet duidelijk? Anna Lee is zo'n beetje de belangrijkste schakel in de modewereld. Ze wordt door iedereen gerespecteerd. Het is geweldig om voor haar te mogen werken.'
'Je haat het.'
'Wat? Ik... hoe kun je... ach, wat weet jij er ook van!' Ze slaat haar armen defensief over elkaar en kijkt stuurs voor zich uit.
'Het is een geweldige baan, met geweldige perspectieven.'
'Misschien. Maar jij hebt er een hekel aan.'
'Dat is niet waar!'
Ik kijk geamuseerd naar haar terwijl ze bozer en bozer op me wordt. 'Kom op. Wees eerlijk. Je lijkt me niet het type dat als levensdoel heeft om iemands persoonlijke slaaf te zijn.'
'Assistente. Geen slaaf.'
'Wat is het verschil?'
'Dat is echt een vreselijke opmerking! Is dat hoe jij jouw secretaresses ziet? Als slaafjes die doen wat jij ze opdraagt? Toevallig is Anna Lee een fantastische baas. Je zou kunnen zeggen dat we vriendinnen zijn. Ze vertrouwt me alles toe. Alles.' Op dat moment maakt haar BlackBerry een geluidje en nog voor de eerste toon goed en wel hoorbaar is, springt ze op en loopt ze een paar passen bij het bankje vandaan. 'Anna Lee... o ja?... Dat zou inderdaad een ramp zijn... een echte ramp, ja... ik doe het meteen.' Ze wendt zich wat meer van me af, maar ik kan haar nog steeds duidelijk horen. 'Echt meteen, ja. Ik ben er binnen tien minuten.' Ze gebruikt de hak van haar hippe laarsje om een steentje in het zand te duwen. Het gespje rinkelt bij de inspanning en aan de uitdrukking op haar gezicht te zien, fantaseert ze dat het Anna Lee is die ze met een simpele draaibeweging van haar hiel de grond in boort. Mijn ogen dwalen langs de welving van haar kuit naar boven en blijven rusten op haar perfect gevormde bilpartij. Als ze het gesprek beëindigt, kost het me moeite om mijn blik op tijd af te wenden. Ik denk dat ik het net gered

heb. 'Goed, ik moet nu gaan,' zegt ze terwijl ze haar tas naast me van het bankje grist en haar BlackBerry opbergt. 'De plicht roept,' concludeer ik. 'Het is maar goed dat je zo van je baan houdt, anders zou dit vast een grote ergernis zijn.' Ze knijpt haar ogen een beetje samen en slingert haar tas over haar schouder. 'Dag Sven!' roept ze voor ze het pad begint af te lopen in tegengestelde richting als waar ze heen ging voor Sven tegen haar opbotste. Ik vraag me af waarom een hittepetit als Hannah Fisher zich de wet laat voorschrijven door een omhooggevallen tang voor een crappy baantje als PA. Ik kijk haar na zolang ik kan. De contouren van haar zandloperfiguurtje worden nog eens geaccentueerd door de riempjes van haar zwartleren jackje die rond haar smalle taille slingeren. Dezelfde riempjes die ook haar laarsjes decoreren en zoals me nu opvalt, ook haar tas. Zou dat het zijn? De reden dat ze naar de pijpen van Anna Lee danst? Wacht ze gewoon tot de wereld klaar is voor Hannah Lee? Of beter nog: voor Hannah Fisher?

Aan: Hannah.Fisher@al.com
Van: F.Stevens@A&S-advocaten.eu
Datum: 18-01-2010, 07:55
Onderwerp: ambitie

Hé Hannah,
Ik heb uit betrouwbare bron vernomen dat de koffiejuffrouw hier bij A&S van plan is te stoppen. Het is alleen nog op directieniveau bekend, maar ik dacht meteen aan jou. Gezien je laaiende enthousiasme over je huidige baan lijkt dit me de volgende uitdaging voor jou! Laat het me even weten als je geïnteresseerd bent. Ik zorg ervoor dat jouw cv bij personeelszaken ligt voor er extern geacquireerd wordt.
Groet, Frank Stevens

Aan: F.Stevens@A&S-advocaten.eu
Van: Hannah.Fisher@al.com
Datum: 18-01-2010, 08:12
Onderwerp: Re: ambitie

Ha ha ha! Heel grappig. Ik laat het je weten als wij op zoek zijn naar 'lachertje van de zaak'. Lijkt mij dé functie voor jou.

Aan: Hannah.Fisher@al.com
Van: F.Stevens@A&S-advocaten.eu
Datum: 18-01-2010, 08:17
Onderwerp: serieus!

Ik zie jou wel achter dat koffiekarretje van ons lopen. En ik weet dat het intimiderend kan zijn: een kantoor als A&S, maar je slaat je er wel doorheen. Ik zal je wegwijs maken.

Aan: F.Stevens@A&S-advocaten.eu
Van: Hannah.Fisher@al.com
Datum: 18-01-2010, 08:20
Onderwerp: misschien...

Nu je het zegt: het zou de verkoop van Anna Lee maatpakken stimuleren, want ik heb zo'n voorgevoel dat ik wel eens een ongelukje zou kunnen hebben als ik jou een kopje koffie zou serveren. Vind je het nog steeds een goed idee, want soms ben ik heel onhandig en volgens mij is hete koffie over je testikels héél erg slecht voor je spermatelling.

Aan: Hannah.Fisher@al.com
Van: F.Stevens@A&S-advocaten.eu
Datum: 18-01-2010, 08:30
Onderwerp: Re: misschien...

Lieve Hannah,
Ik had werkelijk geen idee dat ik je zo uit je concentratie breng. Maak je geen zorgen: dat effect heb ik vaker op vrouwen. Het blijft onder ons. En ik begrijp het helemaal als je om deze reden besluit de functie aan je voorbij te laten gaan.
Groet,
Frank

Aan: F.Stevens@A&S-advocaten.eu
Van: Hannah.Fisher@al.com
Datum: 18-01-2010, 09:45
Onderwerp: arrogante blaaskaak

Sorry: ik was even bedwelmd door de stank van eigendunk. Volgens mij kwam het via mijn mailbox door de speakers van mijn beeldscherm. Ik zou even de hal op lopen als ik jou was om te kijken of je eerste hulp moet bieden aan je directe collega's? Als er überhaupt overlevenden zijn. Of is iedereen daar inmiddels gewend aan jouw onfatsoenlijk grote ego en immuun voor de bijbehorende walm?

Aan: Hannah.Fisher@al.com
Van: F.Stevens@A&S-advocaten.eu
Datum: 18-01-2010, 12:28
Onderwerp: geen walm

Dat zijn feromonen, Hannah, geen walm. Ik had trouwens nog een vraagje. Stel dat ik iemand zo'n jasje cadeau wil doen dat jij zaterdag droeg in het park. Kan ik dat dan bij Anna Lee bestellen?

Aan: F.Stevens@A&S-advocaten.eu
Van: Hannah.Fisher@al.com
Datum: 18-01-2010, 13:15
Onderwerp: jasje

Jasje is geen Anna Lee. Helaas.

Aan: Hannah.Fisher@al.com
Van: F.Stevens@A&S-advocaten.eu
Datum: 18-01-2010, 13:22
Onderwerp: Re: jasje

Waar heb je het dan gekocht? Ik ben echt op zoek naar zoiets.

Aan: F.Stevens@A&S-advocaten.eu
Van: Hannah.Fisher@al.com
Datum: 18-01-2010, 13:47
Onderwerp: Re: jasje

Gewoon eens ergens op de kop getikt. Zou niet weten waar. Sorry.

Aan: Hannah.Fisher@al.com
Van: F.Stevens@A&S-advocaten.eu
Datum: 18-01-2010, 13:58
Onderwerp: Re: jasje

Hannah Fisher, heb jij een gat in je hand? Je zou toch denken dat je het wel weet te onthouden als je een jasje met bijbehorende tas en schoenen koopt. Zoiets kost toch een klein fortuin als ik de afschrijvingen op mijn creditcard moet geloven.

Aan: F.Stevens@A&S-advocaten.eu
Van: Hannah.Fisher@al.com
Datum: 18-01-2010, 14:00
Onderwerp: gay?

Volgens mij letten alleen homo's zo goed op outfits.

Aan: Hannah.Fisher@al.com
Van: F.Stevens@A&S-advocaten.eu
Datum: 18-01-2010, 14:46
Onderwerp: ambitie

Ik kan me niet aan de indruk onttrekken dat jij je eigen outfitjes ontwerpt.

Aan: F.Stevens@A&S-advocaten.eu
Van: Hannah.Fisher@al.com
Datum: 18-01-2010, 16:03
Onderwerp: Re: ambitie

Ach, ieder z'n hobby, hè? Een meisje moet toch bezig blijven als ze de slaap niet kan vatten?

Aan: Hannah.Fisher@al.com
Van: F.Stevens@A&S-advocaten.eu
Datum: 18-01-2010, 16:58
Onderwerp: Re: ambitie

Ik wist wel dat je niet zomaar een slaafje was. Is dat waarom je onder het juk van je BlackBerry leeft? Hoelang moet je dat eigenlijk volhouden voor Anna Lee een stapje terug doet? Is dat een vijfjarenplan of zo?

Aan: F.Stevens@A&S-advocaten.eu
Van: Hannah.Fisher@al.com
Datum: 18-01-2010, 17:22
Onderwerp: Re: ambitie

Nou, ik denk dat ik in mijn handjes mag knijpen als het gebeurt voor ik zelf pensioengerechtigd ben. Ik werk hier al drie jaar en nog nooit heeft iemand opgemerkt dat ik 'mijn eigen outfitjes ontwerp'.

Aan: Hannah.Fisher@al.com
Van: F.Stevens@A&S-advocaten.eu
Datum: 18-01-2010, 17:58
Onderwerp: Re: ambitie

Ik bedoel het niet neerbuigend: excuus als dat zo overkwam. Maar eh... even voor de duidelijkheid... je bedoelt toch zeker niet dat je al drie jaar *zit te wachten* tot het iemand opvalt dat de assistente zelf ook wel getalenteerd is? Ik bedoel: je hebt toch zeker wel aangekaart wat je ambities zijn?

Aan: F.Stevens@A&S-advocaten.eu
Van: Hannah.Fisher@al.com
Datum: 18-01-2010, 18:35
Onderwerp: Re: ambitie

Goh, jij hebt echt geen idee hoe het er hier aan toe gaat, hè? En sinds wanneer wordt keihard werken, overuren maken, altijd een stap vooruit zijn op de rest en je met hart en ziel in je werk storten gekwalificeerd als 'afwachten'??

Aan: Hannah.Fisher@al.com
Van: F.Stevens@A&S-advocaten.eu
Datum: 18-01-2010, 18:38
Onderwerp: Re: ambitie

Hannah, dat wordt allemaal voor lief genomen zolang jij dat toestaat.
Als jij niet aangeeft wat jij van Anna Lee wil, blijf je de rest van je
leven haar voetveeg. Ze zal nooit zelf inzien dat je meer waard bent.
Zo werkt dat gewoon niet.

Aan: F.Stevens@A&S-advocaten.eu
Van: Hannah.Fisher@al.com
Datum: 18-01-2010, 19:01
Onderwerp: Re: ambitie

Wat goed dat jij precies weet hoe het werkt. Hoe komt het dan
dat je nog steeds op kantoor zit in plaats van thuis bij je vrouw en
kind? Jij weet toch zo goed hoe het allemaal moet?

Aan: Hannah.Fisher@al.com
Van: F.Stevens@A&S-advocaten.eu
Datum: 18-01-2010, 19:18
Onderwerp: Re: ambitie

Ik zit me hier in ieder geval niet onzichtbaar uit de naad te
werken.

Aan: F.Stevens@A&S-advocaten.eu
Van: Hannah.Fisher@al.com
Datum: 18-01-2010, 19:21
Onderwerp: Re: ambitie

En ik wel?

Aan: Hannah.Fisher@al.com
Van: F.Stevens@A&S-advocaten.eu
Datum: 18-01-2010, 19:54
Onderwerp: Re: ambitie

Sorry, ik was even vergeten hoe dól je op je werk bent. Je doet dit
vast allemaal zonder iets terug te verwachten. Nou, ik zal je één ding
vertellen: over twee jaar ben ik hier partner. Ik vraag me af waar jij
dan staat. Zal ik je bellen als ik zelf een PA nodig heb?

Aan: F.Stevens@A&S-advocaten.eu
Van: Hannah.Fisher@al.com
Datum: 18-01-2010, 20:11
Onderwerp: Re: ambitie

En dit is nog steeds niet neerbuigend bedoeld, zeker?

Aan: Hannah.Fisher@al.com
Van: F.Stevens@A&S-advocaten.eu
Datum: 18-01-2010, 20:21
Onderwerp: Re: ambitie

De waarheid is soms hard. Het spijt me als ik je sprookjeswereld overhoophaal.

Aan: F.Stevens@A&S-advocaten.eu
Van: Hannah.Fisher@al.com
Datum: 18-01-2010, 20:45
Onderwerp: Re: ambitie

Boehoehoe. Ik ben er kapot van. Ik ga nu naar huis om uit te huilen. En jij? O! Ik weet het al, in plaats van kleine Sven een verhaaltje voor te lezen, kun je hem vertellen dat Sinterklaas niet bestaat! Lijkt me heel gezellig, zo'n verbitterde vader.

HANNAH

'Je bent te laat!' zegt Micky als ze de deur voor me opendoet. 'Je hebt alles gemist. Meredith en Cristina hebben...'

'Ssst!' roep ik hard terwijl ik mijn oren bedek. 'Ik heb mijn dvd-speler ingesteld, niets verraden.'

'Alsof je de tijd hebt om dat te bekijken. Ik moet er echt met iemand over praten, hoor. Het was hartverscheurend. Ik heb zitten huilen toen Izzie...'

'Stil! Ik wil het nog niet weten.'

Micky ploft pruilend op haar bank en ik ga naast haar zitten. Ik zie dat ze al een wijntje voor me ingeschonken heeft. Ik pak het glas en drink het meteen voor de helft leeg. Een lichte roes is van harte welkom.

'Zware dag gehad?' vraagt Micky en ze zet ook haar glas aan haar lippen.

Ik haal mijn schouders op. 'Zoals gewoonlijk. Niets bijzonders. Allemaal gezeik.'

Micky knikt begripvol. 'En dan ook nog *Grey's Anatomy* gemist.'

'Tja...' Ik weet niet waarom, maar net als ik op het punt sta te vertellen waarom ik *Grey's* echt gemist heb – omdat ik op de mailtjes van Frank Stevens zat te wachten – slik ik mijn woorden in. Waarom zou ik hem ook belangrijker maken dan hij is? Hij is gewoon iemand die het me heel gemakkelijk maakt me voor de verandering aan iemand anders te ergeren dan aan Anna Lee. Wat fijn is. Op een bepaalde manier. Maar het feit blijft dat ik me aan hem erger. Ik denk zelfs dat ik nog nooit iemand ontmoet heb die me zo snel boos kan krijgen. En dat wil wat zeggen, gezien de mensen met wie ik werk. De enige reden dat ik er plezier aan beleef, is dat het me de kans geeft om me even op iets anders te focussen. Dat is het. Meer niet. Ik heb totaal geen interesse in arrogante, bemoeizuchtige, betweterige, getrouwde mannen met kinderen. Hoe ze er ook uit mogen zien en hoe leuk ze zichzelf ook mogen vinden. Ik doe daar niet aan mee.

'Is er iets?' vraagt Micky.

Ik schud mijn hoofd nadat ik eerst nog een flinke slok wijn genomen heb. 'Ik zat gewoon te denken... wat mijn werk betreft... is het onderhand geen tijd dat het allemaal ergens toe gaat leiden?'

'Waar komt dat ineens vandaan?'

'Gewoon. Ik ben bijna dertig...'

Micky klapt verheugd in haar handen en morst bijna een plens wijn over haar schoot. Ze corrigeert net op tijd haar beweging en kijkt me aan. 'Ik heb zulke leuke ideeën voor je feestje.'

'Geen feestje, Mick, hoe vaak moet ik dat nog zeggen?'

'Je kunt het zeggen zo vaak je wilt, ik doe toch wat ik zelf wil. Je kunt niet dertig worden zonder feestje. Dat is gewoon sneu.'

'Ik meen het. Ik vlucht naar mijn ouders en blijf daar de hele week.'

'Alsof je zo lang weg mag van Anna Lee.'

'Is dat de magische grens, Micky? Dertig?'

'Voor wat?' vraagt ze.

'Is het geen tijd dat ik orde op zaken stel? Ik bedoel: dertig. Dat is toch wel wat. Je moet toch in ieder geval *iets* op de rit hebben voor je dertig wordt of niet?'

'Ik zou niet weten waarom.'

Ik zucht. Natuurlijk zegt ze dat. Zij is pas achtentwintig. Praktisch een baby. Zij heeft nog alle tijd. 'Dat gevoel heb ik nu eenmaal.'

'Wie zegt dan dat je leven niet op orde is? We hebben het toch prima voor elkaar?'

'Vind je?'

'Het is maandagavond en ik zit lekker aan de wijn met mijn beste vriendin. Ik verdien genoeg voor mijn eigen flatje. Als ik zin heb in een man, is er altijd wel een leuke in mijn leven, maar ik zit aan niemand vast. Wat zou ik nog meer willen?'

'Ik heb gewoon het gevoel dat er niets terechtgekomen is van alle dingen die ik me vroeger voorgesteld heb. Mijn moeder was op deze leeftijd verdorie al bijna tien jaar getrouwd. Ik had mijn communie al gedaan voor zij dertig werd.'

'Is dat wat je wilt? Een huwelijk, een gezamenlijke hypotheek en 2,4 kinderen of wat het gemiddelde ook mag zijn tegenwoordig?'

'Nou...'

'Kom op, Hannah, dit geloof ik gewoon niet. Met wie zie je dat nu voor je? Met Alex? Of met een van de scharrels die vóór hem kwamen? Dat is niet wat wij willen van het leven, toch?' Ik drink nog wat en laat het kleine plasje wijn dat nog over is, in mijn glas rondwalsen. 'Nee.'

'Je gelooft toch zeker niet dat al die vrouwen van onze leeftijd die getrouwd zijn of samenwonen en kinderen hebben of ze verwachten, *toevallig* allemaal de man van hun dromen zijn tegengekomen?'

'Nee!' antwoord ik. Hier hebben we allebei een sterke mening over. 'Ze zijn gewoon bij hun eerste vriendje blijven hangen...'

'Of ze hebben genoegen genomen met wat verder voorhanden was. Goh, een aardige kerel, hij verdient goed, ziet er niet al te slecht uit, hoor ik daar nu iets tikken?'

Ik moet lachen en voel de wijn prikken in mijn neus. 'Misschien hebben sommigen wel de ware gestrikt.'

'Een enkeling misschien. Ware liefde is er niet voor de massa, Han. Dat zou wel typisch zijn als iedereen daar stomtoevallig, rond dezelfde periode in hun leven, zomaar door getroffen wordt. Het zijn zakelijke deals. Stuk voor stuk. Je hebt nu eenmaal anderhalf salaris nodig voor een mooi huis in een buitenwijk en een paar kinderen. Zo werkt het gewoon. Niets om jaloers op te zijn. Die mensen hebben niks op orde. Over een paar jaar gaan ze allemaal vreemd.'

Even vraag ik me af of Frank Stevens inmiddels in dat stadium beland is. 'Maar wanneer is het dan tijd, Micky? Hoe lang kan ik nog doorgaan zoals ik nu doe en dromen dat het ooit mijn eigen collectie zal zijn waarvoor ik me kapot werk? En wanneer is het tijd om die droom op te geven?'

'Je moet nooit een droom opgeven!'

'Maar wat als het nu niet voor me weggelegd is? Het is gewoon een feit dat niet iedereen het kan maken in dit vak. Wat als het me nooit zal lukken? Ben ik dan uiteindelijk niet gelukkiger in een normale baan met normale werktijden? Gewoon ergens op kantoor. Geen oproepen in het weekend meer, vrije avonden, vakanties. Tijd voor mezelf. Tijd voor de liefde...' Ik drink mijn glas leeg. 'Op de een of andere manier heb ik het gevoel dat die grens bij mijn dertigste verjaardag ligt. Dat het nu of nooit is...'

Micky geeft een bemoedigend kneepje in mijn hand. Dan buigt ze zich voorover naar de wijnfles om mijn glas weer helemaal vol te schenken.

Het aller-aller-heerlijkst aan midden in het centrum werken, is dat je in je pauze allerlei boodschappen kunt doen zodat je daar vanaf bent in het weekend. Alleen jammer dat ik het altijd zo druk heb met Anna Lee's boodschapjes dat ik aan die van mezelf nooit toekom. Het is vrijdagmiddag rond lunchtijd en ik sta met een arm vol kledinghoezen van de stomerij en een schoenendoos met Anna's favoriete pumps die ik bij de hakkenbar opgehaald heb tussen mijn elleboog en ribben geklemd in de rij om haar low fat decafé latte machiato te bestellen. En iets te eten voor mezelf, want ik heb sinds mijn drinkontbijtje vanmorgen niets meer binnengekregen – op dubbele espresso's om wakker te blijven na – en val bijna om van de honger. Ik voel een por in mijn rug van iemand die denkt dat rijen niet voor hem gelden en zet me schrap. Ik ben niet in de stemming om voordringers te tolereren. Ik verplaats mijn gewicht van de ene voet op de andere. Ik ben het gewend om op hoge hakken te lopen en meestal sla ik me er goed doorheen, maar vandaag heb ik enorme pijn aan mijn voeten. Misschien omdat ik in een razend tempo de hele binnenstad heb doorkruist. Ik had toch de bedrijfsauto moeten nemen, maar ten eerste stinkt die nog steeds naar kots, ook al heb ik er al twee keer een 'seabreeze' behandeling op eigen kosten tegenaan gegooid. (Niets zo erg als de lucht van seabreeze-kots.) En ten tweede kost het me zoveel tijd om met de auto door het centrum te rijden en een parkeerplaats te vinden dat ik het gewoon niet red in mijn middagpauze.

Ik verlang ernaar om mijn schoenen uit te schoppen en het brandende gevoel uit de bal van mijn voet weg te laten masseren, maar voor een ontspannend bezoekje aan de pedicure heb ik natuurlijk al helemaal geen tijd. Volgens mij krijg ik nog een blaar op mijn hiel ook. En misschien ook één op mijn kleine teen. Ik durf niet te kijken. Blaren doen veel meer pijn als je ze daadwerkelijk gezien hebt. Even doorbijten maar. Aan iets anders denken. Bijna weekend. Maar daar word ik niet veel vrolijker van. Weekend betekent dat ik minder rotklusjes voor Anna Lee moet opknappen dan op een werkdag, maar ze is er altijd, op de achtergrond, klaar om mijn tijd op te eisen en mijn dag te vergallen zodra het in haar hoofd opkomt.

Mijn oog valt op een meisje vóór me in de rij. Ze draagt een rok die mooi meebeweegt met elke beweging die ze maakt. De zoom is prachtig afgewerkt en doet wonderen voor de vorm van haar kuiten. Ik probeer me in te prenten hoe het eruitziet. Het liefst zou ik alles uit mijn handen laten vallen, een snelle schets maken, naar huis rennen om het ontwerp op een van mijn paspoppen te mouleren en dan nadenken over welke stof ik wil gebruiken, hoe ik nog meer beweging krijg, hoe ik ervoor kan zorgen dat mijn kuiten er ook zo uitzien. Ik krijg allerlei ideeën om het ontwerp nog beter te maken. Maar helaas. Ik heb duizend andere dingen te doen. Mijn eigen dingen zullen weer moeten wachten.

Het meisje schuifelt naar voren in de rij en steekt haar heup een beetje uit. Ik moet dit echt vastleggen. Ik kan nooit exact terughalen wat me precies zo inspireerde als ik eenmaal thuis ben. Ik duikel mijn BlackBerry op uit mijn tas en zet de camerafunctie aan. Ondertussen word ik weer in mijn zij gebeukt door de persoon achter me. Ik werp een boze blik over mijn schouder. Nog één keer en ik zeg er wat van. Ik richt mijn toestel op de rok en druk af. De kwaliteit van de foto is niet al te best en veel te donker, maar het gaat om het idee. Ik zoom een beetje uit en maak er voor de zekerheid nog één. Deze is duidelijker. Ik wil mijn toestel weer in mijn tas stoppen en voel de schoenendoos wegglippen. Terwijl ik me in allerlei bochten wring om alles vast te houden, voel ik weer iemand veel te dicht in mijn persoonlijke ruimte. 'Hé, vind je het erg?' roep ik. 'We moeten allemaal wachten, hoor!'

De man achter me kijkt alsof hij water ziet branden. Alsof hij me niet al drie keer onderuit heeft proberen te halen om een paar tellen eerder bij zijn koffie te komen. Stomme lul!

Ik hoor een ingehouden lachje ergens achter uit de rij komen. Ik kijk over het hoofd van het vervelende mannetje en staar in het breed lachende gezicht van Frank Stevens. Hij draagt nog steeds geen Anna Lee, maar het antracietkleurige pak dat wel door hem uitverkoren is, kan er ook mee door. Hij heeft een goed overhemd aan. De kraag staat mooi recht. Ik haat platgedrukte kragen, zoals bij het mannetje achter me. 'Wel eens van baleinen gehoord?' zou ik hem moeten vragen. Ondertussen stapt Frank Stevens uit de rij en baant hij zich een weg door de menigte tot hij naast me staat, de bovenste, openstaande knoopjes van zijn overhemd precies op ooghoogte. Mogen ze zonder stropdas lopen bij A&S? Dat had ik niet verwacht, maar het is nu natuurlijk lunchpauze.

'Ik dacht dat we iets bijzonders hadden,' begint hij met nog steeds die glimlach op zijn gezicht, 'maar nu kom ik erachter dat jij met iedereen ruziemaakt.'

'Ik maak niet met iedereen ruzie, alleen met irritante voorkruipers,' antwoord ik met nog een veelzeggende blik over mijn schouder. Het mannetje doet nog steeds alsof het allemaal niet over hem gaat. Ik heb zin om hem tegen zijn schenen te schoppen. Misschien zou ik het gedaan hebben als die schoenendoos niet opnieuw bijna aan mijn greep ontsnapte.

'En met arrogante blaaskaken, toch?' zegt Frank. Hij vangt de doos en probeert hem weer op mijn arm te zetten, de juiste balans zoekend op de kledinghoezen. Het lukt hem. 'Weet je, je ziet er een beetje wiebelig uit. Waarom ga je daar niet even zitten?'

'Nee, bedankt. Ik moet Anna's bestelling doen en wegwezen.'

'Weet je wat? Ik regel de bestelling en jij wacht daar. Lijkt me makkelijker dan hier in de rij staan met al die... vracht.'

'Hmm.'

'Dus? Wat heb je nodig?'

'Een low fat decafé latte machiato.'

Hij kijkt naar me alsof ik plotseling Chinees ben gaan praten. 'Ik wist wel dat het te moeilijk voor je was,' zeg ik. 'Ik doe het zelf wel.'

'Ik kan heus wel zo'n low fat dinges bestellen,' antwoordt hij.

'Luister, het is heel belangrijk dat Anna Lee haar koffie precies krijgt zoals ze wil. Er moeten twee bekers om en ze wil er ook twee servetjes bij. Geen suiker, geen zoetstof, geen cacaosnippers, maar wel een lepeltje. Ik moet zeker weten dat je de taak aankunt, want ik trek het niet om nog eens terug in deze rij te stappen, oké?'

Hij lacht. 'Goed, een vetvrije, cafeïnevrije latte machiato, twee bekers, twee servetjes en een lepeltje. Hoe zit het met het spat-dekseltje?'

'Dat ook natuurlijk. En geen cacaostrooisel, dat moet je er echt bij zeggen, anders gaat het mis. Geloof me, dat zou niet voor het eerst zijn.'

'Staat genoteerd. En jij? Je hebt nog een bagel van me tegoed.'

'O ja. Zo één met roze glazuur, graag.'

'En drink jij ook van die machiato's?'

Ik schud mijn hoofd terwijl ik me uit de rij manoeuvreer. 'Gewoon een cappuccino, alsjeblieft. In zo'n draagkartonnetje. Ik moet er nog twee blokken mee lopen.' Ik neem plaats bij een klein wankel tafeltje aan het raam en laat mijn spullen een voor een op de stoel tegenover me zakken. Ik kijk uit het raam om te voorkomen dat ik naar Frank Stevens staar, die strak voor zich uit kijkt en volgens mij de hele tijd de bestelling voor Anna Lee in gedachten opdreunt om te voorkomen dat hij iets vergeet. Dat zie ik namelijk in de weerspiegeling van de ruit. Het duurt tien minuten voor hij terug is. Tien heerlijke minuten waarin ik niets anders heb hoeven doen dan met mijn voeten gestrekt onder de stoel aan de overkant kijken naar het in antracietgrijs gestoken, lange, goed uiziende lichaam van Frank Stevens. O! Uit het raam, bedoel ik natuurlijk. Ik zat uit het raam te kijken...

Hij zet het kartonnetje op tafel en een papieren zakje met de bagels. Ik sta op, hetgeen mijn voeten me niet in dank afnemen. 'Bedankt, zo te zien heb je het voor elkaar gekregen. Ik moet nu gaan.'

'Hé, wacht eens even, je moet toch op zijn minst nog...' Hij kijkt op zijn horloge. '... negen minuten pauze hebben.'

'Ik moet nog teruglopen.' Ik probeer langs hem heen naar de kledinghoezen te reiken. Hij staat precies tussen mij en de stoel in. Hij kijkt naar de spullen achter zich. Geeft mij dan een duwtje tegen mijn schouder tot ik weer op het stoeltje zit. Ik laat het nog toe ook. Dan pakt hij de schoenendoos van de an-dere stoel en zet deze op tafel zodat hij tegenover me kan zit-ten. Zijn knie schuift langs de mijne terwijl hij zijn lange benen onder het kleine ronde tafeltje steekt en blijft tegen me aange-drukt, ook als hij eenmaal zit. Ik heb opeens een droge keel en kuch voorzichtig.

Frank haalt zijn bagel, met een chocoladelaagje, uit het zakje.

Chocolade... daar had ik ook wel zin in gehad, eigenlijk. 'De roze waren op,' zegt hij dan terwijl hij me de bagel aangeeft en er ook een voor zichzelf uit het zakje haalt. 'Dus die hou je nog steeds van me tegoed.'

'Ik heb echt geen tijd om...'

'Hoeveel tijd heb je nu nodig om een bagel weg te werken? Drie minuten, hooguit. Laten we een wedstrijdje doen, wie hem het snelst op heeft. Degene die verliest betaalt de volgende keer de bagels.' Hij neemt een grote hap en praat verder zodra hij geslikt heeft. 'Iedereen weet dat het rond deze tijd topdrukte is in de binnenstad. Je zou best nog in de rij bij de stomerij kunnen staan. Of in de... schoenenwinkel?'

'Schoenmaker,' zeg ik, 'er moesten nieuwe hakken onder.'

'Je loopt achter,' zegt hij naar mijn onaangeroerde bagel knikkend.

'O!' Ik neem een paar happen tegelijk om te proberen hem in te halen. Maar op een of andere manier kan ik niet zo goed slikken. Waar is mijn cappuccino?

'Het is gewoon niet mogelijk om al die boodschappen te doen én binnen een halfuur terug te zijn. Bovendien heb je nog steeds recht op pauze als je die tijd benut hebt om klusjes te doen, nietwaar?' Hij geeft me mijn bekertje aan.

'Meestal eet ik aan mijn bureau.' Ik haal het dekseltje van mijn cappuccino en neem een slokje. 'Weet je wat ik echt haat?'

'Nou, daar ben ik heel benieuwd naar...'

'Omdat Anna Lee een hekel aan cacaosnippers heeft, krijg ik ze ook nooit!' Ik laat hem de saaie cacaoloze bovenkant van mijn cappuccino zien.

'Zal ik weer even in de rij gaan staan voor je?' vraagt hij terwijl hij aanstalten maakt om op te staan.

'Nee joh!' zeg ik lachend en voor ik het besef ligt mijn hand op zijn pols om hem tegen te houden. Ik trek hem geschrokken terug.

Hij leunt lachend achterover en ik voel zijn knie nog iets krachtiger tegen die van mij drukken. 'Ik ga winnen,' zegt hij, 'de volgende bagels zijn voor jouw rekening.'

Ik heb de neiging om te antwoorden dat hij dan ook hartstikke vals speelt. Hij leidt me af met zijn knie-druk-gedoe. Ik probeer wat afstand te nemen door mijn benen langzaam van hem af te bewegen, maar het leidt er alleen maar toe dat hij meer ruimte inneemt. Zijn been beweegt evenredig met dat van mij mee en zijn knie blijft tegen de mijne rusten.

'Gewonnen!' roept hij.

Ik spoel een mond vol bagel weg met een paar slokken cappuccino en heb nog een kwart in mijn hand. 'Ik moet nu echt gaan. Ze vermoordt me als haar koffie koud is.'

'Ik kan je wel even een lift geven,' stelt hij voor. 'Het is hier vlakbij, toch?'

'Moet jij niet terug naar dat belangrijke kantoor van je?'

'Vandaag niet.' Hij rekt zich lui uit en laat zijn handen achter zijn hoofd rusten. 'Ik ga zo mijn zoontje ophalen. Ik werk thuis vanmiddag.'

'Papadag? Goh, dat had ik niet achter je gezocht.'

'Misschien moet je dan eens wat beter kijken...' Hij leunt naar voren en ik bedenk dat ik al een beetje te veel heb zitten kijken vandaag. Ik ken mezelf gewoon niet meer. Hij is getrouwd en heeft een kind en ik zit hier helemaal... Ik haal diep adem en slik mijn laatste hapje bagel door. Nee, niks daarvan. Hij doet me helemaal niks. Hij is arrogant en ik heb een hekel aan hem. Een echte... hekel. Ik sta op en drink mijn cappuccino op. Scheelt weer in het meeslepen. Hij komt ook overeind en neemt de kledinghoezen van de rugleuning van zijn stoel. Ik wil ze van hem overnemen, maar hij drapeert ze over zijn arm. 'Neem jij de schoenen en de koffie maar.'

'O, oké... dank je.'

'Jij ook bedankt,' zegt hij terwijl hij me voor laat gaan. 'Kijk eens naar die rij. Als ik die absurd ingewikkelde bestelling niet voor jou gedaan had, zou ik nog niet eens aan de beurt geweest zijn.'

Bij gebrek aan een vrije hand probeer ik de deur met mijn elleboog open te duwen. 'O ja, ik was bijna vergeten dat jij nooit gewoon iets aardigs doet.'

Hij houdt met een weids gebaar de deur voor me open en laat me langs hem heen naar buiten stappen. 'Deze kant op, de auto staat vlakbij,' zegt hij en ik volg hem. Hij houdt zijn pas in tot ik naast hem loop. 'Weet je trouwens dat je in de problemen kunt komen door ongevraagd foto's van vreemden te maken?'

Ik kan me niet meer concentreren. Misschien omdat het bijna weekend is en ik na het werk ga borrelen met mijn vriendinnen. Of misschien omdat mijn voeten zo'n pijn doen. Misschien omdat Anna Lee de deur uit is en de rest van de dag wegblijft. Maar feit is dat ik niets meer gedaan heb sinds ik weer op kantoor ben. En ik zit heus niet de hele tijd aan Frank Stevens te denken en ik heb zéker niet al twintig keer een e-mailvenster geopend om na een paar zinnen weer op het kruisje te klikken. Wat zou het voor zin hebben om hem te mailen? Hij is niet eens op kantoor. Ik sta op om wat facturen die ik geaccordeerd heb naar de boekhouding te brengen. Het loopje doet me goed, want ik besef opeens dat het feit dat ik hem nu leuk vind, juist bewijst dat hij *niet* leuk is. In de verste verte niet, zelfs. Want dat betekent namelijk dat hij mij het hoofd op hol heeft zitten brengen terwijl hij thuis een vrouw en kind heeft. En als iets nu niet aantrekkelijk is, is het dát type man. Ik ben eigenlijk een beetje teleurgesteld in mezelf dat ik daar niet boven sta. Hoe heeft het zover kunnen komen? Ik ben toch zeker verstandig genoeg om een foute man te herkennen als er eentje voor me staat? En deze is zo fout, zó ontzettend fout, dat het bijna weer goed is. Behalve dat het natuurlijk niet goed is. Helemaal niet goed.

Ik kom terug in mijn kantoortje en neem plaats achter mijn pc, net op tijd om in de rechter benedenhoek van mijn beeldscherm zijn naam te zien verschijnen en het woord 'koffie' in de onderwerpregel. De aankondiging van mijn nieuwe mail vervaagt langzaam en ik weet me te beheersen: ik klik er niet vlug met mijn muis op om het mailtje te openen. Ik zit heus niet te wachten op een mailtje van hem. En om het te bewijzen loop ik naar de stapel te archiveren documenten die op de kast achter me ligt en begin ik alles in de juiste mappen op te bergen. Pas als ik aan pauze toe ben omdat mijn voeten het staan niet meer aankunnen, loop ik terug naar mijn computer en kijk ik naar mijn postvak in. Ik beantwoord eerst twee andere mailtjes voor ik zelfs maar naar het zijne kijk.

Aan: Hannah.Fisher@al.com
Van: F.Stevens@A&S-advocaten.eu
Datum: 22-01-2010, 15:11
Onderwerp: koffie

Ik was gewoon even benieuwd of mevrouw tevreden was met haar low fat decafé latte machiato. Als dat zo is, ga ik zelf maar eens achter die vacature van koffiejuf aan, dacht ik zo. ;)

Een knipoog. Ik vraag me af wat hij daarmee bedoelt. Waar dient dit eigenlijk allemaal toe? Verveelt hij zich gewoon? Heeft hij helemaal niks te doen op dat advocatenkantoor? Wat is dit?

Aan: F.Stevens@A&S-advocaten.eu
Van: Hannah.Fisher@al.com
Datum: 22-01-2010, 15:22
Onderwerp: Re: koffie

Tevredenheid is veel gevraagd. Als ze niet snauwt over iets wat niet naar haar zin is, zit ik meestal goed en ik heb haar niet gehoord vanmiddag, dus gefeliciteerd! Je bent geslaagd voor je eerste machiato-beproeving. Ik wil best als referentie dienen als je besluit voor die baan te gaan, hoor.
Ik dacht trouwens dat jij thuis was vanmiddag.

Aan: Hannah.Fisher@al.com
Van: F.Stevens@A&S-advocaten.eu
Datum: 22-01-2010, 15:24
Onderwerp: Re: koffie

Is ook zo. Ik ben thuis ingelogd op het netwerk van de zaak. Is heel handig. Ik zit met mijn laptop aan de eettafel en mijn zoon zit tegenover me met duplo te spelen. Alleen klote als hij zijn chocomel over mijn toetsenbord omstoot. Of over originele gerechtelijke bescheiden: ook leuk. Is beide al eens gebeurd overigens.

Aan: F.Stevens@A&S-advocaten.eu
Van: Hannah.Fisher@al.com
Datum: 22-01-2010, 15:28
Onderwerp: Re: koffie

Haha. Allebei vandaag? Is het een idee om de chocomel een beetje bij hem vandaan te zetten?

Aan: Hannah.Fisher@al.com
Van: F.Stevens@A&S-advocaten.eu
Datum: 22-01-2010, 15:30
Onderwerp: Re: koffie

Super idee! Ging de koffiejuffrouw maar echt weg. We zouden een goeie aan je hebben.

Aan: F.Stevens@A&S-advocaten.eu
Van: Hannah.Fisher@al.com
Datum: 22-01-2010, 15:35
Onderwerp: Re: koffie

Was dat een grapje van die vacature? Ik begon net aan het idee te wennen. Was al bezig met een cv en motivatie. Jammer!

Aan: Hannah.Fisher@al.com
Van: F.Stevens@A&S-advocaten.eu
Datum: 22-01-2010, 15:43
Onderwerp: Re: koffie

Ik zal even heel eerlijk zijn: we hebben niet eens een aparte functie voor koffiejuf. Maar als jij interesse hebt, dan zorg ik dat die er komt! Daar kan ik voor zorgen...

Aan: F.Stevens@A&S-advocaten.eu
Van: Hannah.Fisher@al.com
Datum: 22-01-2010, 15:47
Onderwerp: Re: koffie

Wauw! Een man met zoveel macht... Ik hoop wel dat je het aanwendt voor het goede.

Ik druk net met een grote glimlach op verzenden als Amanda van de boekhouding plotseling voor mijn bureau opdoemt. 'Deze zijn er doorheen geglipt, denk ik.' Ze laat wat blaadjes voor me neervallen en ik zie dat ik bij vier van de tien facturen vergeten ben ze van een paraaf te voorzien.

'Sorry,' zeg ik terwijl ik mijn krabbels zet. 'Ik was er blijkbaar even niet bij met mijn gedachten.'

'Blijkbaar. Ik weet niet wat er zo leuk is aan je beeldscherm, maar ik wil het in ieder geval ook hebben.'

Ik kijk haar vragend aan.

'Die grijns van je,' legt ze uit terwijl ze de facturen terugneemt.

'Heb je een spannend weekend voor de boeg of zo?' In mijn ooghoek zie ik weer een mailtje van Frank verschijnen. 'Nee, hoor. Helemaal niet, eigenlijk. Het was gewoon... een binnenpretje.'

'Nou, je weet waar ik zit als je de pret wilt delen.' Ze begint weg te lopen en ik klik meteen op het mailtje van Frank.

Aan: Hannah.Fisher@al.com
Van: F.Stevens@A&S-advocaten.eu
Datum: 22-01-2010, 15:49
Onderwerp: Re: koffie

Ik denk dat ik het voor gezien ga houden vandaag. Sven zit aan één stuk door aan mijn kop te zeuren, dus ik ga hem maar even uitlaten. Kun je niet nog even wegglippen om een boodschapje te doen voor je bazin? Volgens mij kon je het prima vinden met Sven en dan hoef ik tenminste geen piraatje te spelen.

Vraagt hij nu of ik ook naar het park kom? Dat kan hij toch niet maken? Ik lees het mailtje nogmaals, maar ik kan het niet anders interpreteren dan als een uitnodiging. Ik vraag me af wat zijn vrouw ervan vindt dat hij piraatje speelt met andere vrouwen erbij. Maar is het aan mij om daar rekening mee te houden? Ik kauw op de binnenkant van mijn onderlip terwijl ik het volgende mailtje typ. Als ik op verzenden druk, proef ik bloed.

Aan: F.Stevens@A&S-advocaten.eu
Van: Hannah.Fisher@al.com
Datum: 22-01-2010, 15:59
Onderwerp: Re: koffie

Helaas: ik heb nog ladingen werk te verrichten. Kan echt met geen mogelijkheid weg hier. Ik heb met mijn vriendinnen afgesproken om wat te gaan drinken bij La Sala als ik klaar ben, dus ik wil op tijd weg. Geen piraterij voor mij dus, maar mij hou je niet voor de gek. Ik weet dat alle jongetjes graag piraatje spelen. Ook die van 30+.

Aan: Hannah.Fisher@al.com
Van: F.Stevens@A&S-advocaten.eu
Datum: 22-01-2010, 16:00
Onderwerp: Re: koffie

Ik ben 26.

Aan: F.Stevens@A&S-advocaten.eu
Van: Hannah.Fisher@al.com
Datum: 22-01-2010, 16:01
Onderwerp: Re: koffie

Ja… Ik ook…

Aan: Hannah.Fisher@al.com
Van: F.Stevens@A&S-advocaten.eu
Datum: 22-01-2010, 16:05
Onderwerp: Re: koffie

☺
Dus… als ik je goed begrijp kom jij wel eens bij La Sala in het weekend?

Mijn voorhoofd komt met een harde klap mijn bureaublad tegen en er ontsnapt een kreun van schaamte aan mijn lippen. Ik wist dat het er te dik bovenop lag. Wat ben ik nu toch allemaal aan het doen? Ben ik soms gek geworden? Langzaam kom ik overeind om aan schadebeperking te doen.

Aan: F.Stevens@A&S-advocaten.eu
Van: Hannah.Fisher@al.com
Datum: 22-01-2010, 16:08
Onderwerp: Re: koffie

Nou ja, ach, soms wel, ja. Maar het is ook weer niet zo dat ik daar altijd zit of zo. Waarschijnlijk zijn we er vanavond ook weer zo weg. Even wat drinken en wie weet waar we dan eindigen, hè?

Aan: Hannah.Fisher@al.com
Van: F.Stevens@A&S-advocaten.eu
Datum: 22-01-2010, 16:10
Onderwerp: Re: koffie

Tja... wie weet. Fijn weekend, Hannah.

Mijn hoofd gaat weer richting bureaublad, maar ditmaal weet ik de schok te dempen met mijn onderarm. Amanda loopt weer langs mijn deur. 'Ik ben wat eerder weg vandaag. Prettig weekend,' zegt ze terwijl ze me verbaasd aankijkt.
Ik steek mijn hand op, maar mijn hoofd blijft liggen waar het ligt. 'Prettig weekend...'

'Nog een rondje tequila, meiden. Slam! It! Back!' schreeuwt Micky boven de salsamuziek uit, terwijl ze een dienblaadje met shotjes voor ons neerzet.
'Doe even rustig,' zegt Deb. 'Ik ben net van de borstvoeding af. Ik val al om als ik drank ruik.'
'En ik heb een werkdag van tien uur achter de rug en amper iets gegeten,' vult Jessica aan.
'Daar hebben we ook aan gedacht,' zeg ik, knikkend naar de barjongen die met een schaaltje pittige gehaktballetjes en een mandje stokbrood met tapenade onze kant op komt. Ik ben dol op La Sala. Het hele jaar een zomerse sfeer, mooie mannen achter de bar die niet te beroerd zijn om een beetje te flirten, lekkere muziek, heerlijke tapas, een gezellige bar en een mooie dansvloer. Echt: waarom zou je nog ergens anders naartoe willen?
'Kijk eens over je schouder, Han,' zegt Micky terwijl ze zich op de stoel naast me laat zakken. 'Er zit daar een knappe kerel en hij zit aan één stuk door naar je te kijken.'
Ik kijk. Niet dat ik verwachtte dat Frank Stevens daar zou zitten, maar toch ben ik een beetje teleurgesteld als het gewoon een willekeurige man blijkt te zijn. Niet dat ik er nu op uit ben om Frank een buitenechtelijk avontuurtje te laten beleven. Of wie dan ook. Maar ik kan niet ontkennen dat het eventjes lekker vonkte. En het is lang geleden dat dat gebeurde. Ik vond het best leuk dat het weer eens zo ver was. Maar waarom, *waarom* gebeurt het nu uitgerekend bij een arrogante blaaskaak als

Frank Stevens? Een arrogante *getrouwde* blaaskaak, niet te vergeten.

'Wat is er?' vraagt Deb. 'Kan er geen lachje meer vanaf? Oogcontact maken is toch jouw specialiteit? En volgens mij is het best jouw type...'

'Hij? Nou ja, misschien heb je gelijk. Wat is mijn type eigenlijk?'

'Hij lijkt wel een beetje op Alex,' antwoordt Jessica.

Ik kijk naar haar over de rand van het glaasje dat ik net naar binnen geklokt heb. 'Het is *uit* met Alex, Jess.'

'Is hij dan meteen je type niet meer?'

'Natuurlijk is hij haar type niet,' zegt Micky. 'Hij had toch totaal geen ruggengraat! Dat is het eerste wat we zoeken: een man met ruggengraat!'

Frank Stevens heeft ruggengraat, hoor ik mezelf denken. Ik besluit de gedachte meteen te verdrinken. 'Hoefde jij niet meer, Deb?'

Ze schuift haar glaasje naar me toe. 'En sexappeal, natuurlijk.'

Ik denk aan zijn knie tegen de mijne en wat dat veroorzaakte in mijn lijf. En dan die glimlach en dat goedgebouwde grote lichaam dat hij zelfs zonder Anna Lee geweldig weet te kleden. En zijn haar! McDreamy waardig. Ik vink het lijstje in mijn hoofd af. Sexappeal. Check! Aanwezig.

'Vanzelfsprekend,' antwoordt Micky. 'We kunnen niet zonder sexappeal. Eens zien, wat zoeken we nog meer? O ja, hij moet natuurlijk een mening hebben over belangrijke kwesties.'

Een mening. Nou, Frank heeft een mening over alles wat je kunt bedenken en weet die ook nog heel eloquent te verwoorden, dus: weer een vinkje erbij. En een slok tequila voor mij.

'Hij moet ambitieus zijn,' oppert Jessica.

Partner binnen twee jaar, schiet me te binnen.

'Maar niet alleen voor zijn werk leven!' vult Debbie vlug aan.

Hij werkt vrijdagmiddag thuis om op zijn zoontje te passen... En als hij vrij is, speelt hij met hem in het park. Hij is een leuke vader. Nog meer punten voor Frank.

'Hij moet humor hebben,' zegt Micky. 'Niks zo erg als een man met wie niet te lachen valt. En ik bedoel echte humor. Geen flauwe moppen en onderbroekenlol.'

Ik moet me inhouden om niet te glimlachen. Zijn mailtjes waren erg gevat.

'En hij moet betrouwbaar zijn,' maakt Jessica af en ik kan haar wel zoenen. Eindelijk een streep door de rekening van Frank Stevens. Ik ging al denken dat hij perfect was. Ik drink mijn glaasje leeg en gebaar naar de barman dat we nog een rondje kunnen gebruiken.

Micky stoot me aan met haar elleboog. 'Waar zit jij toch met je gedachten? Ik hoop maar dat je openingszinnen aan het doornemen bent.'

'Ik ben de laatste tijd een beetje heen en weer aan het mailen geweest met die man van laatst. Je weet wel, wiens zoontje ik van het kinderdagverblijf had opgehaald.' Oeps! Iets te veel tequila. Ik was nog zo van plan dit voor me te houden.

'Die pompeuze advocaat met zijn dreigbrieven?' vraagt Jessica.

'Die botte hork?' verduidelijkt Debbie. 'Maar wel een knappe, moet ik zeggen.'

Ik knik. 'Hij blijkt best mee te vallen. Denk ik.'

'Heeft hij zijn excuses aangeboden en die rekening voldaan?' vraagt Jessica. 'Anders ben ik het daar namelijk niet mee eens.'

'Nou die excuses heb ik wel gehad. Min of meer. En die factuur was natuurlijk ook belachelijk. Het ging om het principe. Maar we hebben vandaag even koffie gedronken...'

'Hannah die koffie drinkt op een werkdag?' roept Debbie vol verbazing. 'Dat is een primeur!'

'Nee! Nee! Nee! Zo zit het helemaal niet. Het was nauwelijks vijf minuten, per toeval, het stelde niets voor, maar we hebben nog een uur zitten mailen daarna en...' Ik voel mezelf rood worden onder het praten. Te veel tequila, veel te veel tequila.

'Hannah!' gilt Micky. 'Ben jij soms een beetje verliefd?'

'Nee! Doe niet zo raar! Ik bedoel alleen...' Ik heb geen idee wat ik bedoel.

'Uhm, sorry dat ik weer de cynische moet zijn,' zegt Jessica, 'maar is die kerel niet getrouwd? Ik meen me te herinneren dat er ook een mama van die kleine in het spel was.'

'Ja,' zeg ik, 'hij is getrouwd. Maar dat zou je niet zeggen als je zijn mails leest. Hij was echt met me aan het flirten.'

'Ik wil een forward van die mailtjes,' zegt Micky.

'Ik ook,' antwoordt Debbie glunderend.

'Ik niet,' zegt Jess afkeurend, 'gadverdamme, ik heb een gloeiende hekel aan al die kerels die vreemdgaan.'

O, shit. Ik heb weer wat opgerakeld. Waarom denk ik ook nooit eens na? 'Het was maar onschuldig geflirt, Jess. Niets bijzonders.'

'Niets bijzonders? Zou zijn vrouw daar ook zo over denken als zij het onder ogen zou krijgen? Denk daar eens aan, Hannah. Wil jij daaraan meedoen? Want als dat zo is, wil ik er geen woord meer over horen. En nu moet ik plassen.' Ze staat op, maar we weten allemaal dat ze niet hoeft te plassen.

'Stom van me,' zeg ik.

'Het is niet jouw schuld. Die dingen liggen nu eenmaal een beetje gevoelig bij Jessica.'

'Stomme vreemdgaande rotkerels,' beaam ik. De drankjes die ik besteld heb, worden naar onze tafel gebracht en we slaan alle drie diep in gedachten het shotje achterover.

'Meteen maar een nieuw rondje, dames?' vraagt de barman. We knikken. 'En doe ook maar een grote fles water en een paar glazen,' zegt Debbie, 'anders overleef ik het echt niet.'

'Ik weet dat het een foute man is,' zeg ik als de barman zijn hielen gelicht heeft, 'dus waarom vind ik hem dan toch zo verdomd... sexy?'

'Daarom juist,' zegt Micky. 'Maar maak je niet druk. Er zijn genoeg mannen hier die willen afbakken wat hij opgewarmd heeft. Je komt de avond wel door.' De barman komt terug met de bestelling en ze legt haar hand op zijn arm, terwijl ze een glaasje van zijn dienblad neemt. 'Zorg je ervoor dat deze blijven komen, vanavond?'

Het is tegen halfdrie 's nachts als ik giechelend met Micky ons flatgebouw binnen strompel. Ik heb er nog even aan zitten denken om die kerel die naar me zat te kijken te strikken voor een afbaksessie, maar na een zoenpartij waar ik geen zak aan vond, heb ik besloten dat toch maar niet te doen. Het idee om hem morgenvroeg weer mijn flatje uit te moeten werken, werd me gewoon te veel. De kans op een orgasme voor mij leek na die zoen toch zo goed als nihil. En dan weer die lakens verschonen... Ik heb er gewoon geen zin in. Nou ja, ik heb wel zin. Heel veel zelfs, maar niet in hem.

'Shit,' zegt Micky als we voor mijn deur staan, 'komen we weer alleen thuis. Denk je dat ik Galerieman nog even kan bellen...'

'Tuurlijk. Om halfdrie in de ochtend. Wie waardeert dat nu niet?'
'Een beetje vent staat natuurlijk meteen paraat voor een dame in nood.'
'O, en jij bent in nood?'
'Ik ben zo geil als wat, Han.'
Ik giechel. We zijn gewend geen blad voor de mond te nemen bij elkaar, maar soms flapt Micky er wel heel gemakkelijk dingen uit. 'Sst! We hebben buren.'
'Nou en? Zijn die dan nooit geil?'
'Stil nou!'
Ze leunt tegen mijn deurpost terwijl ik mijn sleutel zoek. 'Vielen we maar niet op mannen. Dan zou ik verliefd op jou worden.'
'Zeg, hoeveel heb jij eigenlijk gedronken?' vraag ik. Ik heb mijn sleutel inmiddels gevonden en weet het sleutelgat in één keer te vinden.
Micky lacht. 'Maar ik val echt op mannen. Arrogante, vreemdgaande, klootzakkerige mannen.'
Ondertussen klinkt er gerommel aan het einde van de gang en gaat de deur van een van mijn buren open. Meneer Oss, een alleenstaande man van achter in de vijftig verschijnt gekleed in een spierwitte onderbroek in zijn deuropening.
'O, hallo meneer Oss,' roept Micky vrolijk. 'Ik had het niet over u, hoor. U gaat niet vreemd, toch? Ik zei net welterusten tegen mijn vriendinnetje Hannah.' Ze pakt mijn gezicht tussen haar handen en geeft me een enorme klapzoen op mijn mond. Althans, dat probeert ze, maar in feite raakt ze het hele stuk tussen mijn neus en mijn onderlip. Het is een soort soapzoen eigenlijk. Daarna zwalkt ze de trap op naar haar eigen verdieping.
'Truste, lieffie, ik ga op zoek naar mijn Turbo Tarzan!'
'Sst!' roep ik nog, maar ik hoor haar luid neuriënd haar weg vervolgen. 'Welterusten meneer Oss,' breng ik nog uit voor ik mijn huisje binnenglip en de deur achter me op slot draai. Goh, die meneer Oss in zijn onderbroek is echt hét middel tegen geilheid. Ik zet mijn computer nog even aan, want ik heb die foto's vanmiddag naar mijn Hotmail gemaild. Terwijl hij bezig is met opstarten, loop ik naar de badkamer om mijn tandenborstel te pakken. Ik ben even verrast door de reflectie van mijn blonde haar in de spiegel. Ik word elke keer weer vrolijk als ik het zie. Hoe mooi ik chocoladebruin ook vind, uiteindelijk voel ik me

lekkerder met blond haar. Alsof ik meer mezelf ben. Mijn ogen sprankelen weer en mijn huid ziet er ook piekfijn uit.

Ik trek mijn jeans uit die ineens twee maten te klein aanvoelt en ga in mijn onderbroek achter de computer zitten. Ik zoek het liedje S.E.X. van Nickelback in mijn afspeellijst en zet dat aan, niet te hard, maar hard genoeg om het beeld van meneer Oss te verdrijven. Allemachtig. Ik print de foto's uit, ondertussen mijn tanden poetsend en meehummend met Nickelback. Ik haal mijn tandenborstel uit mijn mond en zing hardop *I'm loving what you wanna wear, wonder what's up under there, wonder if I'll ever have it under my tongue.*

Zo! Dag meneer Oss, hallo Frank Stevens met je mooie maatpakken die niet van Anna Lee zijn. Ik ben ook wel benieuwd wat hij daaronder heeft zitten, maar de kans dat ik mijn tong er ooit overheen zal laten glijden, lijkt me vrij klein. Nog kleiner dan de kans dat ik nog eens klaarkom bij Alex. En dat is echt een heel kleine kans.

Ik dans rond op het laatste stukje van het nummer. *Sex is always the answer.* Hmm. Als dat eens waar was. Ondertussen prik ik de foto's op mijn moodboard van deze maand. Daarna spuug ik de tandpasta uit en spoel ik mijn mond, doe ik mijn lenzen uit en haal ik de make-up van mijn gezicht. Ik kleed me uit en laat mijn kleren in de wasmand vallen. Dan gaat mijn computer uit en nestel ik me in bed.

Ik denk aan seks. Aan hoe lang het geleden is dat ik een gedenkwaardig potje gehad heb. Ik kan me niet indenken dat het altijd zo moeizaam ging als de laatste tijd. Ik bedoel maar: als ik een fatsoenlijk orgasme wil, ben ik op mezelf aangewezen. Ik heb dan geen Turbo Tarzan, zoals Micky, maar er liggen wel wat subtielere hulpmiddelen in mijn nachtkastje. Eentje vermomd als poederkwast – heel handig als je ziek bent en je moeder langskomt om je te verzorgen en ineens je laatje optrekt. En een klein krom dingetje in fuchsiaroze dat er zo design uitziet dat ik mijn moeder kan wijsmaken dat het overal voor dient, van de bediening van de dvd-speler tot leeslampje. Ik zou er mijn G-spot mee moeten kunnen vinden. Dat is nooit gelukt, maar hij doet toch wat hij uiteindelijk moet doen.

Ik haal het roze gevalletje tevoorschijn en laat het onder mijn dekbed verdwijnen. Ik probeer mezelf in een spannende scène in *Grey's Anatomy* te fantaseren. Iets met McDreamy. Of McStea-my! Of nog beter: allebei. Het verloopt allemaal heel voorspoe-dig, tot het moment dat het écht goed begint te voelen en ik ineens zowel McSteamy als McDreamy nergens meer kan vinden. In plaats daarvan zie ik Frank Stevens voor me. Ik schud mijn hoofd en probeer terug te grijpen op mijn oorspronkelijke fanta-sie. Hallo! McSteamy of Frank Stevens? Zo goed is hij nu ook weer niet! Maar ik merk dat ik weer praktisch terug ben bij af. Tot ik denk aan die knie tegen de mijne en ik weer bijna tegen het plafond zit. Goed dan, sta ik mezelf toe. Eén keertje op Frank Stevens. En daarna, zodra de ontlading mijn lichaam verlaat, denk ik nooit meer aan hem. Drie minuten later is het zover. Of tweeëneenhalf misschien.

FRANK

Zondagochtend elf uur. Ik loop met Jackie in het park, onze zoon tussen ons in. Zijn linkerhandje in haar pas gemanicuurde rechterhand en zijn andere knuistje geklemd om mijn wijs- en middelvinger. Hij huppelt om ons bij te houden, blijft dan weer even staan, neemt een aanloop die voor hem geweldig groot moet zijn, maar eigenlijk maar anderhalve pas in mijn tempo beslaat, en laat zich dan door mij en zijn moeder aan zijn korte armpjes de lucht in slingeren om pas weer anderhalve pas later neer te komen. Hij giert het uit van pret zodra hij de lucht ingaat en strekt zich helemaal uit om de minste weerstand te vangen, zodat hij nog sneller door de lucht suist. Ik zweer dat hij dat nu al in de gaten heeft. Kleine daredevil. Die gaat voor de extreme sporten, later, let maar op.

'Nog een keer, nog een keer,' gilt hij uit, wat we natuurlijk doen. We hebben amper nog twee woorden gewisseld vandaag, maar voor Sven doen we alles. Mijn lieve kleine mannetje. Toen hij vanochtend, net als de ochtend daarvoor, nog even bij me in het grote bed kroop en zijn warme, in pyjama gehulde lijfje tegen me aan nestelde en mijn hele gezicht onderkwijlde met zijn kusjes, was dat het bijna waard dat ik vrijdagavond niet naar La Sala kon. Waarom zou ik nog aan het sexy lichaam van Hannah Fisher denken als ik ook tekenfilms kan kijken met die kleine wurm in mijn armen?

'Hoger! Papa! Hoger!' Sven schudt aan mijn arm, maar ik ben heel even afgeleid door de blonde verschijning die ons tegemoet komt rennen, gekleed in een nauwaansluitend joggingpakje. Even vraag ik me af of mijn geest een trucje met me uithaalt, maar dan zie ik de roze applicaties op de zijkant van haar linkerbeen, die ook terugkomen op de rug van haar strakke vestje en dan weet ik zeker dat zij het is. Ik draai me om zodat ik haar na kan kijken. Ze vervolgt haar weg, maar kijkt plotseling om, net als ik het plekje bestudeer waar alle plooitjes van haar broekje zo mooi samenkomen. Ze houdt even pas op de plaats en dan heeft Sven haar plotseling ook gezien. En misschien valt hij nog wel iets meer op blonde dames dan ik. 'Boem-kapot!' roept hij en hij laat mijn vingers los en weet ook aan de greep van Jackie te ontkomen. Met kleine, maar doelgerichte en razendsnelle pasjes rent hij achter Hannah aan. Ze stopt en haalt de oortjes van haar iPod uit haar oren. 'Sven! Wat doe je?' roept Jackie. 'Kom onmiddellijk terug!' Maar Sven heeft zijn eigen plan en botst tegen de benen van Hannah, terwijl hij met één handje haar kont vastgrijpt. Ik moet eens versiertrucs met mijn zoon uitwisselen. 'Boem-kapot!' roept hij en Hannah legt haar hand op zijn hoofd. 'Hé Sven,' zegt ze terwijl ze door zijn haartjes aait. 'Pas op, hoor. Je doet jezelf nog pijn.'

Ondertussen heb ik hem ingehaald. 'Nou, volgens mij had hij een behoorlijk prettig stootkussentje voor zichzelf geregeld.' Ik pak zijn armpje en trek hem langzaam naar me toe, totdat zijn hand weer in die van mij ligt, in plaats van op haar afgetrainde billen. 'Sorry.'

'Zei je nou sorry?' vraagt ze. Ze doet alsof ze heel verbaasd is, wat ik een beetje flauw vind. Dan schiet haar blik van mij naar Jackie die naast me is verschenen en Sven van me overneemt. Ze tilt hem op en Sven drukt zijn gezichtje in haar nek, alsof hij plotseling hartstikke verlegen is.

'Dit is Hannah,' zeg ik, 'ze heeft op Sven gepast toen jij vergeten was mijn nieuwe mobiele nummer door te geven, weet je nog?'

'Ik weet nog dat *jij* het vergeten was,' antwoordt Jackie bits en ze steekt haar hand uit naar Hannah. 'Ik ben Jackie. De moeder van Sven.'

Hannah glimlacht en schudt haar de hand. 'Dat dacht ik al... Ik moet weer verder, anders koel ik te veel af.'

'Daar wil ik niet verantwoordelijk voor zijn,' antwoord ik. Jackie trekt een wenkbrauw naar me op en Hannah begint heftig te blozen.

'Nou, dag Sven!' roept ze en hij zwaait halfslachtig zonder zijn gezicht uit Jackies hals te halen. Is hij verliefd of zo?

'Sven, zeg eens netjes dag tegen Hannah,' zeg ik in een poging mijn vaderlijk overwicht te doen gelden.

'Dag, Annah,' mompelt hij dan en zij glimlacht vertederd.

'Dag, Hannah,' zeg ik dan ook.

'Dag,' antwoordt ze en ze glimlacht nog eens naar Jackie. Niet de piratenlach, maar de 'ik-ben-dol-op-mijn-werk-glimlach'. Ze begint achteruit te joggen, draait zich dan plotseling om en gaat er als een speer vandoor.

We vervolgen onze weg naar Jackies auto die aan de rand van het park staat. Zij zet Sven in het kinderzitje zodra we de auto bereiken, wat ik vervelend vind, omdat ik hem nog even wilde knuffelen. In plaats daarvan wring ik me nu in allerlei bochten om over hem heen te kunnen buigen en een kus tussen zijn haartjes te duwen. Ik laat mijn hand er even doorheen glijden. Het is wat langer in zijn nek, wat ik hem enorm stoer vind staan, maar ik weet zeker dat Jackie er de schaar in laat zetten zodra ze de kans krijgt. Sven legt zijn handjes tegen mijn wangen en begint erin te knijpen. 'Ga je lekker bij oma spelen?' vraag ik. Het klinkt als 'lekkew bij oma swelen' omdat hij nog steeds mijn wangen vastheeft en hij giert het uit en begint nu in mijn lippen te knijpen. Ik moet lachen.

'Papa mee,' zegt hij dan, waarop het lachen me weer vergaat.

'Nee, papa kan niet mee.' Dat zou betekenen dat Jackie en haar moeder niet vrijuit kunnen spreken over wat voor lamlul ik ben. Dat zou hun hele zondag verpesten. 'Papa moet nog even werken. Oké?'

Hij kijkt me met grote ogen aan en knikt, waardoor ik goed zou kunnen huilen.

'Heb je je beer?' vraag ik en ik haal zijn beertje uit het rugzakje dat Jackie naast hem op de achterbank heeft gezet.

'Ondje!' zegt Sven blij en hij sluit de beer in zijn armen. Hij noemt de beer Hondje (wat weer klinkt als 'Ondje' omdat hij de h niet kan zeggen) want hij wil heel graag een hondje hebben. Dat kan alleen niet omdat Jackie en ik te veel werken. Eigenlijk is dat heel verontrustend. Dat we te veel werken om een hond te nemen, maar wel een kind hebben. Daar moet ik eens goed over nadenken.

Jackie wacht met één been in de auto en het andere tussen het openstaande portier en de wagen in tot ik klaar ben met Sven.

Als ik de autodeur naast hem dichtgedaan heb, kijkt ze me aan met een blik die bijna provocerend is. 'Goh, Frank, dat was interessant, daarnet.'
'Wat?' vraag ik, al heb ik een voorgevoel dat ze op Hannah doelt. Ik blijk gelijk te hebben.
'Het was moeilijk in te schatten wie meer van haar onder de indruk was. Sven of jij.'
'Ben je soms jaloers, Jackie?'
'Nee, hoor. Hoezo? Wil je dat graag?'
'Nee hoor.' Ik leun voorover en kus haar voorhoofd. 'Veel plezier bij je moeder. Doe haar de groetjes van me.' Daarna loop ik terug het park in. Ik heb een hele zondag in mijn eentje voor de boeg en ik ben benieuwd of ik Hannah nog kan inhalen.

Ik vind haar een halfuur later, helemaal aan de andere kant van het park. Ze doet stretchoefeningen met haar rug naar me toe, zich vooroverbuigend om haar tenen te raken, wat me wederom een glorieus uitzicht geeft. Die meid heeft een kont waar je zó je tanden in zou willen zetten. Ik volg de aanlokkelijke rondingen naar de delicate curve van strakke dijen die overgaan in slanke knieën en kuiten. Dan veert ze op, legt haar handen achter in haar nek en maakt draaibewegingen vanuit haar middel, waarbij haar voeten blijven waar ze zijn. En ineens ziet ze me. Ik zwaai en zij wendt zich weer af, doet een paar pasjes op de plaats, schudt haar benen los, blijft een paar tellen staan om op adem te komen en draait zich dan naar me toe. Zo goed als nieuw. Met rustige pas, loopt ze van het gras af, het pad op.
'Ben je nu nog bezig?' vraag ik. Het slaat nergens op, die vraag, want ik zie duidelijk dat ze inderdaad nog bezig was. Tot nu dan.
'Net klaar,' zegt ze, nog een beetje buiten adem. 'Waar zijn Sven en...'
'Hij is met zijn moeder mee,' antwoord ik. 'Naar oma.'
'O, ga jij niet mee naar oma?'
Ik probeer daar niet de gezichtsuitdrukking bij te trekken die in me opkomt. 'Ik sla even over. Ik moet nog wat werk inhalen. Ik doe niet zoveel op vrijdag als Sven bij me is, dus ik loop wat achter.'
'Dus dat ga je nu inhalen?'

'Zo meteen. Straks.'

Ze knikt. 'Nou, veel succes dan. Ik zie je wel weer! Doei!'

'Heb je ineens haast? Moet je weer vliegen voor Anna Lee?'

'Toevallig heb ik al bijna vierentwintig uur niets van Anna Lee gehoord.'

'Wat een luxe. En nu?'

Ze haalt haar schouders op. 'Niks.'

'Heb je niets te doen als je geen rotklusjes voor je werk opknapt?'

'Ja, natuurlijk wel. Ik heb genoeg te doen.' Ze begint te lopen. 'Alleen nu even niet.'

Ik volg haar. 'Ik ook niet.'

'O.'

'We zouden samen niks kunnen doen,' opper ik dan, waarna het een eeuwigheid stil blijft en zij er flink de pas in zet.

'Dat lijkt me niet echt verstandig,' zegt ze dan.

'Waarom niet?'

'Nou, gewoon, omdat we elkaar eigenlijk niet uit kunnen staan, toch?'

'Jij kunt mij niet uitstaan, bedoel je. Sinds je mijn kind hebt ontvoerd én weer teruggegeven, heb ik geen problemen meer met jou gehad. Ik ben toch de hele tijd aardig geweest? Ik heb zelfs koffie voor je gehaald.'

'Alleen omdat je dan zelf sneller aan de beurt was.'

'Maar toch...,' zeg ik, 'ik dacht trouwens dat je klaar was met trainen.'

Ze lacht en begint langzamer te lopen. 'Zakenmannen hebben zo'n slechte conditie.'

'Ik heb een prima conditie.'

'O ja?'

'Wat? Wil je dat ik het bewijs?' Want als dat zo is, weet ik wel een manier.

'Sprintje naar de prullenbak, daar?' Ze begint te lachen als ik aarzel. Haar piratenlach. 'Of durf je soms niet?'

'Ik ben natuurlijk niet zo goed voorbereid als jij.'

'Je hebt sneakers aan, dus je zou je moeten kunnen redden. Maar goed, als je te bang bent...'

'Ik ben niet bang. Ik wil je zelfs een voorsprong geven.'

'O, die heb ik niet nodig, hoor! Jij?'

'Nee! Tel maar af... en de verliezer betaalt de koffie.'
'Drie-twee-één!' zegt ze in één adem en dan zet ze het op een lopen. Ze is weg voordat ik het weet, de kleine valsspeelster. Ik zet de achtervolging in en op een gegeven moment denk ik dat ik haar kan hebben, maar dan besef ik dat galant verliezen aantrekkelijker is dan piepend naar adem happen en geef ik haar de laatste meters cadeau. Ze is helemaal blij als ze met een sprongetje als eerste de prullenbak bereikt. 'Ha! Ik heb gewonnen! Watje!'
'Watje?' herhaal ik ongelovig. 'Ik heb je láten winnen!'
'O, wilde je zo graag de koffie betalen?'
'Ja, natuurlijk. Ik ga toch niet op de zak van een meisje teren?'
'Nee, je laten kloppen door een meisje, dat is stoer!'
'Ik ben meer van de duursport, Hannah. Elk *watje* kan snel pieken, maar volhouden vergt karakter. En ik kan heel goed volhouden. Bovendien is het heel erg onbeleefd om eerder de finish te bereiken dan een dame en dat geldt voor elke vorm van lichaamsbeweging.'
Ze kijkt me zwijgend aan en bijt op haar onderlip tot haar gezicht ervan vertrekt. We zitten in ieder geval op dezelfde golflengte. Niets zo erg als van die schapen die een goede seksuele toespeling niet weten te waarderen.
Ik glimlach. 'Dus? Waar gaan we koffie drinken?'

We zijn onderweg naar Hannahs huis. Ze vindt dat ze het niet kan maken om ergens wat te gaan drinken, zoals ze nu gekleed is. Ik heb geprobeerd haar ervan te overtuigen dat ik nog nooit zo'n hip sportpakje gezien heb, maar ze is vastbesloten zich eerst om te kleden. En te douchen, geloof ik. 'Dus?' vraag ik. 'Ik zie je dan over een uur of zo?'
'Een uur?' zegt ze lachend. 'Ik ben niet zo'n meisje.'
'Wat voor meisje?'
'Zo'n meisje dat een uur nodig heeft om zich toonbaar te maken. Ik moet douchen, dat kost, wat zal het zijn, twee minuten voor de shampoo, twee minuten voor de crèmespoeling, twee minuten voor de rest van mijn lijf. Afspoelen, afdrogen en aankleden kost weer vijf minuten. Make-up en kapsel nog vijf... Ik red het in zestien minuten. Dus ik zie je over een kwartier?'
'Een kwartier? Met jouw looptempo haal je me dan weer in voor ik in het centrum ben.'

Ze lacht.

'Ik kan natuurlijk ook op je wachten.'

'Bij mij thuis bedoel je?'

'Bijvoorbeeld.'

Ze kijkt alsof ik iets heel moeilijks gevraagd heb.

'Of op de stoep,' zeg ik dan. 'Zal ik hier dan maar blijven staan?' Ze moet heel hard lachen en trekt me aan de mouw van mijn jas vooruit. 'Goed dan. Ik heb een stevig slot op mijn badkamerdeur.'

'Dat zul je ook wel nodig hebben,' antwoord ik met een visioen van haar en mij en geen deur die me kan tegenhouden in mijn hoofd. Dan voel ik me opeens een stuk minder het mannetje, want we naderen het gebouw waar ze woont en ik herinner me dat ik hier nog niet zo lang geleden geweest ben. Ik weet nog dat ik deze deur uitgeglipt ben de ochtend nadat ik die blonde stoot had versierd. Ik zal me toch niet aan Hannahs buurvrouw vergrepen hebben? Het zou niet echt in mijn voordeel werken als dat uit zou komen. Gelukkig stoppen we op een andere verdieping, wat de kans verkleint dat zij de blonde stoot echt persoonlijk kent. Wie kent nu nog zijn buren in hartje centrum? Laat staan die van een verdieping hoger.

Hannah opent haar voordeur en laat me binnen. 'Let niet op de rommel. Het is tevens mijn atelier.'

'Zo, Hannah, volgens mij gaat dit wel iets verder dan een beetje hobbyen of niet?'

Ze haalt haar schouders op. 'Je mag gerust kijken, maar nergens aanzitten, alsjeblieft. Het heeft nog niet de kwaliteit van een Anna Lee.' Ze loopt meteen door naar een ruimte achter in de flat, wat te beoordelen naar het watergekletter dat volgt, de badkamer is. Ik loop een rondje door haar huiskamer met mijn handen in mijn zakken. Zo heb ik Sven ook geleerd zijn handjes thuis te houden. Hij kan het beter dan ik.

Er ligt een rol stof op haar driezitsbank en er hangen allerlei stalen over de rugleuning. De koffietafel ligt vol met scharen, spelden en allerlei andere spullen die ik niet eens thuis kan brengen. Ik loop door naar een muurtje dat grotendeels als prikbord dienstdoet en kijk naar alle plaatjes en foto's die ze daar heeft opgehangen. Allerlei voyeuristische beelden van mensen op straat. Een mouw, een halslijn, een stel benen, een paar schoenen, een lange blonde paardenstaart, een bos roze bloemen en cocktailglazen gevuld met drankjes in alle kleuren van de regenboog. Zo te zien kan Hannah Fisher overal door geïnspireerd raken. Opeens zie ik ook hier en daar wat footjes van Hannah zelf tussen de andere knipsels. Een foto van haar en de vrouw bij wie ze Sven ondergebracht had na 'de ontvoering' en nog een donkerharige schoonheid die me vaag bekend voorkomt. Maar dat is misschien gewoon wishful thinking. Dat het dat niet is, besef ik twee tellen later als ik naar een foto kijk van diezelfde vrouw met – opeens schiet haar naam me weer te binnen – haar arm om Micky's schouders geslagen. De Micky van een verdieping hoger. De Micky die van elastiek lijkt in bed en niet moeilijk doet na afloop. De natte-droom-van-iedere-man Micky. Die dus. Een van Hannahs vriendinnen, zoals nu blijkt.

Ik hoor de kraan uitgaan en besef dat Hannah zich nu naakt door dit flatje begeeft in de richting van haar slaapkamer. Ik heb zo'n vermoeden dat mijn kans om bij haar te scoren – voor zover deze al aanwezig is – voorgoed verkeken is als ze weet dat ik het met haar vriendin gedaan heb. Godsamme, hoe groot is die kans, dat ik van alle gewillige vrouwen in de stad net haar beste vriendin weet uit te kiezen? Echt, dit is weer eens meesterlijk. Goed gedaan, Frank. Sukkel!

'Hé!' zegt Hannah. 'Ben ik met je meegekomen zodat het er minder zielig uitziet als je stilletjes voor je uit zit staren?' We zitten aan een tafeltje bij het raam in een grand café in het centrum nadat we allebei besloten hebben dat die veel te dure 'koffie to go'-tent waar ik haar de vorige keer tegenkwam, niet bepaald de plek is waar je je vrije zondag wilt doorbrengen. 'Je bent niet erg spraakzaam sinds we hier zijn.'

'Dat is waar, geloof ik. Sorry.'

Ze slaat haar hand voor haar mond. 'Weer sorry! En dan zeggen ze dat je een man niet kunt veranderen.'

'Nou dan heb jij mooi het tegendeel bewezen, of niet?'

'Of...' zegt ze en ze leunt samenzweerderig naar me toe. Een zweem van een licht bloemig geurtje bereikt mijn reukreceptoren. 'Misschien ben je wel niet zo tough als je mij wil laten geloven.'

'O, ik ben tough, geloof me.'

Ze zet haar cappuccino – met cacao – aan haar lippen en knijpt haar ogen een beetje samen, alsof ze me niet helemaal gelooft. Of helemaal niet gelooft. En dat terwijl ik me net zit af te vragen of ik hiermee wegkom als ik mijn kop hou. Ik bedoel: Roy neukt zich drie slagen in de rondte met wie hij maar wil en hij heeft nog nooit in deze positie gezeten. Het is heel waarschijnlijk dat die Micky er ook helemaal niet op zit te wachten dat uitkomt wat wij met elkaar uitgespookt hebben. Zij had toch ook een relatie, of in ieder geval iets wat die richting op ging? Die is vast wel bereid om te vergeten dat ze mij ooit is tegengekomen.

Het enige probleem is dat dit natuurlijk niet helemaal eerlijk is tegenover Hannah. En ik weet niet zo goed hoe belangrijk ik dat vind in deze kwestie. Ik ben haar niet verplicht te vertellen wat ik doe en met wie. Maar het rottige is dat zij nu net degene is bij wie het me om *haar* gaat en niet zozeer om puur de mogelijkheid tot seks. Terwijl het bij de vorige vrouwen toch steeds om Jackie draaide. Of om mezelf iets te bewijzen.

Maar dit: die mailtjes van haar, de gesprekjes, die blik in haar ogen, waardoor ze me 'watje' kan noemen en toch iets anders lijkt te bedoelen. Dit is allemaal van een compleet andere orde. Jackie heeft er geen zak mee te maken. En dat voelt verdomd goed.

Hannah zet haar kopje terug op tafel. Een randje cacaopoeder is achtergebleven op haar bovenlip. Wat ik zelf misschien ook gedaan zou hebben, als ik cacaopoeder was. 'Je hebt hier wat...' begin ik en ik steek mijn vingers naar haar uit, maar ze pakt vlug haar servetje.

'Ik doe het zelf wel.' Ze dept haar mond en ik kijk toe. 'Zo goed?'

Ik knik. 'Je moet me eens uitleggen hoe je het voor elkaar krijgt, dat douchen en omkleden in zestien minuten.' Het waren er eigenlijk achttien, maar dat heb ik haar vergeven. 'Ik kan er schatrijk mee worden als ik dat concept kan verkopen aan mannen die gewend zijn uren op hun vrouw te wachten.'

'Nou, het eerste geheim is natuurlijk waterproof make-up,' antwoordt ze. 'En ik heb mijn kleding altijd in setjes bij elkaar hangen in de kast. En je moet een klein beetje schijt hebben aan hoe je haar opdroogt... maar dat kan natuurlijk alleen maar als je uitgaat met een man die je niet uit kunt staan. Kijk, als ik jou nu leuk zou vinden...'

'Wat niet zo is,' verduidelijk ik.

'Inderdaad.' Ze laat haar koffielepeltje door het schuim gaan en likt het sensueel af. 'Maar als het zo zou zijn, dan zou ik het nooit redden in zestien minuten.'

Oké, nu hou ik me ook niet in. 'Eigenlijk waren het twintig minuten, dus daar zou ik een conclusie aan kunnen verbinden.'

'Het waren zestien minuten. Misschien zelfs vijftien.'

'Misschien zelfs vijfentwíntig. Ik denk eigenlijk dat je toch al gauw tegen een halfuur zat.'

'Ik denk het niet,' zegt ze. Haar ogen fonkelen en ze neemt weer een slokje. De volgende keer zorg ik dat ik haar servet te snel af ben. Maar ze pakt het al voor ze haar cappuccino neerzet. Ik kan moeilijk het kopje uit haar handen meppen. Ze dept haar lippen, zet het kopje neer en lepelt dan een paar hapjes schuim naar binnen die ze langzaam op haar tong laat smelten. Ik zit er vol fascinatie naar te kijken en haar ogen blikken steeds heel vluchtig naar me op alsof ze er zeker van wil zijn dat ik dat blijf doen. Nooit geweten dat cappuccino zo'n stimulerend drankje is. Of zou ze dat met alle drankjes kunnen?

Opeens schrikt ze op van een geluid dat uit haar tas komt. Haar BlackBerry verschijnt op tafel en ze kijkt er zorgelijk bij. Ze vloekt zonder geluid.

'Wat een heerlijke baan heb je toch,' mompel ik.

Ze knikt. 'Werkt altijd om onder saaie koffieafspraken uit te komen.'

'Werkt Anna Lee daaraan mee?'

'Omdat we zulke goede vriendinnen zijn,' zegt ze.

'Je moet dus gaan?'

Er trekt een glimp van teleurstelling over haar gezicht voor ze zich vermant en glimlacht. 'Ja. Jij zou betalen, toch?' Ze graait naar het hengsel van haar tas dat over de rugleuning van haar stoel gedrapeerd is, drinkt haar cappuccino in één teug op en is al half opgestaan.

'Hé, is het nu echt zo belangrijk wat ze van je vraagt, dat je meteen weg moet rennen?'

'Kom op, zeg,' zucht ze. 'Dat gezeur hoor ik al genoeg van mijn vriendje, begin jij nu niet ook nog eens.'

'Je vriendje?'

Haar kopje komt met een rammelend geluid terug op het schoteltje. 'Nou ja, wat daarvoor door moet gaan.'

97

'Doe je dit bij hem ook?'

Ze knikt. 'En op vervelender momenten. Doei!'

'Wacht!' Ik wil haar tegenhouden en sta op. Ik steek mijn hand naar haar uit. Ik wil hem gewoon op haar elleboog leggen, maar door een onverwachte beweging van haar, heb ik opeens haar hand vast. We staan naast elkaar, hand in hand, en bewegen geen van beiden.

'W-waarom?' vraagt ze een beetje onvast.

'Ik eh...' Ik schraap mijn keel en ik weet dat ik veel beter mijn punt zou kunnen maken als ik haar hand los zou laten, maar als ik *iets* niet wil op dit moment... 'Ik wilde even zeker weten dat het echt niet kon wachten.'

'Mijn oordeel over wat kan wachten, wijkt nogal af van het hare,' antwoordt ze.

'Jouw oordeel is ook wat waard.' Ik verstevig mijn greep om haar vingers. 'Kun je niet nog heel even gaan zitten?'

'Ik... uhm...'

Ik laat me achterover zakken op mijn eigen stoel en de neerwaartse kracht zet haar er toe aan om een stapje terug te doen en op de tast, met haar vrije hand, haar stoel te zoeken. En dan zit ik met haar aan het tafeltje. Haar hand in de mijne. En haar blik die duidelijk maakt dat ze geen idee heeft wat ik van haar wil.

'Kijk, het is zondag,' zeg ik. 'En je kunt niet zomaar verwachten dat je personeel op zondag binnen tien minuten op de plaats is waar jij ze heen ordonneert. Dat is gewoon absurd. Dat is... ik bedoel, ik neem aan dat je dat zelf ook vindt.'

Ze knikt langzaam. 'Maar ze is gewend dat ik het doe. Ik moet het doen, anders...'

'Je kunt iemand niet ontslaan omdat ze op zondag niet meteen op je oproep reageert. Staat dat in je contract?'

'Het is zo gegroeid, denk ik. Ik wil mijn werk goed doen. Ik wil dat zij ziet dat ik er alles voor overheb om...'

'Maar dat ziet ze niet, Hannah. Dat ziet ze echt niet.'

'Dat weet ik.' Ze kijkt even naar beneden, naar het tafelblad waar haar hand nog steeds in de mijne ligt. Ze begint langzaam terug te trekken, maar ik sluit mijn vingers om haar pols. Zonder kracht, maar haar hand blijft toch waar hij is.

'Dus, hoe belangrijk is het nu echt? Volgens jou?' vraag ik.

'Ach, het is gewoon een stomme fax die ze wil hebben,' zegt ze plotseling fel. 'Het gaat natuurlijk weer helemaal nergens over en het ellendige is dat ik voor elke zone in het gebouw een andere alarmcode moet invoeren en ik moet zeker zes zones door voor ik in mijn kantoor ben en dan nog eens drie naar de fax. En als ik dan morgen vraag: is het nog gelukt met die fax, Anna Lee, weet je wat ze dan zegt? God, kind, ik ben er niet meer aan toegekomen! Zo belangrijk zijn die kutklusjes van Anna Lee. Je hebt helemaal gelijk. Ik zou wel... ik zou wel aan het strand kunnen zitten.'

'Dat is wel een beetje koud nu.'

'Of in een huisje in Drenthe. Of in fucking Parijs.'

'Fucking in Parijs, dat zou kunnen.' Ik zie opeens weer een kloddertje cacaopoeder op haar lip, van de laatste slok die ze heeft genomen. Maar het is alsof ze het erom doet. Zodra ik haar hand loslaat pakt ze haar servetje op.

'Ik doe het zelf wel.'

Ik laat meteen een fles wijn aanrukken om de persoonlijke revolutie van Hannah Fisher te vieren en we bestellen een lekkere lunch. Voor het driegangenkeuzemenu dat ze hier 's avonds serveren, zou ik niet te porren zijn, maar ik weet wel dat ze goede sandwiches kunnen maken. Ik zou niet willen dat Hannah een voedselvergiftiging overhoudt aan de eerste keer dat ze tegenstand biedt aan Anna Lee.

We eten de broodjes, drinken onze wijn en bestellen nog een rondje koffie, terwijl we praten, lachen en elkaar uitdagen. En opeens is het schemerig buiten en zie ik dat het halfvijf is. Hannah ziet mijn blik op de klok en springt met een ruk overeind. 'O god, die fax!'

'Ik dacht dat we besloten hadden dat het geen haast had,' zeg ik een beetje in de war.

'Ik wilde haar een uurtje laten wachten, geen halve werkdag! Ik ben het helemaal vergeten. Shit, shit, shit! Waarom heeft ze nog niet gebeld?' Ze vist haar BlackBerry uit haar tas om haar berichten te controleren.

'Misschien omdat het niet belangrijk was. Waarschijnlijk is ze het zelf allang vergeten.'

Op dat moment gaat het apparaat over en ze kijkt me met

grote ogen, vol paniek, aan. Dan neemt ze op. Ze put zich uit in duizend excuses terwijl ik een pen uit de binnenzak van mijn jas haal. 'Storing op telefoonlijn' schrijf ik op een servetje en ik schuif het naar haar toe. Ik hoor haar zeggen dat er iets met de telefoonlijn is en ze gebaart heftig naar het eerste woord, dat ze blijkbaar niet kan lezen. Ik schrijf het nog een keer, maar volgens mij is het nu onduidelijker. Ze steekt haar handen naar me op, ten teken dat ze het niet snapt.

'Storing,' zeg ik geluidloos. Ze staart naar mijn lippen, maar ik kan óf niet articuleren óf zij is de slechtste liplezer aller tijden. 'Storing!' roep ik dan maar hardop.

'Een storing!' herhaalt ze alsof ze het antwoord op de vraag voor een miljoen gevonden heeft. 'Er is een *storing* op de telefoonlijn... Ja, al de hele middag en... daarom nam ik natuurlijk de telefoon niet op, inderdaad... ja natuurlijk was ik wel op de zaak. Wie? O, hoorde je... nou, nee, dat is de monteur natuurlijk. Ja, de monteur van het telefoonbedrijf...'

Ik rol met mijn ogen en gebaar dat ik ga betalen, maar haar gezichtsuitdrukking blijft volkomen blanco. Ze had nog niet gereageerd als ik langzaam begonnen was met het openknopen van haar bloesje, wat misschien best een goede invalshoek is.

Ik wacht tot de betaling met mijn creditcard erdoor is en sla haar ondertussen vanaf de bar gade. Het lijkt wel een slapstick zoals ze bezig is om haar spullen bij elkaar te rapen en dan dat gezicht terwijl ze aan het bellen is... Als ik terugkom voor mijn jas, kan ik mijn lachen nauwelijks inhouden. Zij drukt net haar telefoontje weg en terwijl ik denk dat ze mee gaat lachen, geeft ze me een enorme beuk met twee vuisten tegen mijn borst.

'Dit is jouw schuld!' tiert ze.

'Wat? Ik heb je gered, mevrouwtje. Is het zo moeilijk om op het woordje "storing" te komen?'

'Ik was in paniek, ja?'

'Dat is duidelijk. En je hebt geluk dat ik zo gespierd ben, anders had je me een paar gebroken ribben bezorgd.'

'Ik heb tien minuten om die fax te versturen.'

Ik pak mijn jas van de stoel en volg haar naar buiten. Ze balanceert haar handtas eerst aan haar ene arm en dan aan de andere terwijl ze onder het lopen haar jasje probeert aan te trekken. Met kittige, snelle pasjes trotseert ze de straten van de binnenstad, terwijl het ook nog begint te miezeren. Het houdt haar niet tegen, maar ze begint wel steeds moeilijker te lopen tot ze ineens door een enkel lijkt te zakken en tot stilstand komt, een gefrustreerde kreet slakend.

'Wat doe je nou?' vraag ik.

Ze kijkt op. De motregen geselt haar gezicht. 'Je bent er nog...'

'Uhm, ja, volgens mij hadden we nog geen afscheid genomen. Of bedoelde je: "bedankt, het was gezellig, tot ziens" toen je snauwde dat je tien minuten had om die fax te versturen?'

'Sorry, ik had niet gedacht dat je helemaal met me mee zou lopen.' Ze loopt weer verder. Volkomen mank.

'Gaat het wel?'

'Ik had een blaar en die heb ik nu kapot gelopen. Maar we zijn er bijna.' We slaan af en even later doemt het grote pand van Anna Lee voor ons op. Ze opent de deur, houdt een soort sensor voor een rood knipperlichtje en vervolgt haar weg naar binnen. Bij elke deurklink zit een apparaat met cijfercode. Na twee deuren tilt Hannah haar linkervoet op en trekt ze haar schoen uit. De elegantie waarmee ze plotseling loopt, is verbazingwekkend, met één hooggehakte en één blote voet.

Tien minuten later is de fax inderdaad verstuurd. We wachten ademloos op het verzendrapport, want als er nu echt een storing is, zijn we de pineut. Hannah heeft me de situatie proberen uit te leggen en blijkbaar ging het deze keer dus wel om iets belangrijks. Iets met een nieuwe klant en een opdrachtbevestiging die nog getekend moest worden. Blijkbaar heeft hij nu nog ongeveer vijf minuten voor hij in het vliegtuig stapt.

Hannah leunt tegen een bureau en ik kom naast haar staan. 'Ik moet hier nog ergens pleisters hebben,' zegt ze, haar tas doorzoekend. 'Hebbes!' Ze hijst zich op het bureau en zet haar voet op de rand. Ze heeft schattige kleine voetjes met roze gelakte teennageltjes, een sierlijke wreef en fijne enkels. De huid op haar hiel lijkt even zacht en roze als het midden van haar voet. Alleen erboven, waar de rand van haar schoen zat, is een stuk van bijna twee centimeter volledig ontveld.

'Niet te geloven wat jullie overhebben voor een paar mooie schoenen,' zeg ik, mijn blik afwendend, terwijl zij de pleister aanduwt. Ik loop naar het faxapparaat dat begint te zoemen en haal er de bevestiging vanaf. 'OK,' lees ik op. 'Hij is erdoor.'

Ze slaakt een zucht van verlichting. 'Gelukkig.'
Ik geef haar het blaadje aan. 'Ik was dus de monteur?'
Ze knikt met een ingehouden lachje en ik weersta de neiging te vragen of er nog meer dingen zijn die een grote beurt nodig hebben. Er zijn grenzen aan het maken van seksuele toespelingen en die gaat daar overheen, denk ik.

Ik buk me om haar schoen op te rapen. 'Zal ik maar een taxi bellen om je thuis te brengen?'

HANNAH

Aan: Hannah.Fisher@al.com
Van: Frank.Stevens@gmail.com
Datum: 25-01-2010, 00:31
Onderwerp: Picasso

Hannah,

Ik heb nog een leuk verhaal om morgen je dag mee te beginnen. Je blijkt een enorme invloed te hebben op mijn zoon en hij blijkt bij jou op kantoor zijn ware roeping gevonden te hebben. Ik hoorde gisteravond dat Sven bij Jackies moeder in een onbewaakt ogenblik (ik snap ook niet hoe dat heeft kunnen gebeuren, maar het maakt wel duidelijk dat *zij* degene is die toen vergeten is dat nummer door te geven en niet ik…) met waskrijt en viltstift de gehele muur van haar eetkamer heeft bewerkt. Hij heeft er zelfs een eetkamerstoel bij gepakt voor de stukken waar hij niet bij kon. Ik zou kwaad op je willen worden, maar eigenlijk heb ik al jarenlang de neiging iets in dat huis te vernielen, elke keer als ik er langer dan tien minuten doorbreng. Ik ben dus alleen maar trots dat mijn zoon meer lef heeft dan ik.
Maar even voor de zekerheid: als je hem de volgende keer ziet, wil je dan heel duidelijk zeggen dat het alleen bij oma mag?
Hoe is het met je voet?
Slaap lekker, of werk ze, aangezien je dit waarschijnlijk morgenvroeg pas leest.
Frank

Aan: F.Stevens@A&S-advocaten.eu
Van: Hannah.Fisher@al.com
Datum: 25-01-2010, 08:11
Onderwerp: Fw: Picasso

Hey Frank,
LOL. Ik dacht dat ik duidelijk gezegd had dat het alleen bij jou thuis mocht en niet bij andere mensen. Moet inderdaad nog een hartig woordje met hem spreken… Mijn voet doet het nog en ik heb me voorgenomen om Anna Lee flink de waarheid te zeggen als ze ook maar iets te klagen heeft over die fax van gisteren.
Hannah

Aan: Hannah.Fisher@al.com
Van: F.Stevens@A&S-advocaten.eu
Datum: 25-01-2010, 08:15
Onderwerp: Re: Fw: Picasso

You go girl!

Aan: F.Stevens@A&S-advocaten.eu
Van: Hannah.Fisher@al.com
Datum: 25-01-2010, 15:12
Onderwerp: Re: Fw: Picasso

Dit geloof je niet: ze heeft er met geen woord over gerept! Ik zit me de hele dag al op te fokken en ze is al drie keer mijn kantoor binnengelopen, maar NIETS over die fax??!! Betekent dit dat ik al die tijd voor niets zo hebben lopen rennen en vliegen?

Aan: Hannah.Fisher@al.com
Van: F.Stevens@A&S-advocaten.eu
Datum: 25-01-2010, 15:59
Onderwerp: Re: Fw: Picasso

Uhm… ik wil niet rot doen, maar eh, ja… dat heb je inderdaad voor niets gedaan.

Aan: F.Stevens@A&S-advocaten.eu
Van: Hannah.Fisher@al.com
Datum: 25-01-2010, 16:04
Onderwerp: Re: Fw: Picasso

Je doet rot!

Aan: Hannah.Fisher@al.com
Van: F.Stevens@A&S-advocaten.eu
Datum: 25-01-2010, 16:06
Onderwerp: Re: Fw: Picasso

;)

Aan: F.Stevens@A&S-advocaten.eu
Van: Hannah.Fisher@al.com
Datum: 26-01-2010, 09:17
Onderwerp: maatpakken

Goedemorgen!
Ik heb nog eens nagedacht over dat maatpak van Anna Lee dat jij thuis hebt. Dat kan niet kloppen. Hij is voor jou *gemaakt*. Het *moet* zitten.

Aan: Hannah.Fisher@al.com
Van: F.Stevens@A&S-advocaten.eu
Datum: 26-01-2010, 11:22
Onderwerp: Re: maatpakken

Hé Hannah, ook goedemorgen!
Het zit echt voor geen meter.

Aan: F.Stevens@A&S-advocaten.eu
Van: Hannah.Fisher@al.com
Datum: 26-01-2010, 12:31
Onderwerp: Re: maatpakken

In welk opzicht zit het niet? Vind je het gewoon niet mooi?
Het moet toch in ieder geval goed aanvoelen.
Enne… ik heb besloten om voortaan lunchpauzes te nemen…
o wacht ff, Anna Lee roept!

Aan: Hannah.Fisher@al.com
Van: F.Stevens@A&S-advocaten.eu
Datum: 26-01-2010, 12:38
Onderwerp: Re: maatpakken

Jij bent echt zó grappig ☺.

En dat pak… dat vind ik inderdaad niet mooi omdat het gewoon NIET ZIT IN WELK OPZICHT DAN OOK. Het ziet er niet goed uit, het voelt niet goed, het is een ellendig ding.
Wil je het terug? Het is misschien inmiddels vintage.

Aan: F.Stevens@A&S-advocaten.eu
Van: Hannah.Fisher@al.com
Datum: 26-01-2010, 12:49
Onderwerp: Re: maatpakken

Ben je dan misschien dikker geworden?

Aan: Hannah.Fisher@al.com
Van: F.Stevens@A&S-advocaten.eu
Datum: 26-01-2010, 12:50
Onderwerp: Re: maatpakken

Het heeft nooit gezeten! Bitch!

Aan: F.Stevens@A&S-advocaten.eu
Van: Hannah.Fisher@al.com
Datum: 26-01-2010, 12:52
Onderwerp: Re: maatpakken

Hihi…
Ik wil wel een nieuw pak bij je aanmeten. Doe ik gratis: alleen voor jou. Niet verder vertellen.

Aan: Hannah.Fisher@al.com
Van: F.Stevens@A&S-advocaten.eu
Datum: 26-01-2010, 12:53
Onderwerp: Re: maatpakken

Probeer je me nu nog zo'n lelijke Anna Lee aan te smeren?

Aan: F.Stevens@A&S-advocaten.eu
Van: Hannah.Fisher@al.com
Datum: 26-01-2010, 12:58
Onderwerp: Re: maatpakken

Vanuit mijn bedrijfsethos kan ik niet voor mezelf verantwoorden dat ik iemand rond laat lopen met een Anna Lee waar hij niet tevreden over is. Bent u tevreden, zeg het voort, bent u niet tevreden, zeg het ons. Als je dat pak in principe nog mooi vindt, kan ik het gratis voor je vermaken. Wil je een nieuwe, dan kan dat natuurlijk ook, alleen kost het je wel iets. Ik kan moeilijk maatpakken achteroverdrukken (maar ik zal het proberen (dat is een grapje (als iemand van Anna Lee dit leest (zo niet: ik zal het echt proberen (echt een grapje als iemand van Anna Lee dit leest (psst, nee hoor! (weer een grapje!)))))))).

Aan: Hannah.Fisher@al.com
Van: F.Stevens@A&S-advocaten.eu
Datum: 26-01-2010, 13:03
Onderwerp: Re: maatpakken

Shit, wat doe jij allemaal met die haakjes openen en sluiten??!!

Aan: F.Stevens@A&S-advocaten.eu
Van: Hannah.Fisher@al.com
Datum: 26-01-2010, 13:08
Onderwerp: Re: maatpakken

Ik had pauze en niks te doen, maar het klopt wel, hoor! Tel maar na. (p.s. je zou moeten zien wat ik met 'aanhalingstekens' kan ...)

Aan: Hannah.Fisher@al.com
Van: F.Stevens@A&S-advocaten.eu
Datum: 26-01-2010, 13:21
Onderwerp: Re: maatpakken

Geen tijd meer om na te tellen, mijn pauze is nu voorbij. Heb alleen nog tijd voor bloedserieuze mailtjes. Ik kan wel een keertje op vrijdag langskomen met dat pak, neem ik Sven mee voor een mooie muurschildering. Of eh... bedoel je niet onder kantooruren?

Aan: F.Stevens@A&S-advocaten.eu
Van: Hannah.Fisher@al.com
Datum: 26-01-2010, 13:45
Onderwerp: Re: maatpakken

Jawel! Onder kantooruren, natuurlijk.

Aan: Hannah.Fisher@al.com
Van: F.Stevens@A&S-advocaten.eu
Datum: 26-01-2010, 14:16
Onderwerp: Re: maatpakken

Ik dacht dat je het misschien te druk had onder werktijd.

Aan: F.Stevens@A&S-advocaten.eu
Van: Hannah.Fisher@al.com
Datum: 26-01-2010, 15:30
Onderwerp: Re: maatpakken

Als je klant bent, ben je klant. Dan maak ik tijd. Moet je het wel even van tevoren laten weten, want ik moet je inroosteren.

Aan: Hannah.Fisher@al.com
Van: F.Stevens@A&S-advocaten.eu
Datum: 26-01-2010, 16:21
Onderwerp: Re: maatpakken

Ik laat het je nog wel even weten.

Aan: F.Stevens@A&S-advocaten.eu; Frank.Stevens@gmail.com
Van: Hannah.Fisher@al.com
Datum: 27-01-2010, 16:12
Onderwerp: vrije dag?

Hey,
Het is stil vandaag... vrije dag?
x
H

Aan: Hannah.Fisher@al.com
Van: F.Stevens@A&S-advocaten.eu
Datum: 27-01-2010, 17:56
Onderwerp: Re: vrije dag?

Ha! I'd wish... nee hoor, heel de dag zitting gehad. Morgen weer.
Spreek je vrijdag...
Moet nu gauw Svennie ophalen (bij zijn oma... eens kijken wat hij
nu gevandaliseerd heeft).
XX
Frank

Aan: Hannah.Fisher@al.com
Van: F.Stevens@A&S-advocaten.eu
Datum: 29-01-2010, 11:23
Onderwerp: Date

Lieve Hannah,
Jammer! Sven heeft niets gesloopt bij oma, volgende keer beter. Hij
had het wel de hele tijd over jou. Volgens mij klikt het echt tussen
jullie. Daarom deze mail. Voel je vrij om 'nee' te zeggen, maar ik vroeg
me af of jij komende zaterdagavond een paar uurtjes op hem zou
willen passen. Ik heb dan namelijk een date.
Frank

Aan: F.Stevens@A&S-advocaten.eu
Van: Hannah.Fisher@al.com
Datum: 29-01-2010, 13:12
Onderwerp: Re: ~~Date~~ oppassen

Frank,
Het antwoord is nee. En het onderwerp moet zijn oppassen en niet
'date'. Mocht je denken dat je heel grappig bent: ik dacht heus niet
dat je *mij* mee uit ging vragen!

Aan: Micky_Micky@hotmail.com; Debtom@yahoo.com;
J.Deckers@brsnotarissen.nl
Van: Hannah.Fisher@al.com
Datum: 29-01-2010, 13:14
Onderwerp: Fw: Re: ~~Date oppassen~~ Kunnen jullie dit geloven?!!!

Meiden!
Dit is toch niet normaal? Die gast spoort echt voor geen meter?!!
Jessica, niet lezen en meteen deleten als je niets over vreemdgaande

rotzakken wilt weten, oké? Ik wilde je niet bij voorbaat buitensluiten.
Verbijsterde groetjes,
Hannah

Aan: Hannah.Fisher@al.com
Van: F.Stevens@A&S-advocaten.eu
Datum: 29-01-2010, 13:35
Onderwerp: Re: ~~Date oppassen~~ Date

Ik heb de gewoonte alleen vrouwen uit te vragen die mij leuk
vinden. Vandaar! Jammer dat je niet kunt, ik bedenk wel iets anders.

Aan: F.Stevens@A&S-advocaten.eu
Van: Hannah.Fisher@al.com
Datum: 29-01-2010, 13:58
Onderwerp: Re: ~~Date~~ oppassen !!!!

Wat jammer dat je nooit vrouwen mee uit kunt vragen. Misschien moet
je eens op internet zoeken.
www.jongleeghoofdig&volslagenwanhopig.com lijkt me dé site voor jou!

Aan: Hannah.Fisher@al.com; Micky_Micky@hotmail.com;
Debtom@yahoo.com
Van: J.Deckers@brsnotarissen.nl
Datum: 29-01-2010, 16:00
Onderwerp: Re: Fw: Re: ~~Date oppassen~~ Kunnen jullie dit geloven?!!!

Hoi Hannah,
Ik heb inderdaad gelijk gedeletet. Sorry, maar dit trek ik gewoon niet. Speel
deze maar aan Mick en Deb door. Om antwoord op je vraag te geven:
hij spoort duidelijk niet! Niet op reageren, stop hiermee! Je weet niet
half wat je veroorzaakt! Ik weet dat je niet zo'n soort vrouw wilt zijn.
Groetjes,
Jess

Aan: Hannah.Fisher@al.com
Van: F.Stevens@A&S-advocaten.eu
Datum: 29-01-2010, 16:14
Onderwerp: Re: ~~Date oppassen~~ Date

Hannah, ik heb de site bekeken. Leuk profiel heb je!

Aan: F.Stevens@A&S-advocaten.eu
Van: Hannah.Fisher@al.com
Datum: 29-01-2010, 16:20
Onderwerp: Re: ~~Date~~ oppassen !!!!

Hahaha…

Aan: Hannah.Fisher@al.com
Van: F.Stevens@A&S-advocaten.eu
Datum: 29-01-2010, 16:42
Onderwerp: Re: ~~Date oppassen~~ Date

Ben je vanavond weer in La Sala?

Aan: F.Stevens@A&S-advocaten.eu
Van: Hannah.Fisher@al.com
Datum: 29-01-2010, 16:47
Onderwerp: Re: ~~Date~~ oppassen !!!!

Nou, denk het niet, nee.

Aan: Hannah.Fisher@al.com; Debtom@yahoo.com;
J.Deckers@brsnotarissen.nl
Van: Micky_Micky@hotmail.com
Datum: 29-01-2010, 17:01
Onderwerp: Re: Fw: Re: ~~Date oppassen~~ Kunnen jullie dit geloven?!!!

Hannah, ben je gek? Die man wil jou. Hij is aan het flirten, hoor!
Dat heet neggen tegenwoordig. Iemand versieren door hem/haar
actief te negeren. Hij probeert je duidelijk uit je tent te lokken
(wat redelijk lukt, volgens mij!) Gewoon terugpesten! Volgens mij
ziet hij je helemaal zitten.
Ik heb nog nooit een man zo wanhopig zien hengelen om van je
te horen dat je hem wél leuk vindt.
Have fun!!!!
XXX
Micky

PS. Jess, wat voor 'soort vrouw' bedoel je? Hannah is niet gebonden. Ze mag doen wat ze wil. En misschien heeft die kerel wel een open huwelijk, weet jij veel! Jij bent duidelijk te lang uit de race! Binnenkort samen stappen?

Aan: Micky_Micky@hotmail.com; Debtom@yahoo.com; J.Deckers@brsnotarissen.nl
Van: Hannah.Fisher@al.com;
Datum: 29-01-2010, 17:15
Onderwerp: Re: Fw: Re: ~~Date oppassen~~ Kunnen jullie dit geloven?!!!

Girlz,
Ik weet niet of hij een open huwelijk heeft, maar ik heb die vrouw gezien en los van het feit dat ze haar kind aan zijn lot overliet bij het kinderdagverblijf (Frank was tenminste nog degene die bezorgd genoeg was om Sven op te halen en mij uit te schelden), lijkt ze me echt het type dat allang blij is als haar man seks met een ander heeft, zodat ze zelf niet meer hoeft.
Greetz,
Hannah

Aan: Micky_Micky@hotmail.com; Debtom@yahoo.com; Hannah.Fisher@al.com;
Van: J.Deckers@brsnotarissen.nl
Datum: 29-01-2010, 17:20
Onderwerp: Re: Fw: Re: ~~Date oppassen~~ Kunnen jullie dit geloven?!!!

Nou, dan zal ik ook wel zo'n type geweest zijn, nietwaar, Hannah? Hou op met het goed te praten. Zoek gewoon een single vent. Krijg je soms niet genoeg aandacht? Jij en Micky moeten de mannen van jullie afslaan in de kroeg, dus wees niet zo'n verschrikkelijk kreng. En stop met mij deze mailtjes te sturen! Ik word er onpasselijk van!
Jessica

Aan: J.Deckers@brsnotarissen.nl
Van: Hannah.Fisher@al.com
Datum: 29-01-2010, 17:27
Onderwerp: SORRY!!!

Sorry. Echt. Sorry.

Aan: Micky_Micky@hotmail.com
Van: Hannah.Fisher@al.com
Datum: 29-01-2010, 17:32
Onderwerp: SOS

Hey Mick,
Even tussen jou en mij: ik denk dat ik hem echt leuk vind. Maar dat kan niet, toch? Heb je de rest van zijn mailtjes gelezen? Ik kom amper nog aan werken toe. Ik heb de hele dag kriebels in mijn buik. En gisteren en eergisteren leken een eeuwigheid te duren, omdat hij niet mailde. Wat moet ik nu? Ik weet heus wel dat het niet kan, maar hij is de eerste (sinds ik weet niet hoe lang) bij wie ik dit voel. En eigenlijk, maar dat mag je echt aan niemand vertellen, ik probeer het zelf nog te ontkennen, maar eigenlijk heb ik het nooit eerder zó gevoeld. Waarom is die lul nu weer getrouwd?
Liefs,
Hannah

Aan: Hannah.Fisher@al.com
Van: Micky_Micky@hotmail.com
Datum: 29-01-2010, 17:34
Onderwerp: Re: SOS

Ik ga je nu bellen!

Aan: Hannah.Fisher@al.com
Van: F.Stevens@A&S-advocaten.eu
Datum: 29-01-2010, 17:58
Onderwerp: Date!

Ik zie je vanavond!
X

Ik ben gek! Ik ben echt hartstikke gek! Iets anders kan ik er niet van maken als ik mezelf om kwart voor negen op vrijdagavond in een van mijn lievelingsjurkjes hijs. Een strapless kokermodelletje, auberginekleurig. Ik doe er mijn bruine leren jackje op aan.

Dat kan ik weer uitdoen als ik binnen ben, maar het staat ook leuk als ik het erbij aanheb. Ik twijfel even bij mijn schoenenrek. Laarsjes voor een stoere look of elegant met pumps? Als ik mijn laarzen kies, lijkt het nonchalant. Alsof ik geen enkele moeite gedaan heb. Maar die pumps staan zo mooi onder mijn legging, waarvan de onderkant van de pijpjes bij mijn enkels gesmokt is. Even later vind ik de middenweg door een paar hoge laarzen te kiezen, die stoer zijn, maar ook mijn benen geweldig uit laten komen.

Ik doe een paar rinkelarmbanden aan mijn rechterarm en kies een ring met een grote amberkleurige steen uit mijn accessoirebakje. Ik bekijk mezelf in de spiegel. Na het douchen heb ik behoorlijk wat schuimversteviging in mijn haar gekneed en ik heb nu precies de look die ik wilde hebben. Ik zet de föhn erop voor wat extra volume, besteed nog wat extra aandacht aan mijn pony, die ik wil laten groeien en die daarom soms iets te veel voor mijn ogen piekt. Ik zie dat ik nog een beetje eyeliner kan gebruiken en met mijn wijsvinger klop ik ook nog wat lipstick op mijn lippen. Ik draai even, woel mijn haar nog een beetje door de war en pak mijn sjaal en mijn tas van de stoel. Klaar om te gaan.

Naar La Sala dus. In mijn eentje. Ik heb Micky vanmiddag aan de telefoon gehad en we hebben heel lang zitten praten. Soms is het moeilijk te geloven dat Jess en zij familie van elkaar zijn, want wat hun standpunten betreft kunnen ze niet verder uit elkaar zitten. Jessica was echt pislink na die mailtjes. Ik had ze ook niet aan haar moeten doorsturen, natuurlijk. Voor Micky daarentegen is dit allemaal één grote grap. Ze heeft me alleen wel op het hart gedrukt niet verliefd te worden. Dat zou ook heel stom zijn, dat kan ik zelf ook wel bedenken. Ik ben heus niet zo dom om te denken dat ik iets bijzonders ben voor een man als Frank Stevens. Hij doet niet eens moeite om te verbergen dat hij een klootzak is. Hij flirtte nog wel met me waar zijn vrouw bij stond. Ik maak me geen enkele illusie.

Maar goed, als ik dit allemaal weet en niet de intentie heb om me door hem in te laten pakken, waarom loop ik dan toch La Sala binnen? Ik scan meteen de bar en de zitjes aan de rechterzijde en loop dan naar een hoekje achterin, waar wat bekenden van me staan. Ik krijg een glas sangria en klets bij met een aantal mensen. De muziek klinkt steeds iets harder en de dansvloer begint vol te stromen. Misschien komt hij niet, bedenk ik opeens. Misschien speelt hij gewoon een spelletje. Dat zou heel goed kunnen. Hoe kan hij nu zomaar op vrijdagavond de vrijgezel uithangen? Ik zie hem al rustig douchen, zijn kleren kiezen en een lekker luchtje opdoen terwijl zijn vrouw het kind eten geeft en in bad doet. Dan verlaat hij opgetogen het huis en strijkt zij zijn overhemden? Daar kan hij toch niet mee wegkomen? Ik weet opeens heel zeker dat het gelul is. Hij is nooit van plan geweest echt hierheen te komen. En dan zie ik hem de deur door komen.

Hij kijkt de ruimte rond zoals je dat doet als je ergens nog nooit geweest bent. Ik voel hitte opvlammen in mijn hals en wangen en drink wat om af te koelen. Mijn ogen volgen hem over de rand van mijn glas terwijl hij naar de bar loopt. Hij bestelt een drankje en raakt vervolgens meteen in gesprek met het meisje achter de bar. Ze neemt echt de tijd voor hem en frummelt aan een knoopje van haar bloesje terwijl ze praat. Dan zegt hij iets en moet ze enorm lachen. Hij laat zich op een barkruk zakken en drinkt wat. Zijn ogen dwalen mijn kant op en ik doe alsof ik langs hem heen kijk en zeg wat tegen een ex-vriendje van Micky. Ik zie dat Frank zijn hand naar me opsteekt en zich dan weer op zijn drankje concentreert. En op het barmeisje dat weer bij hem verschijnt. Ik knik ten teken dat ik hem opgemerkt heb en probeer me op mijn gesprek te concentreren. Dat lukt niet al te best.

Ik heb echt nog nooit zo'n man ontmoet. Wat is nu de bedoeling? Moet ik naar *hem* komen of zo? Ik sta hier heel gezellig met mijn vrienden en in plaats van dat hij naar mij komt, moet ik hen allemaal in de steek laten en bij hem aanschuiven? Wat denkt hij nu? Dat ik een mot ben en hij een vlam?

Ik heb ook nog nooit iemand zo zelfverzekerd alleen aan een bar zien zitten. Ik kom hier ook regelmatig in mijn eentje, maar ik ken de helft van de mensen die hier rondhangen op vrijdagavond. Maar hij hoeft blijkbaar niet bang te zijn dat hij geen aanspraak zal hebben, want vanuit mijn ooghoek zie ik een vrouw haar groepje vriendinnen verlaten om de oversteek te maken naar de knapste vent in La Sala, nu hij nog in zijn eentje zit. Ik kijk op mijn horloge. Hij is krap zes minuten binnen en kan er al twee scoren als hij wil. Opeens is het me allemaal te gemakkelijk. Ik ga voorlopig niet naar hem toe. Meneertje Populair heeft het druk genoeg.

Ik draai me om, bestel nog een rondje sangria voor ons groepje bij een langslopende ober en reken af. Als ik mijn nieuwe glas in de hand heb en weer omkijk, zie ik hem lachen naar de vrouw, maar het is meer een beleefd lachje dan een Frank Stevens-promotietour. Misschien was het een beetje onredelijk van me om boos op hem te zijn. Hij kan het toch ook niet helpen dat hij zo gewild is? En vergis ik me nu of werpt hij me een hulpeloze blik toe over haar schouder? Ik moet een beetje lachen, waarop hij iets tegen zijn bewonderaarster zegt en naar mij wijst. Ze bekijkt me en ik besluit hem toch maar uit de brand te helpen. Ik geef hem een opzichtige knipoog en werp hem een luchtkusje toe. Hij glimlacht, wat ditmaal absoluut wel een Frank Stevens-promotietour is en ik wend me weer af om mijn gesprekje op een fatsoenlijke manier af te ronden voor ik me terugtrek. Vijf minuutjes later vind ik dat de tijd er rijp voor is. Frank zit weer alleen en ik loop naar hem toe.

'Is deze kruk vrij?'

'Voor jou wel,' antwoordt hij.

'Je had het nogal druk, hè?' Ik trek mijn jasje uit en hang het over de zitting van de barkruk.

'Als zij iets vraagt, dan ben jij de liefde van mijn leven, goed?'

Ik schuif de barkruk iets naar hem toe – zodat we niet zo hoeven te schreeuwen en omdat er een groepje aan de andere kant van mij staat dat veel ruimte inneemt – en hijs mezelf erop. Ik vang een vleug van zijn luchtje op en even vraag ik me af of dat de reden is dat de vrouwen zich massaal bij binnenkomst op hem storten. Het lijkt wel een lokmiddel, zo lekker ruikt hij. 'Ik weet niet of ze dat gelooft,' zeg ik terwijl ik mijn benen over elkaar sla.

Zijn ogen volgen de beweging en ik vraag me af of het jurkje niet iets te kort is om ermee op een barkruk te zitten. 'We zullen een beetje moeite moeten doen,' zegt hij, 'om overtuigend te zijn.'

De gedachte komt in me op om hem het advies te geven zijn trouwring te dragen. Dat zou wat dames op afstand kunnen houden. Of zou hij zijn ring speciaal voor de gelegenheid afgedaan hebben? Ik pak mijn glas en neem een slokje. 'Vertel eens wat over je huwelijk...'

'Zo...' zegt hij, 'leuke binnenkomers weet jij te bedenken.'

'Nou, als je er niets over kwijt wilt, is dat ook goed. Maar aangezien ik jou verteld heb dat ik mijn baan haat...'

'Dat heb je me niet verteld, dat heb ik aan je ontfutseld.'

'En wat denk je dat ik nu probeer te doen?' zeg ik met een glimlach die, hopelijk, luchtig overkomt.

'Nou,' zegt hij terwijl hij een slok van zijn tequilabiertje neemt en het flesje weer neerzet, 'soms groeien mensen uit elkaar, denk ik.'

'Daar kun je aan werken.'

'Alleen als je dat allebei wilt.'

'Wil zij dat niet?' vraag ik. 'Of jij?'

'Je stelt moeilijke vragen.' Hij neemt weer een slok en staart naar het etiket op het flesje, waarvan een hoekje losgeraakt is. Hij wrijft er met zijn duim over, tot het door de condens weer vastzit.

Misschien maak ik het hem nu te moeilijk. 'Luister, je hoeft me niet...'

'Kijk,' zegt hij op hetzelfde moment, 'het zit zo: Jackie en ik, wij zijn elkaar ergens onderweg kwijtgeraakt en over wiens schuld dat is valt te twisten, maar het is nu zoals het is. En ik heb daar allerlei emoties bij gehad, maar als je het me nu vraagt, op dit moment, dan zeg ik dat Jackie niet meer van mij is. En ik niet van haar.' Zijn flesje is leeg en hij zet het neer.

'En zij?' vraag ik. 'Denkt zij daar ook zo over?'

Hij kijkt me aan alsof dat een vreemde vraag is. 'Ik neem aan van wel.'

Ik knik.

'Kunnen we het nu niet meer over Jackie hebben?'

'Ja, natuurlijk. Sorry als ik... ik wil me niet bemoeien met dingen. Wil je er nog zo één?' vraag ik, wijzend naar zijn flesje. 'Het wordt eens tijd dat ik trakteer.'

'Graag,' antwoordt hij.

De sfeer tussen ons is plotseling veranderd. Vertrouwelijker. Als compensatie voor zijn pijnlijke onthulling, begin ik te vertellen over wat ik echt wilde doen toen ik van school kwam. Ik vertel hem over de afwijzingen die volgden op elke keer dat ik probeerde binnen te komen bij de modeacademie. Dat ik toen de managementrichting heb gekozen en het bleef proberen, tot ik het uiteindelijk niet meer op kon brengen. 'En nu?' vraagt hij. Hij zit inmiddels zo dicht bij me dat ik zijn geur – die ik geanalyseerd heb als citrus met sandelhout en een beetje muskus – in me opneem met elke ademteug die ik neem. Ik steun met mijn elleboog op de bar en met mijn hoofd in mijn hand, omdat ik anders vloeibaar als een plasje aan zijn voeten in elkaar zou zakken. 'Wil je het niet nog eens proberen? Je bent een paar jaar verder, je hebt meer ervaring, je bent gegroeid.'

Ik zucht. 'O, nee. Ik denk niet dat ik het nog eens kan.'

'Waarom niet?' Hij verschuift zijn drankje en laat zijn arm achter de mijne op de bar neerkomen. Alsof hij een heel klein stukje van de bar voor ons afbakent als privéterrein. Zijn duim drukt een heel klein beetje tegen mijn zij.

'Er komen elk jaar nieuwe mensen bij. De concurrentie is moordend.' Ik zet mijn voet nu naast de zijne op de voetsteun van zijn kruk en kijk naar zijn lange, in donkere jeans gestoken dijbeen. Hij ziet er heel goed uit in donkere jeans. Ik merk dat ik mijn hand over mijn eigen been laat gaan, zoals ik dat bij hem zou willen doen. Ik weet dat hij naar me kijkt.

'Je bent toch niet bang voor een beetje concurrentie?' Zijn vingers raken de bovenkant van mijn knie en kruipen langzaam omhoog tot ze mijn vingertoppen tegenkomen. Ik heb het bloedheet. Hij laat zijn hand op mijn bovenbeen liggen en ik slik.

'Nou... ik ben al drie keer eerder afgewezen. Op een gegeven moment ga je geloven...'

'Wat?' vraagt hij. Hij tilt zijn hand die achter me ligt op, strijkt een plukje haar van mijn pony naar achteren en speelt daarna met een lange lok in mijn nek. O lieve god, wat is dit toch? Kus me dan gewoon, sleep me mee naar je huis, doe met me wat je wilt en dank me af, als je me maar uit mijn lijden verlost. Ik kan haast niet meer nadenken.

'Dat je het niet in je hebt. Ik ben bang dat als ik nog een keer "nee" te horen krijg, ik nooit meer iets zal willen ontwerpen in mijn leven.' Hoe kan het dat ik nog steeds praat?

'Wat is het alternatief? Anna Lee?'

'Dat zou het moeten zijn. Drie jaar geleden dacht ik nog dat ik rond deze tijd wel haar hoofdontwerpster zou zijn. Kun je nagaan hoe naïef ik was.'

'Ik vind jou nog steeds een beetje naïef... op een leuke manier,' voegt hij er snel aan toe als hij mijn gezichtsuitdrukking ziet. 'Ik vind dat je met haar moet praten over wat je waard bent.'

'Dat doe ik ook nog wel.'

'Wanneer?' vraagt hij lachend. Het promotieteam deelt weer volop flyers uit.

'Als de tijd rijp is. Er is nog een optie, hoor.'

'En dat is?'

'Ik win de lotto, ik word schatrijk en heb alle tijd en het geld van de wereld om mijn eigen collectie te maken. Dan kan ik me inschrijven voor de deeltijdopleiding, want dan hoef ik niet meer te werken.'

'Er is ook een deeltijdopleiding?'

Ik knik. 'Ja. Daar kom je makkelijker binnen, maar ik heb geen tijd om het naast mijn werk te doen.'

'En als je nu eens ander werk zoekt?'

'Dan is de kans verkeken dat ik via Anna Lee bij mijn doel kom. Ik heb nu in ieder geval wel zekerheid. Ik heb een diploma. Ik kan zeker doorgroeien in de zakelijke richting.'

'Maakt dat je gelukkig?'

Ik haal mijn schouders op. 'Ik ben in ieder geval met mode bezig.'

'Dat is waar.' We kijken elkaar aan. Heel lang. Ik neem een slokje en hij ook. Dan kijken we elkaar weer aan en nemen nog een slok. Ik zie zijn adamsappel bewegen en zou hem willen likken. Zijn lustopwekkende geurtje opsnuffelen terwijl ik zijn dure overhemd knoopje voor knoopje openmaak.

Hij laat mijn armbanden klingelen als hij zijn hand van mijn haar naar mijn schouder verplaatst. Zijn vingers kriebelen me alsof ze me ertoe willen zetten om dichterbij te komen. Ik zie zijn ogen naar mijn lippen flitsen, terug naar mijn ogen en weer naar mijn mond. Ik weet wat er nu gaat gebeuren... maar dan klinkt plots hard mijn naam. 'Hannah!'

We kijken allebei op en zijn hand glijdt terug op de bar. 'Alex,' zeg ik. Ik kijk naar Frank. 'Dit is Alex, mijn... eh...' Ik wil ex zeggen, maar het komt er niet uit. Ik zie wat Frank denkt. Mijn vriendje, of wat er voor door moet gaan. Opeens zijn we gelijkwaardig. Hij een vrouw, ik een vriendje. Ik wil dat hij dat blijft denken.

'Alleen seks!' zeg ik terwijl ik me hongerig aan hem vastklem. Ik duw hem de trap op naar mijn appartement, maar hij kent de weg inmiddels en duwt me tegen de muur naast de deurpost. 'Alleen seks!' herhaal ik. 'Tuurlijk,' antwoordt hij. Zijn handen glijden onder mijn jasje en hij zoekt de sluiting van mijn beha. Ik probeer de juiste sleutel aan mijn sleutelbos te vinden en de deur te openen voor meneer Oss weer op het lawaai afkomt. Ik hoor al hoe hij aan het einde van de gang de sloten van zijn deur schuift. Eindelijk heb ik de juiste sleutel te pakken en ik zie nog net de schaduw van meneer Oss in de hal verschijnen voor ik de deur openduw en we mijn flatje binnenvallen.

'Kleed je uit,' zeg ik, terwijl ik mijn eigen kleren van me afstroop. Ik wil geen tijd verspillen, ik wil gewoon simpel seks. Ik wil seks met Frank.

Ik sluit mijn ogen en laat me door hem optillen. Ik ruik zijn citrusgeur op mijn eigen lichaam en ik klem mijn vingers vast in zijn mooie, dikke haar. Ik voel hem op me, in me, overal. Eindelijk bereiken we mijn bed. Ik zoen Frank, ik doe het met Frank, ik krijg een orgasme van Frank. Hij rolt van me af en ik blijf liggen. Ik wil mijn ogen niet opendoen, want ik weet dat als ik dat doe, dat Frank dan weg is. En dat ik dan naast Alex blijk te liggen.

'Het principe van brunchen is dat je het voor lunchtijd doet,' zegt Jessica als ik veel te laat de huiskamer van Debbie binnenval. Benji zit in zijn pyjama in het midden van de woonkamer met zijn autootjes te spelen en Debbie heeft Nina op de arm, terwijl ze met z'n allen aan de prachtig gedekte eettafel op mij zitten te wachten.

'Sorry,' zeg ik. 'Duizendmaal sorry.' Ik geef al mijn vriendinnen een kus en kriebel Nina onder haar kinnetje, voor ik naast Debbie ga zitten. 'Ik moest wachten tot Alex opgehoepeld was...'

Er breekt opzichtig gezucht en gesteun onder de meiden uit.
'Alex,' herhaalt Micky.
'Ik dacht dat jij klaar was met Alex,' zegt Debbie.
'Dat was ik ook...' protesteer ik zwakjes.
'Hoe komt het dan dat je elke keer weer met hem eindigt?'
vraagt Jessica en ik steek waarschuwend mijn vinger naar haar
op.
'Hé! Het was Alex of Frank, dus jij mag vandaag geen oordeel
over mij hebben!'
'Komt het wel eens in je op om een keertje "nee" te zeggen?'
'Wat bedoel je daar nu weer mee?'
'Meiden, meiden!' roept Debbie terwijl ze met haar vrije arm
een platte schaal met minisandwichjes naar ons toe schuift.
'Meer eten en minder katten, graag!'
'Nee, ik wil weten wat je nu eigenlijk bedoelt,' dram ik door.
'Ik heb mijn excuses toch aangeboden voor het doorsturen van
die mailtjes?'
'Maar je hebt dus met hem afgesproken?'
'Het was niet echt een afspraak. Ik was in La Sala en hij kwam
ook even langs.'
'Goh, toevallig...' mompelt ze.
'Jeetje, val haar niet zo aan, Jess,' zegt Micky, 'je kiest niet wie
je leuk vindt, oké?'
Jessica wil net een hapje nemen, maar ze laat haar broodje
verontwaardigd terug op haar bord vallen. 'Maar wel wat je
ermee doet! Hij is getrouwd! Wat snappen jullie daar nu niet
aan?'
'Ik weet dat hij getrouwd is!' roep ik net zo verontwaardigd.
'Maar jij weet niet hoe het zit, oké? Je kent hem niet eens!'
'O! Hij heeft zeker al zijn zielenroerselen aan je blootgegeven.
Laat me raden: zijn vrouw verwaarloost hem, niemand begrijpt
hem. En jij staat maar al te graag klaar om hem op te vangen,
nietwaar?'
'Waarom maak je alles wat ik zeg belachelijk? Zou het niet
kunnen dat er echt iets is tussen hem en mij?'
'Heel realistisch, Hannah! Hij is vast smoorverliefd op je! Hij
vertelt nu waarschijnlijk zijn vrouw dat hij voor jou kiest!'
'Jongens, kom op!' zegt Debbie. Ze staat op om Nina in de
box te leggen. 'Hier heb ik niet de hele ochtend voor in de keu-

ken gestaan. Ik dacht dat we gezellig zouden eten samen. Dit is niet mijn idee van gezelligheid.'

'Sorry, Debbie,' antwoordt Jessica. 'Ik snap het gewoon niet... En ik zeg dit niet om je te pesten, Hannah, je weet dat dat niet zo is.'

'Ja, dat weet ik,' zeg ik. 'Maar ik probeer uit te leggen dat we echt gepraat hebben, serieus gepraat... wat als hij nu oprecht is?'

'Oprecht in zijn vrouw bedriegen?' vraagt ze. 'Hoor je jezelf praten?'

'Ze hebben een slecht huwelijk. Ze zijn vreemden voor elkaar. Wie weet wat zij hem allemaal flikt! Weet je... laat ook maar.' Ik snijd een stukje van een croissantje, maar ik kan het er niet bij laten zitten. 'Ik wil alleen maar zeggen dat die dingen soms gebeuren. Mensen – ook getrouwde mensen – kunnen verliefd worden op iemand anders. Dat is misschien niet hoe het hoort, maar het kan gebeuren en het maakt je niet meteen een verschrikkelijk monster. Hoe lullig jij ook behandeld bent, Jess, want dat ben je. En dat wil ik niet ontkennen. Maar dit is niet noodzakelijkerwijs hetzelfde geval.'

'Ik weet dat het kan gebeuren, maar dan beëindig je het één voor je aan het ander begint!'

'We hebben niks gedaan!'

'Je wilt het toch?'

'Ja, nou, ik wil zoveel! Ik wil miljonair worden, Anna Lee vertellen waar ze deze BlackBerry kan steken, ik wil een eigen collectie op de New York Fashion Week. Gaat dat allemaal gebeuren, denk je? Ik heb Alex toch mee naar huis genomen in plaats van hem?'

'En daar voel jij je goed bij? Klasse!'

'Hannah mag dan niet perfect zijn, maar ze is in ieder geval niet bang om te léven,' zegt Micky.

'O, is dat léven? Ik weet daar natuurlijk niets van omdat ik niet elk weekend per se een man *moet* hebben? Logisch dat jij weer aan haar kant staat.'

'Ik beweer niet dat het leven om mannen draait, maar toch zéker niet om of we al tien aktes meer gepasseerd hebben dan vorig jaar rond deze tijd!'

Opeens is het stil. Debbie roert in haar thee en Benji maakt 'broem-broem' geluiden. Ik neem een hap van mijn croissantje en Micky schenkt zichzelf een glas versgeperste jus d'orange in. En dan beginnen we alle vier keihard te lachen.

FRANK

Aan: F.Stevens@A&S-advocaten.eu
Van: R.Sanders@A&S-advocaten.eu
Datum: 01-02-2010, 08:39
Onderwerp: gescoord?

Aan: R.Sanders@A&S-advocaten.eu
Van: F.Stevens@A&S-advocaten.eu
Datum: 01-02-2010, 08:59
Onderwerp: dicktease

Nee.

Aan: F.Stevens@A&S-advocaten.eu
Van: R.Sanders@A&S-advocaten.eu
Datum: 01-02-2010, 09:02
Onderwerp: Re: dicktease

Wat is dat nou, Stevens? Begin je de magic touch kwijt te raken op je oude dag?

Aan: R.Sanders@A&S-advocaten.eu
Van: F.Stevens@A&S-advocaten.eu
Datum: 01-02-2010, 09:15
Onderwerp: hou je kop!

Mijn touch werkte prima. Tot er ineens een 'vriendje' op de proppen kwam en ze ervandoor ging. Ik krijg geen hoogte van haar. Ze houdt gewoon van het spel, denk ik.

Aan: F.Stevens@A&S-advocaten.eu
Van: R.Sanders@A&S-advocaten.eu
Datum: 01-02-2010, 09:16
Onderwerp: Wij hebben het spel bedacht, Frankie.

Aan: R.Sanders@A&S-advocaten.eu
Van: F.Stevens@A&S-advocaten.eu
Datum: 01-02-2010, 09:20
Onderwerp: Misschien begint het spel me onderhand de keel uit te hangen.

Aan: F.Stevens@A&S-advocaten.eu
Van: R.Sanders@A&S-advocaten.eu
Datum: 01-02-2010, 09:22
Onderwerp: Relax!

Nu moet je geen rare dingen gaan zeggen, maat. Je krijgt haar nog wel waar je haar wil.

Aan: F.Stevens@A&S-advocaten.eu
Van: Hannah.Fisher@al.com
Datum: 01-02-2010, 12.31
Onderwerp: Zeg dat het alweer bijna weekend is!

Hoi Frank,
Hoera! Maandagochtend zit erop. Ben nu alweer aan weekend toe. Ik was als eerste binnen vandaag (verrassend!) en Anna Lee had een hele waslijst aan taken voor me achtergelaten terwijl ze zelf de hort op was. Ik vroeg me echt even af wat ik hier deed. Ik denk dat het jouw schuld is. Je hebt niets gezegd dat ik mezelf al niet honderden keren heb voorgehouden, maar op een of andere manier blijft het nu veel meer hangen. Je kunt heel overtuigend zijn.
Groetjes,
Hannah

Aan: Hannah.Fisher@al.com
Van: F.Stevens@A&S-advocaten.eu
Datum: 01-02-2010, 16:08
Onderwerp: Re: Zeg dat het alweer bijna weekend is!

Ach, dat zal aan mijn werk liggen.

Aan: F.Stevens@A&S-advocaten.eu
Van: Hannah.Fisher@al.com
Datum: 01-02-2010, 16:48
Onderwerp: Re: Zeg dat het alweer bijna weekend is!

Heb je een goed weekend gehad?

Aan: Hannah.Fisher@al.com
Van: F.Stevens@A&S-advocaten.eu
Datum: 01-02-2010, 16:50
Onderwerp: Re: Zeg dat het alweer bijna weekend is!

Ja, hoor. Prima.

Aan: F.Stevens@A&S-advocaten.eu
Van: Hannah.Fisher@al.com
Datum: 01-02-2010, 16:55
Onderwerp: Re: Zeg dat het alweer bijna weekend is!

Natuurlijk kon het na vrijdagavond alleen nog bergafwaarts... ;)

Aan: F.Stevens@A&S-advocaten.eu
Van: Hannah.Fisher@al.com
Datum: 02-02-2010, 14:10
Onderwerp: druk?

Hé, heb je het heel druk of zo?

Aan: Hannah.Fisher@al.com
Van: F.Stevens@A&S-advocaten.eu
Datum: 02-02-2010, 14:35
Onderwerp: Re: druk?

Genoeg te doen, maar het loopt niet storm. Gaat gewoon z'n
gangetje, je kent het wel.

Aan: F.Stevens@A&S-advocaten.eu
Van: Hannah.Fisher@al.com
Datum: 02-02-2010, 15:16
Onderwerp: Re: druk?

Ja, ik denk dat ik weet wat je bedoelt. Laat me je vooral niet ophouden. Werk ze nog!

Aan: Hannah.Fisher@al.com
Van: F.Stevens@A&S-advocaten.eu
Datum: 02-02-2010, 15:56
Onderwerp: Re: druk?

Jij ook.

Aan: F.Stevens@A&S-advocaten.eu
Van: Hannah.Fisher@al.com
Datum: 04-02-2010, 12:38
Onderwerp: flauw

Als je boos op me bent, kun je het ook gewoon zeggen.

Aan: Hannah.Fisher@al.com
Van: F.Stevens@A&S-advocaten.eu
Datum: 04-02-2010, 13:45
Onderwerp: Re: flauw

Ik ben niet boos. Waarom zou ik boos zijn?

Aan: F.Stevens@A&S-advocaten.eu
Van: Hannah.Fisher@al.com
Datum: 04-02-2010, 13:47
Onderwerp: Tuurlijk!

O nee, ik was vergeten dat je volledig opging in 'je gangetje'. Een fijn leven verder, doei!

Aan: R.Sanders@A&S-advocaten.eu
Van: F.Stevens@A&S-advocaten.eu
Datum: 04-02-2010, 14:06
Onderwerp: Nu wordt ie helemaal mooi!

Nu is *zij* dus boos op *mij*...

Aan: F.Stevens@A&S-advocaten.eu
Van: R.Sanders@A&S-advocaten.eu
Datum: 04-02-2010, 16:01
Onderwerp: Re: Nu wordt ie helemaal mooi!

Wie? Jackie?

Aan: R.Sanders@A&S-advocaten.eu
Van: F.Stevens@A&S-advocaten.eu
Datum: 04-02-2010, 16:02
Onderwerp: Re: Nu wordt ie helemaal mooi!

Jackie is altijd boos op mij. Ik bedoel Hannah. Omgekeerde wereld!

Aan: F.Stevens@A&S-advocaten.eu
Van: R.Sanders@A&S-advocaten.eu
Datum: 04-02-2010, 16:05
Onderwerp: Re: Nu wordt ie helemaal mooi!

Doe niet zo moeilijk, je kent de toverwoordjes toch? Je bent niet zoals andere meisjes. Ik vind jou heel bijzonder. Wat ik voor jou voel, heb ik nog nooit voor iemand gevoeld, (en nu komt het erop aan: je stem moet een beetje breken, alsof je doodsbang bent de volgende bekentenis te doen) ik denk dat ik verliefd op je aan het worden ben. Werkt altijd weer, mits met gevoel gebracht! Ik hoor het wel als je wil oefenen.

'Je zou wel eens gelijk kunnen hebben over Jackie en die kerel van haar werk,' zegt Roy. We hebben voetbal gekeken, bier gedronken en chips gegeten. Hij staat op het punt om de stad in te gaan, want het is immers zaterdagavond. Roy mist niet graag een zaterdagavond.

'Hoe kom je daar zo bij?'
'Nou, gewoon. Ze waren gisteren ook bij die lunch van de Business Club.'
'Hmm.'
'Daar speelt dus echt wel wat.'
'Heb ik dat niet altijd gezegd?'
'Toen was je paranoïde.'
'Dus volgens jou is dit een recente ontwikkeling?'
'Kom op, je denkt toch niet dat... denk je wat ik denk dat je denkt?'
'Roy,' zeg ik. 'Het maakt niet meer uit, nu. Doe ze maar de groeten van me als je ze tegenkomt bij het stappen.'
'Zit je nu zo over die andere meid in dat het je niet meer kan schelen wat Jackie doet? Wauw! Waarom zijn we haar niet eerder tegengekomen?'
'Ik zit niet aan Hannah te denken.'
'O, ze heeft een naam. Sorry, hoor.'
'Eikel,' mompel ik. 'Ben jij het nou nooit eens beu?'
'Wat?' vraagt hij lachend, alsof hij denkt dat ik hem in de maling neem.
'Die spelletjes,' antwoord ik.
'Niet te geloven dat je dat echt gezegd heb... Waarom grijp je haar niet gewoon, Frank?'
'Omdat... we vrienden zijn. Soort van.'
'Sinds wanneer doe jij aan vrienden?'
'Ik heb vrienden!'
'Je onderhoudt misschien wat noodzakelijke sociale contacten, maar vrienden?'
'Wij zijn vrienden.'
'Ja en ik ken jou. Je zou niet met haar omgaan als je er niet een of ander persoonlijk gewin uithaalde, dus waar gaat het je om? Wil je Jackie jaloers maken?'
'Ik vind Hannah gewoon leuk,' zeg ik. 'Ze is leuk gezelschap.'
'Is ze lelijk of zo?'
'Lelijk? Nee, man!'
'Waarom zit je zo over haar karakter te praten als ze niet lelijk is?'
'Roy, ben jij wel normaal?'
'Ik snap gewoon niet waar je dan zo moeilijk over doet.'

'Ik doe niet moeilijk, oké? Kunnen we even stoppen met dat gepraat?' We zijn allebei stil en mijn zoon, die boven ligt te slapen, zet opeens een enorme keel op. Het houdt het midden tussen gillen en huilen.

'Wat is dat in godsnaam?' vraagt Roy.

'Een enge droom, waarschijnlijk.' Ik sta op en neem met drie treden tegelijk de trap naar boven. Sven staat huilend naast zijn bedje. 'Hé Sven, wat is er nou?'

'Mama...' snift hij en hij herhaalt het woord met steeds langere uithalen.

Ik hurk voor hem neer en steek mijn handen naar hem uit. 'Kom maar...'

Hij slaat zijn armpjes om mijn nek en klemt zich aan me vast als ik hem optil.

Ik geef hem een kusje op zijn wang, die zout is van de tranen. 'Zal ik je weer lekker instoppen?'

Hij schudt driftig zijn hoofd.

'Wil je niet meer slapen?' Dat antwoord weet ik eigenlijk al. 'Kom je even bij papa zitten?'

'Ondje mee,' zegt hij en hij grijpt naar zijn beer die nog op zijn bed ligt.

'Hondje gaat ook mee.' Ik pak zijn knuffel en loop met Sven op mijn arm terug naar beneden.

Roy heeft zijn jas al gepakt. 'Wat heeft hij nou?'

'Weet ik veel, gewoon wakker geschrokken.' Ik aai zijn haartjes uit zijn gezicht. Ze zijn nog steeds lang. 'Maar het gaat alweer, hè vent?'

Hij stopt zijn duim in zijn mond en legt zijn hoofd op mijn schouder.

'Goed dat ik dit nog gezien heb. Ik moet echt voorzichtiger met voorbehoedsmiddelen omgaan.'

Een paar tellen later laat ik Roy uit en ga ik op de bank zitten met mijn kleintje op schoot. Hij heeft koude voetjes die ik alletwee met één hand kan omvatten. Ik wrijf ze warm en wiebel aan zijn kleine teentjes. Terwijl hij langzaam tegen me aan in slaap valt, bedenk ik dat het toch grappig is dat Roys reden om condooms te gebruiken, mijn reden om te leven is.

Aan: Hannah.Fisher@al.com
Van: F.Stevens@A&S-advocaten.eu
Datum: 08-02-2010, 14:32
Onderwerp: saai

Ligt het aan mij of duren de dagen ineens heel lang?

Aan: F.Stevens@A&S-advocaten.eu
Van: Hannah.Fisher@al.com
Datum: 08-02-2010, 14:35
Onderwerp: Re: saai

Ik praat niet meer met jou!

Aan: Hannah.Fisher@al.com
Van: F.Stevens@A&S-advocaten.eu
Datum: 08-02-2010, 14:37
Onderwerp: Re: saai

Je hoeft niet te praten, dit is een mail.

Aan: F.Stevens@A&S-advocaten.eu
Van: Hannah.Fisher@al.com
Datum: 08-02-2010, 14:40
Onderwerp: Re: saai

Ik mail ook niet meer met jou!

Aan: Hannah.Fisher@al.com
Van: F.Stevens@A&S-advocaten.eu
Datum: 08-02-2010, 14:46
Onderwerp: Re: saai

Ik heb er anders al twee van je ontvangen vandaag!

Aan: F.Stevens@A&S-advocaten.eu
Van: Hannah.Fisher@al.com
Datum: 08-02-2010, 14:48
Onderwerp: Re: saai

Die tellen niet! Ik antwoord alleen om te zeggen dat ik niet meer antwoord.

Aan: Hannah.Fisher@al.com
Van: F.Stevens@A&S-advocaten.eu
Datum: 08-02-2010, 14:50
Onderwerp: Re: saai

En nu dus drie…

Aan: F.Stevens@A&S-advocaten.eu
Van: Hannah.Fisher@al.com
Datum: 08-02-2010, 14:51
Onderwerp: Re: saai

Hou nou eens op! Ik heb werk te doen.

Aan: Hannah.Fisher@al.com
Van: F.Stevens@A&S-advocaten.eu
Datum: 08-02-2010, 14:55
Onderwerp: Re: saai

Vier… jeetje, Hannah, ben je me aan het stalken of zo?

Aan: F.Stevens@A&S-advocaten.eu
Van: Hannah.Fisher@al.com
Datum: 08-02-2010, 14:56
Onderwerp: Re: saai

Ik meen het serieus. Ik heb geen tijd voor die geintjes van jou. En ook geen zin. Je bent niet leuk!

Aan: Hannah.Fisher@al.com
Van: F.Stevens@A&S-advocaten.eu
Datum: 08-02-2010, 15:00
Onderwerp: Re: saai

O ja, ik was vergeten dat je me niet leuk vindt. Ik begrijp nu waarom. Je valt niet op mannen.

Aan: F.Stevens@A&S-advocaten.eu
Van: Hannah.Fisher@al.com
Datum: 08-02-2010, 15:07
Onderwerp: Re: saai

Goh. Dus nu is elke vrouw die jou kan weerstaan meteen lesbisch?

Aan: Hannah.Fisher@al.com
Van: F.Stevens@A&S-advocaten.eu
Datum: 08-02-2010, 15:22
Onderwerp: Re: saai

Ik zeg toch niet dat je op vrouwen valt? Ik bedoel dat je niet op mannen valt, maar op broekies. Jochies. Watjes.

Aan: F.Stevens@A&S-advocaten.eu
Van: Hannah.Fisher@al.com
Datum: 08-02-2010, 15:23
Onderwerp: Re: saai

Jij bént een watje!

Aan: Hannah.Fisher@al.com
Van: F.Stevens@A&S-advocaten.eu
Datum: 08-02-2010, 15:27
Onderwerp: Re: saai

Wil je daarmee zeggen dat je me dan toch leuk vindt?

Aan: F.Stevens@A&S-advocaten.eu
Van: Hannah.Fisher@al.com
Datum: 08-02-2010, 15:28
Onderwerp: Re: saai

Grrr! Nee! Mag ik nu verder werken?

Aan: Hannah.Fisher@al.com
Van: F.Stevens@A&S-advocaten.eu
Datum: 08-02-2010, 15:31
Onderwerp: Re: saai

Heb je al een functioneringsgesprek aangevraagd?

Aan: F.Stevens@A&S-advocaten.eu
Van: Hannah.Fisher@al.com
Datum: 08-02-2010, 15:33
Onderwerp: Re: saai

Welk gedeelte van 'Ik praat niet meer met jou!!!!!!!!!!!!!' vind jij zo
moeilijk te begrijpen?

Aan: Hannah.Fisher@al.com
Van: F.Stevens@A&S-advocaten.eu
Datum: 08-02-2010, 15:37
Onderwerp: Re: saai

Aangezien je toch de hele tijd reageert (binnen de minuut, mag ik
daaraan toevoegen), neem ik dat niet zo serieus, eigenlijk. Wat heb
je gedaan dit weekend?

Aan: F.Stevens@A&S-advocaten.eu
Van: Hannah.Fisher@al.com
Datum: 08-02-2010, 15:42
Onderwerp: Re: saai

Mijn vriendje!

Aan: Hannah.Fisher@al.com
Van: F.Stevens@A&S-advocaten.eu
Datum: 08-02-2010, 15:44
Onderwerp: Re: saai

Ik vroeg niet wie, Hannah. Ik vroeg 'wat'. Weet dat jongetje dat je
hem als voorwerp beschouwt?

Aan: Hannah.Fisher@al.com
Van: F.Stevens@A&S-advocaten.eu
Datum: 08-02-2010, 16:17
Onderwerp: Geef je nu echt geen antwoord meer?

Kom nou, Hannah, ik mag toch wel een grapje over die jongen maken? Het is niet dat je het zo serieus meent met je vriendje (of wat daarvoor door moet gaan, zei je toch?).

Aan: Hannah.Fisher@al.com
Van: F.Stevens@A&S-advocaten.eu
Datum: 08-02-2010, 16:45
Onderwerp: Harde actie

Goed dan, je dwingt me tot harde actie. Ik heb ineens heel dringend een maatpak nodig. Wanneer kan ik langskomen? Ik betaal het volle pond dus je kunt me niet weigeren.

Aan: Hannah.Fisher@al.com
Van: F.Stevens@A&S-advocaten.eu
Datum: 08-02-2010, 17:01
Onderwerp: Hannah!

En anders maak ik wel gewoon een afspraak via jullie receptioniste.

Aan: Hannah.Fisher@al.com
Van: F.Stevens@A&S-advocaten.eu
Datum: 08-02-2010, 17:11
Onderwerp: tot snel

Hou je agenda maar in de gaten, je ziet me wel verschijnen!

'Weet je nog wat je moet doen als ze de deur opendoet, Sven?' vraag ik terwijl ik hand in hand met mijn zoon het trappenhuis van Hannahs gebouw bestijg. Ik moet bij elke trede stilstaan. Het gaat sneller als ik hem draag, maar meneer wil het zelf doen, dus wacht ik braaf tot hij elke keer zijn tweede voetje naast het eerste op dezelfde traptrede zet. Geen enkel probleem.
'Dootje geven,' zegt hij.
'Heel goed. Je geeft haar het cadeautje.'
'En liedje singen?' vraagt hij.
'Dat mag als je dat wilt, maar het hoeft niet. Hannah is niet jarig, hè. Lukt het?' Het duurt steeds langer voor hij een trede

bedwongen heeft en hij hangt steeds zwaarder aan mijn arm. 'Moet papa je dragen?'

'Nee, ikke doen,' antwoordt hij en hij kijkt me trots aan als hij boven is.

'Goed zo, Sven.' Ik hurk bij hem neer en geef hem het pakje. 'Deze mag je aan Hannah geven en daarna gaan we poffertjes eten, goed?'

Hij knikt. Ik kan zien dat hij zijn verantwoordelijkheid serieus neemt. We lopen naar Hannahs voordeur. 'Blijf staan, Sven. Als ik het zeg, klop je aan, oké?'

'Oké!' roept hij keihard als een goedgedrilde soldaat.

'Ssst!' zeg ik lachend. 'Straks hoef je niet meer te kloppen.' Ik loop een stukje terug de trap af, tot ik niet meer zichtbaar ben vanuit Hannahs deuropening, maar nog wel kan zien wat Sven doet. Ik besef dat ik het risico loop Micky hier tegen te komen, maar dat moet dan maar. Het is een halve week geleden sinds ik Hannah voor het laatst gemaild heb en er moet gewoon iets gebeuren. Ik kan maar beter snel te werk gaan. 'Nu, Sven!'

Hij klopt op Hannahs deur en dan bedenk ik opeens dat Micky ook bij haar op bezoek kan zijn. Maar als dat zo is, ben ik nu te laat om in te grijpen, want de deur gaat open en Sven houdt beide armpjes met het cadeautje in zijn handen in de lucht.

'Sven, wat doe jij nu hier?' vraagt ze verrast. 'Is dat voor mij? Dankjewel!' Ze krijgt het cadeautje van hem en hij begint vrolijk 'In de maneschijn' te zingen. Ik kan mijn lachen niet inhouden en Hannah zet een stapje in de hal. 'Wat ben jij ontzettend fout!' zegt ze als ze me de trap op ziet komen. 'Wie gebruikt nu zijn eigen kind om zelf in een goed blaadje te komen?'

'Hij is toevallig het sterkste wapen dat ik heb en ik betwijfel of je dit van mij aangenomen zou hebben,' antwoord ik.

Ze kijkt naar het pakje in haar hand. 'Waarschijnlijk niet.' Dan draait ze zich om. 'Jeetje, Sven, wat kan jij mooi zingen.' Hij is inmiddels zijn tekst kwijt en komt plotseling onzeker terug naar mij gelopen. Zijn handje zoekt de mijne en hij verschuilt zich achter me terwijl hij langs mijn arm naar Hannah gluurt.

Ik geef hem een kneepje in zijn hand. 'Je hebt het hartstikke goed gedaan, Sven. Nu mogen we vast even bij Hannah binnenkomen, tot ze haar cadeautje uitgepakt heeft.'

'Jij bent echt gemeen,' zegt ze, terwijl ze me voorgaat. Ik til Sven op en volg haar het appartement binnen. Het ziet er wat opgeruimder uit dan de vorige keer dat ik hier was en de drie paspoppen in huis hebben allemaal een complete outfit aan. 'Je collectie is al bijna af.'

'Dit is alleen gemouleerd,' zegt ze, waarop ik haar glazig aankijk. 'Ik drapeer de stof zoals ik het wil en zet het met spelden vast. Daarna begint het werk eigenlijk pas.'

'O. Het ziet eruit alsof het klaar is.'

'Dat is het niet,' antwoordt ze. Ze zet het pakje neer op het tafelblad van de kleine bar die de keuken van het woongedeelte scheidt.

'Maak je het niet open?'

'Ik twijfel nog. Is het van jou of van Sven?'

'Swen!' roept hij heel hard.

'Van jou?' vraagt ze. 'Weet je dat zeker? Want ik denk dat ik jouw cadeautjes veel leuker vind dan die van papa.'

Hij knikt verlegen.

'Hij wilde je nog iets geven omdat je hem gered hebt van het kinderdagverblijf toen hij ziek was.'

'Echt?' Ze begint netjes een plakbandje los te peuteren. 'Ik dacht dat ik hem ontvoerd had.'

'Ik zeg het nu zoals hij het ervaart,' antwoord ik. 'Ik blijf natuurlijk bij mijn standpunt dat het inderdaad ontvoering was.'

Ondertussen heeft Hannah het papiertje los en haalt ze het cadeautje uit de verpakking. 'Cacaopoeder,' zegt ze.

'In een strooibusje. Voor op je werk, als je weer eens een cappuccino op de Anna Lee-manier gekregen hebt.'

'Dankjewel.' Ze buigt zich naar me toe, maar Sven is degene die een kusje krijgt. Op zijn wang.

'Je moet wel het kaartje lezen,' zeg ik.

Ze draait het om. *Vriendjes?* heb ik erop geschreven. Er verschijnt een glimlach op haar gezicht. 'Grappig. Vorige week was jij nog boos op mij.'

'Ik was helemaal niet boos! Wie zegt dat ik dat was?'

'Zo kwam het wel over.'

'Nou, het was in ieder geval niet zo bedoeld. Ik was gewoon een beetje...'

'Ja,' zegt ze, 'wat was je dan eigenlijk?'

'Misschien was ik een beetje verbaasd omdat je zo plotsklaps opstapte bij La Sala.'

'O.' Ze ontwijkt mijn blik. 'Nou, het is niet zo dat ik niet langer wilde blijven.'

'Niet?'

'Het leek me gewoon niet zo verstandig.' Ze kijkt even naar Sven en glimlacht een beetje ongemakkelijk naar hem. 'Soms moet je verstandig zijn, vind je niet?'

'Misschien... maar ja, wat is verstandig, hè?'

'Dat weet ik ook niet altijd, maar ik weet het meestal als ik het niet ben, dus...'

'Dus...' herhaal ik, 'vriendjes?'

Ze lacht. 'Goed dan, vrienden.'

'Andjes!' roept Sven blij.

'Heel goed, Sven,' zeg ik, 'als je het goedmaakt, geef je elkaar een handje...' Ik steek mijn hand naar haar uit. Zij aarzelt even voor ze me de hare geeft en als ze het uiteindelijk besluit te doen, breng ik haar hand naar mijn lippen en druk ik er een kusje op. Ze trekt haar hand blozend terug. 'Dan gaan we nu maar poffertjes eten, hè Sven?'

'Ja!' juicht hij met veel enthousiasme.

'Heb je zin om mee te gaan?' vraag ik.

HANNAH

Ik zit met Frank en Sven poffertjes te eten aan een klein tafeltje bij het raam. Sven heeft plakkerige handen en wangen en ziet er enorm schattig uit, zoals hij helemaal opgaat in het naar binnen laden van zijn poffertjes. De poedersuiker vliegt in het rond en hij vindt het allemaal prachtig.

'Weer een noodgeval bij Anna Lee?' vraagt Frank als ik mijn handtas openrits en mijn BlackBerry pak.

'Nee,' antwoord ik, 'ik ga een foto van hem maken.' Ik schuif mijn stoel wat achteruit en zoom in op de plakkerige, besuikerde Sven. Ik moet lachen om zijn bolle wangen en getuite lippen en ik zie dat Frank dat ook doet. En wat een lach.

'Lekker?' vraagt hij en Sven kijkt breed grijnzend naar hem op. Vlug zoom ik uit om het moment tussen hen te vangen. Ondertussen probeert Sven met zijn kleine vingertjes een poffertje lang genoeg vast te houden om het bij Frank in zijn mond te stoppen. Ik druk een paar keer achter elkaar af.

'Kijk eens, Sven,' zeg ik terwijl ik tussen hen in kom staan en de foto's die ik gemaakt heb laat zien. 'Dat ben jij!' Ik zie dat de foto's met Frank geweldig gelukt zijn.

'Papa!' roept Sven met volle mond.

'Ja, ook met papa,' antwoord ik terwijl ik terug naar mijn stoel loop. Ik ga zitten en Frank kijkt me aan. 'Wat is er?' vraag ik.

'Niks. Je gaat leuk met hem om.'

'Dat is niet zo moeilijk.' Ik leg mijn BlackBerry op tafel. 'Je hebt een leuk kind.'

'Dat vind ik ook, maar ik ben misschien niet helemaal objectief. Iedereen denkt dat zijn kind het leukst is.'

'Dat is waar. Maar jij kunt het met een gerust hart zeggen, want het is waar. Hij is nog geen vier jaar en nu al stoer, met die haartjes en zo...'

'Zijn haar...' herhaalt hij en hij legt een hand op Svens voorhoofd om het uit zijn gezicht te aaien. Svens hele hoofd deint mee naar achteren onder de druk van de beweging, maar hij eet onverstoorbaar verder. 'Ik maak altijd ruzie met Jackie over zijn haar. Zij wil het kort hebben. Het liefst met de tondeuse erover.'
'O. Nou dat staat hem vast ook.'
'Ja. Dat staat hem heel lief, maar dit is rockstar-haar.'
Ik knik. 'Of surfdude.'
'Precies!' antwoordt hij enthousiast. 'Elke keer dat ik hem zie, ben ik bang dat het eraf is.'
'Doet ze dat dan zomaar? Ik zou... Ik bedoel, als jij dat niet wilt... Het is niet dat je hem voor schut laat lopen, hij ziet er echt stoer uit. Cool.'
'Hoor je dat, maat?' vraagt hij aan Sven. 'Hannah vindt jou stoer!'
'Stoerrrrrrrr,' herhaalt hij met een r die door de suiker- en boterbrij in zijn keel rolt. 'Papa ook stoer.'
Ik kijk Frank aan en lach. 'Ik zal maar niet verraden dat zijn grote held een watje is.'
'Zijn held?' zegt hij bescheiden. 'Ik weet niet of dat zo is, hoor.'
'Ik zal je die foto's even doormailen, dan kun je het zelf zien,' antwoord ik met een klopje op mijn BlackBerry, me erover verbazend hoe anders hij steeds weer is. Hard, zachtaardig, arrogant, ingetogen, gemeen, sexy, bot en meevoelend. Ik heb alles al gezien.
'Vind je het leuk om met kinderen om te gaan?' vraagt hij.
'Soms. Het ligt eraan. Ik moest vroeger wel eens op die van Anna Lee passen. Ik moest ze ophalen en mee naar mijn huis nemen. De oudste, haar dochter Suzan, had alleen maar commentaar op hoe klein ik woonde. "Dit is geen lekkere bank, mijn moeder heeft een veel mooiere, jouw tv is stom, wij hebben een flatscreen, waarom heb jij geen X-Box, ik wil op de X-Box." Ze lustte niets, zat aan al mijn spullen en natuurlijk kon ik nergens iets van zeggen, want dan ging ze haar moeder vertellen dat ze me moest ontslaan. En de jongste, Bob, poepte tot twee keer toe in zijn broek...'
'Nou ja, dat gebeurt soms als kleine kinderen...'
'Hij was zes!' roep ik, zonder hem uit te laten praten. 'Het waren drollen. Hij heeft er moeite voor moeten doen. Twee keer.'
'Dat verzin je,' zegt hij lachend.

'Niet waar! Hij ging gewoon in zijn broek zitten poepen. Op de bank. Te lui om op te staan en zijn tekenfilm te missen.'
'Nee! Hannah, echt, dat is het smerigste...'
'Dat weet ik, het was mijn bank!'
Hij lacht. 'Dus sindsdien is oppassen niet meer jouw ding?' 'Ik ben blij dat ik die van Anna Lee al een hele tijd niet meer gehad heb. Maar ik ga soms wel een dagje met de kinderen van mijn vriendin Debbie op stap. Je herinnert je haar misschien nog wel van die keer dat je haar huis bestormde om Sven daar weg te plukken.'
'O ja.'
'O ja, hij weet het nog,' zeg ik plagerig. 'Zij is echt een schat. De liefste moeder die ik me kan voorstellen. Ongeveer één keer in de maand, vind ik het tijd dat ze eens 24 uur aan haar man kan besteden en dan neem ik de kids een dag over.'
'Eén keer in de maand?' vraagt hij. 'Wanneer is de volgende keer?'
'We hebben het nog niet concreet afgesproken, maar volgens mij hebben ze volgende week zaterdag kaartjes voor een musical of zoiets, dus ik denk dat ik mijn diensten dan weer eens aanbied.' Hij zit me aan te kijken alsof hij iets aan het beramen is. 'Waarom vraag je dat eigenlijk?'
'Het zou misschien leuk voor Sven zijn om iets af te spreken als jij die kinderen hebt.'
'Voor Sven?'
Hij grijnst naar me. 'Voor Sven, inderdaad. Dan kan hij lekker met hen spelen en hebben wij een relatief rustige dag.'
Ik kijk hem een paar tellen aan voor ik weer praat. 'Toen ik jou net ontmoet had, had ik je helemaal niet ingeschat als het type vader dat dit soort dingen met zijn kind doet.'
'Wat voor dingen bedoel je?'
'Poffertjes eten, naar het park gaan, een dag thuis werken... dat soort dingen.'
'Dat zijn toch heel normale dingen?' vraagt hij een beetje in de war.
'Ja, maar ik dacht dat je zo'n afwezige vader was. Zo iemand die voor zijn werk leeft en geen tijd heeft om zijn zoon op te halen als hij ziek is geworden. Je leek me het type dat nooit aan kinderen had moeten beginnen. Ik had medelijden met Sven.'

Hij kijkt een beetje zielig. Alsof ik hem gekwetst heb.

'Ik bedoel dat ik ernaast zat,' zeg ik vlug. 'Je bent een heel goede vader. En iedereen ziet dat Sven dol op je is.'

Alsof Sven dat nog eens extra wil bewijzen, legt hij, moe van het eten, zijn hoofdje neer op Franks onderarm. Frank kijkt naar hem en legt zijn hand op zijn haartjes. 'Zal ik je eens wat zeggen, Hannah?' Zijn vingers kriebelen liefdevol heen en weer. 'Ik had het me allemaal heel anders voorgesteld voor Sven.'

Ik kan zien dat hij dit heel serieus meent en leun wat naar voren. 'Hoe bedoel je dat?'

'Sinds Jackie meer is gaan werken, heeft hij bijna een even lange werkweek als wij. Ik kan je niet zeggen hoe ik het haat dat hij hele dagen bij De Klauterkabouter zit.'

'Echt waar? Ik geloof dat Deb best tevreden is.'

'Dat was ik ook toen het om twee dagen ging. Maar nu... Dit is gewoon nooit mijn bedoeling geweest.'

Ik knik. 'Het dilemma van alle werkende ouders...'

'Ik vraag me wel eens af of ik wel goed bezig ben. Sven is echt afgemat aan het eind van de dag. En dan die leidster. Een vrouw van halverwege de veertig die Mickey Mouse-truien draagt? Weet je dat ze tegen mij op dezelfde toon praat als tegen een peuter?'

'O, dan weet ik wie je bedoelt,' zeg ik. 'Debbie heeft het ook wel eens over haar.'

'Joyce,' zegt hij met een vies gezicht. 'Die andere meiden gaan nog wel, maar als ik dat mens zie, zou ik het liefst gelijk weer rechtsomkeert maken.'

'Het gekke is dat Debbie dat ook vindt,' antwoord ik, 'maar Benji is dol op haar. Het ligt dus aan ons. Waarschijnlijk vindt Sven haar hartstikke leuk.'

'Helemaal niet. Hij mag dan pas drie zijn, maar hij heeft wel smaak, hoor.'

Ik lach. 'Oké... maar gelukkig is zij wel de enige bij De Klauterkabouter die aan het stereotype voldoet.'

'Juf Joyce is misschien niet eens het ergste,' gaat hij verder. 'Hij moet ook nog één dag per week naar oma. Als ik me afvraag waarom Jackie is zoals ze is, hoef ik maar aan haar moeder te denken om het te snappen. Dat mens heeft geen greintje warmte in zich en daar moet ik hem dan bij onderbrengen. Soms zou ik gewoon willen...' Zijn blik dwaalt af naar Sven die een dutje lijkt te doen.

'Wat?' vraag ik. 'Je hebt een geweldig lief en vrolijk kind. Ik zie niets aan hem waaruit blijkt dat je iets anders zou moeten doen.'

'Dat weet ik,' antwoordt hij. 'Maar ik weet niet of hij echt blij is of er gewoon maar het beste van probeert te maken. Hij weet niet meer hoe het is om lekker thuis te kunnen spelen op doordeweekse middagen. Om overdag bij zijn moeder te zijn in plaats van bij zijn juffen. Om twee ouders te hebben die van elkaar houden. Hij heeft dat allemaal niet en toch blijft hij lachen. Altijd.'

'Heel veel kinderen groeien op zoals Sven en komen prima terecht. Zou het niet kunnen dat Sven heel goed weet dat zijn ouders in ieder geval heel veel van *hem* houden en dat dat genoeg is voor hem om te blijven lachen?'

'Misschien,' zegt hij. 'Maar ik had hem meer gegund dan dat.'

'Dat wil iedereen, maar je kunt niet meer doen dan je best, Frank.'

'Hannah... daar heb je helemaal gelijk in.' Hij kijkt naar Sven en beweegt zich een beetje om hem wakker te schudden. 'Zullen we eens naar huis gaan, Svennie?'

'Nee, ikke nog spelen,' zegt hij terwijl hij zijn hoofd optilt en wakker probeert te kijken.

'Je mag thuis spelen. In je bed. Als je je pyjama aan en je tanden gepoetst hebt. En dan hou je het waarschijnlijk nog geen drie tellen vol. Blijf je even hier zitten, bij Hannah? Dan gaat papa betalen.'

'Ja,' zegt Sven, maar hij laat zich langzaam van zijn stoel glijden. Hij blijft staan en houdt zich met één handje vast aan het hoekje van de tafel. Hij kijkt naar zijn vader die naar de bar loopt om af te rekenen en dan naar mij. Weer naar hem. Weer naar mij. Hij krijgt iets ondeugends over zich.

'Wat is er?' vraag ik.

Hij durft me niet meer aan te kijken en staart naar zijn schoenen.

'Je hebt me zeker door,' mompel ik.

Opeens giechelt hij en rent naar me toe. Hij reikt naar me met beide armen.

'Wil je dat ik je optil?' vraag ik, bang dat hij het op een gillen zet als ik hem aanraak. Maar hij klimt al met één knie op mijn schoot en ik hijs de rest van hem erbij. 'Waarom moet je nou zo lachen?' vraag ik terwijl ik hem in zijn zij kriebel en hij nog harder begint te schateren. 'Je hebt me echt ontzettend door,' concludeer ik.

'Hé!' zegt Frank als hij weer terug is. 'Heb je nu gauw Hannah ingepikt terwijl ik weg was? Daar zat je zeker de hele tijd al op te azen...' Hij pakt Svens jasje van de stoel, hurkt voor me neer en wurmt zijn armpjes erin. Hij trekt een muts over zijn oren en kijkt mij even aan. 'Ik zei toch dat hij smaak had?' Een zweem van een glimlach trekt over zijn gezicht en dan veert hij weer op. Met een zwier tilt hij Sven van mijn schoot, zodat ik ook kan opstaan.

'Het is koud,' zeg ik als we even later buiten lopen. We hebben Sven tussen ons in en na enig aarzelen heeft hij ook mijn hand vastgepakt. Ik vraag me toch even af wat er door de vrouw van Frank heen zou gaan als ze dit zou zien. Er is niets tussen ons gebeurd, maar als hij *mijn* man zou zijn en ik zou weten dat hij nu hier was met een andere vrouw, dan zou ik dat heel erg vinden. Ik snap niet dat het haar niets zou doen. Vraagt ze zich niet af waar haar man en kind zijn? Of is dit haar sportavond en merkt ze er niets van? Wat als Sven iets zegt over mij, over het cadeautje dat ze me zijn komen brengen? Of weet ze dit allemaal en vindt ze het wel best?

'Papa dragen,' zegt Sven na een tijdje en onderbreekt daarmee mijn gedachten. Frank zwiept hem omhoog zonder zijn tempo te vertragen en transporteert hem naar zijn buitenste arm. Sven slaat zijn armpjes om zijn nek en legt zijn hoofdje op zijn schouder. Mijn arm valt langs mijn lichaam naar beneden en Frank laat tegelijkertijd die van hem zakken. De rug van zijn hand strijkt langs de mijne en met een trage beweging neemt hij mijn hand in die van hem. Als ik voorzichtig naar hem opkijk, zie ik dat hij zijn blik op Sven gericht heeft, maar zijn vingers verstrengelen zich heel langzaam met die van mij. Ik voel zijn duim zachtjes over de mijne strijken en heb moeite met ademhalen in de koude lucht. Er steekt iets in mijn borst, en ik voel iets opzwellen. Alsof ik een injectie krijg en volloop met iets onbekends. Ik wend mijn gezicht van hem af en zo lopen we verder. In stilte. Hand in hand. Alsof het de gewoonste zaak van de wereld is. Maar zonder oogcontact, omdat we heel goed weten dat het niet zo is.

Aan: F.Stevens@A&S-advocaten.eu
Van: Hannah.Fisher@al.com
Datum: 12-02-2010, 07:21
Onderwerp: foto's Sven

Hoi Frank,
Hier zijn de foto's die ik gisteravond van Sven gemaakt heb. En van jou. Ze zijn heel goed gelukt, vind ik zelf.
Het lijkt me trouwens leuk om iets af te spreken als ik de kinderen van Deb heb. Ik heb haar gisteren nog gebeld en zij vindt het een goed idee om de kinderen aan mij uit te besteden de 20^e. Ik heb ze dan de hele middag en een gedeelte van de avond. Ze vindt het ook goed dat jij en Sven erbij zijn. Kun jij ook die dag?
Groetjes,
Hannah

Aan: Hannah.Fisher@al.com
Van: F.Stevens@A&S-advocaten.eu
Datum: 12-02-2010, 07:21
Onderwerp: Goedemorgen, Hannah…

Heb je lekker geslapen?

Aan: F.Stevens@A&S-advocaten.eu
Van: Hannah.Fisher@al.com
Datum: 12-02-2010, 07:25
Onderwerp: Re: Goedemorgen, Hannah…

Volgens mij kruisten onze mailtjes elkaar. Ik dacht: zo snel kan hij niet reageren, haha. Ik heb eerlijk gezegd een nogal korte nacht gehad. Vandaar dat ik al zo vroeg begonnen ben. En jij ook zie ik.

Aan: Hannah.Fisher@al.com
Van: F.Stevens@A&S-advocaten.eu
Datum: 12-02-2010, 07:25
Onderwerp: Re: foto's Sven

Hé Hannah,
Goede timing hebben we. Bedankt voor de foto's, dat heb je heel
goed gedaan, inderdaad. Ik wil graag met je afspreken als je op de
kinderen van Debbie past. Ik wil ook graag met je afspreken zonder
kinderen erbij...
X

Aan: F.Stevens@A&S-advocaten.eu
Van: Hannah.Fisher@al.com
Datum: 12-02-2010, 07:27
Onderwerp: Re: foto's Sven

Ehm... volgens mij ging dit weer tegelijk...

Aan: Hannah.Fisher@al.com
Van: F.Stevens@A&S-advocaten.eu
Datum: 12-02-2010, 07:28
Onderwerp: Re: Goedemorgen, Hannah...

Dit gaat niet helemaal goed, zo. Maar wel heel apart om twee
gesprekken tegelijk te voeren met dezelfde vrouw. Voor het gemak
zal ik het toch even proberen te centraliseren. Als je nou die andere
mail negeert en antwoordt op deze, zitten we weer op één lijn.
Ik heb ook niet zo goed geslapen. Komt door jou. Wat doe je dit
weekend?

Aan: F.Stevens@A&S-advocaten.eu
Van: Hannah.Fisher@al.com
Datum: 12-02-2010, 07:49
Onderwerp: Re: Goedemorgen, Hannah...

Ik moet naar mijn ouders voor een familiefeestje. Ze wonen drie uur
rijden hiervandaan, dus ik blijf daar slapen.

Aan: Hannah.Fisher@al.com
Van: F.Stevens@A&S-advocaten.eu
Datum: 12-02-2010, 07:52
Onderwerp: Re: Goedemorgen, Hannah...

Heb je er nu 21 minuten voor nodig gehad om dat smoesje te verzinnen?

Aan: F.Stevens@A&S-advocaten.eu
Van: Hannah.Fisher@al.com
Datum: 12-02-2010, 07:54
Onderwerp: Re: Goedemorgen, Hannah...

Nee! Is echt geen smoes. Ik was even van mijn plaats, kon dus niet meteen terugmailen.

Aan: Hannah.Fisher@al.com
Van: F.Stevens@A&S-advocaten.eu
Datum: 12-02-2010, 07:56
Onderwerp: Re: Goedemorgen, Hannah...

Oké. Maar hoe zit het verder, dan? Kan ik nog een keertje langskomen voor dat maatpak, volgende week?

Aan: F.Stevens@A&S-advocaten.eu
Van: Hannah.Fisher@al.com
Datum: 12-02-2010, 08:00
Onderwerp: Re: Goedemorgen, Hannah...

Je maakt me een beetje zenuwachtig, Frank. Maar om antwoord te geven: ja, dat kan.
Wanneer wil jij graag langskomen (voor het maatpak!)?

Aan: Hannah.Fisher@al.com
Van: F.Stevens@A&S-advocaten.eu
Datum: 12-02-2010, 08:05
Onderwerp: Re: Goedemorgen, Hannah...

Goed dat je dat stukje tussen haakjes nog toevoegde, anders had hier een heel ander antwoord gestaan. Of misschien ook niet, want jij mag het zeggen. Ik forceer wel een opening in mijn agenda.
Ik kan alleen niet op dinsdagmiddag en donderdagochtend.
En verder heb ik Sven op vrijdag en die afspraak met de kinderen staat al, dus...

Aan: F.Stevens@A&S-advocaten.eu
Van: Hannah.Fisher@al.com
Datum: 12-02-2010, 08:07
Onderwerp: Re: Goedemorgen, Hannah...

Het wordt wel druk de komende weken. De donderdag is ook al vol. Maar ik heb de 25e om 15:00 uur nog een gaatje in mijn agenda. Ik schat dat ik een uurtje voor je nodig heb.

Aan: Hannah.Fisher@al.com
Van: F.Stevens@A&S-advocaten.eu
Datum: 12-02-2010, 08:08
Onderwerp: Re: Goedemorgen, Hannah...

Een uurtje? Nou ja, we zullen zien... Ik heb totaal geen zin om te beginnen met werk, jij wel?

Aan: F.Stevens@A&S-advocaten.eu
Van: Hannah.Fisher@al.com
Datum: 12-02-2010, 08:10
Onderwerp: Re: Goedemorgen, Hannah...

Pfff... alles behalve dat! Maar ik had vanochtend wel lekker cacaosnippertjes op mijn koffie.

Aan: Hannah.Fisher@al.com
Van: F.Stevens@A&S-advocaten.eu
Datum: 12-02-2010, 08:15
Onderwerp: Re: Goedemorgen, Hannah...

Dat is tenminste iets. Ik heb niet eens koffie, aangezien we die vacature nog steeds niet ingevuld hebben. Misschien ga ik het dan toch maar zelf halen, dan doe ik tenminste nog iets.

Aan: F.Stevens@A&S-advocaten.eu
Van: Hannah.Fisher@al.com
Datum: 12-02-2010, 08:21
Onderwerp: Re: Goedemorgen, Hannah...

Wat is er gebeurd met je plannen om binnen 2 jaar partner te worden?

Aan: Hannah.Fisher@al.com
Van: F.Stevens@A&S-advocaten.eu
Datum: 12-02-2010, 08:25
Onderwerp: Re: Goedemorgen, Hannah…

Dat gaat heus nog wel gebeuren, Hannah…

Aan: F.Stevens@A&S-advocaten.eu
Van: Hannah.Fisher@al.com
Datum: 12-02-2010, 08:27
Onderwerp: Re: Goedemorgen, Hannah…

Er komt ineens iets bij me op wat jij niet zo lang geleden aan mij vroeg: maakt dat je dan gelukkig? Meneer de hotshot-advocaat…

Aan: Hannah.Fisher@al.com
Van: F.Stevens@A&S-advocaten.eu
Datum: 12-02-2010, 08:32
Onderwerp: Re: Goedemorgen, Hannah…

Er zijn natuurlijk wel andere dingen die me écht gelukkig maken.

Aan: F.Stevens@A&S-advocaten.eu
Van: Hannah.Fisher@al.com
Datum: 12-02-2010, 08:45
Onderwerp: Re: Goedemorgen, Hannah…

Gelukkig maar…
Ben je al begonnen met werken? Enne, wat voor dingen bedoel je dan precies?

Aan: Hannah.Fisher@al.com
Van: F.Stevens@A&S-advocaten.eu
Datum: 12-02-2010, 08:59
Onderwerp: Re: Goedemorgen, Hannah…

Sven. Vrijdagavond. Zondagochtend. Een mooi doelpunt. Vrouwen op hakken. Wisseling van seizoenen. Mailtjes van jou. En nee, ik heb nog niks gedaan. Behalve dus mailen met jou. En ik ben een enorm indrukwekkende dreigbrief voor een cliënt aan het opstellen. Tot dusver heb ik het volgende: 'Geachte heer Vervest,'. Ik vind het zelf wel een aardig begin.

Aan: F.Stevens@A&S-advocaten.eu
Van: Hannah.Fisher@al.com
Datum: 12-02-2010, 09:08
Onderwerp: Re: Goedemorgen, Hannah...

Het is een fantastisch begin! Logisch dat ze je partner maken. Wie laat nu zoveel overtuigingskracht onbenut? Ik denk er zelfs aan om deze ijzersterke aanhef op te nemen in onze bedrijfsstandaard. Alleen kennen wij geen meneer Vervest. Ik ben zelf ook al aardig op dreef. Ik heb al Anna's post geopend en voorzien van een datumstempel.
Dus...
Ik sta in jouw lijstje met geluksmomentjes?

Aan: Hannah.Fisher@al.com
Van: F.Stevens@A&S-advocaten.eu
Datum: 12-02-2010, 09:16
Onderwerp: Re: Goedemorgen, Hannah...

Inderdaad, ja. Twee keer eigenlijk.

Aan: F.Stevens@A&S-advocaten.eu
Van: Hannah.Fisher@al.com
Datum: 12-02-2010, 09:20
Onderwerp: Re: Goedemorgen, Hannah...

Gelukkig kun je niet blozen via de mail.

Aan: Hannah.Fisher@al.com
Van: F.Stevens@A&S-advocaten.eu
Datum: 12-02-2010, 09:22
Onderwerp: Re: Goedemorgen, Hannah...

Nee, maar dan moet je natuurlijk niet zelf gaan typen dat je dat doet, hè? Maar dat geeft niet. Ik vind blozende vrouwen heel charmant. Heb jij ook zo'n lijstje?

Aan: F.Stevens@A&S-advocaten.eu
Van: Hannah.Fisher@al.com
Datum: 12-02-2010, 09:30
Onderwerp: Re: Goedemorgen, Hannah…

Etentjes met vriendinnen, dansen bij La Sala, mannen die salsa kunnen dansen, de zon zien opkomen na een creatieve uitspatting die de hele nacht geduurd heeft, daarna uit kunnen slapen, mijn moodboards, een weekend zonder Anna Lee, vrijdagavond, soep van mijn moeder, de hond uitlaten met mijn vader, *Grey's Anatomy*, thuiskomen, schoenen met hakken, seizoenen (overal nieuwe collectie!), mannen die weten wanneer ze een vrouw voor moeten laten gaan… en cacao op mijn cappuccino.

Aan: Hannah.Fisher@al.com
Van: F.Stevens@A&S-advocaten.eu
Datum: 12-02-2010, 09:37
Onderwerp: Re: Goedemorgen, Hannah…

Mooi lijstje, Hannah. Ik sta er drie keer in, zie ik.

Aan: F.Stevens@A&S-advocaten.eu
Van: Hannah.Fisher@al.com
Datum: 12-02-2010, 09:40
Onderwerp: Re: Goedemorgen, Hannah…

Eerst zien dan geloven, Frank.

Aan: Hannah.Fisher@al.com
Van: F.Stevens@A&S-advocaten.eu
Datum: 12-02-2010, 09:46
Onderwerp: Re: Goedemorgen, Hannah…

Ik laat het je graag zien, maar jij moet zo nodig naar je ouders dit weekend.

Aan: F.Stevens@A&S-advocaten.eu
Van: Hannah.Fisher@al.com
Datum: 12-02-2010, 10:04
Onderwerp: Re: Goedemorgen, Hannah…

Ik ben er al een paar maanden niet geweest, dus daar kom ik nu niet
onderuit. Niet dat ik ze niet wil bezoeken. Ik mis ze soms echt, maar
ze bemoeien zich overal mee. Zodra ik vijf minuten thuis ben, voel ik
me weer dat kind van veertien. Alleen dan een paar illusies armer.
En ze proberen me altijd over te halen om terug te verhuizen.

Aan: Hannah.Fisher@al.com
Van: F.Stevens@A&S-advocaten.eu
Datum: 12-02-2010, 10:14
Onderwerp: Re: Goedemorgen, Hannah…

Laat je niks wijsmaken, Hannah. Je bent een vrouw. En ook nog
eens eentje die weet wat ze wil. De hele wereld ligt aan je voeten,
jij moet alleen nog even bepalen wat je precies wilt oprapen.
Ik heb over een kwartiertje een afspraak. Daar ben ik helaas wel
even zoet mee. Ik mail je nog als ik klaar ben, maar mochten we
elkaar mislopen, dan wens ik je alvast een heel fijn weekend.
Eén dingetje nog: NIET VERHUIZEN!
xxx

'Wat zit jij nu stom voor je uit te staren?' Anna Lee is vanuit het
niets verschenen in mijn kantoortje. Ze had toch tot tien uur afspraken buiten kantoor? Dan zie ik de tijd. Het is al halfelf geweest. 'Ik betaal je niet om uit het raam te kijken.' Haar vlam-
mend rode haar is gekapt als dat van een filmster uit de jaren
vijftig. Ze kijkt me streng aan.

'Nee, natuurlijk niet. Sorry.' Ik probeer naar mijn werkmodus
over te schakelen, maar ik kan alleen denken aan hoe goed het
zou voelen om een man als Frank mee naar mijn ouders te nemen. Als ik al dat gepreek moet aanhoren, zou het enorm schelen als ik ondertussen naar hem kon kijken. Ik denk zelfs dat de
helft van mijn familie het preken wel achterwege zou laten op
het moment dat ik met een knappe, intelligente advocaat uit de
grote stad thuis zou komen. Ze denken allemaal dat ik nooit aan

de man zal raken. Ik neem mijn vriendjes niet snel mee naar huis. Niemand van mijn familie heeft Alex ooit gezien. Ze weten niet eens precies hoe het zit met hem. Ik heb een paar keer de fout gemaakt om heel enthousiast mijn verliefdheid van de daken te schreeuwen, om dan een paar weken later aan iedereen weer te moeten uitleggen dat het toch niets geworden is. Daar pas ik tegenwoordig voor. Bovendien denk ik niet dat iemand het zou waarderen te weten dat de mannen elkaar in razend tempo opvolgen, zonder dat er iemand bij zit die de moeite van het voorstellen waard is. Wat niet weet, wat niet deert.

Maar Frank zou de goedkeuring vast wel wegdragen. Behalve dan dat hij al een vrouw en kind heeft en ik dus nooit een weekend met hem zal doorbrengen. Niet bij mij, niet bij mijn ouders of waar dan ook. Eigenlijk is het allemaal al veel te ver gegaan. Maar het is ook te leuk. Ik mag dat niet vinden, dat weet ik heel goed. Maar ik vind het leuk. Ik barst bijna uit elkaar van de energie die hij bij me opwekt. Ik wil niets liever dan hem mee naar huis nemen en twee dagen lang doen alsof zijn gezin niet bestaat. Ik voel me meteen schuldig ten opzichte van die kleine Sven. Hij is niet degene die me in de weg zit. Ik zou met alle plezier mijn weekenden met hem doorbrengen als ik zijn papa erbij cadeau kreeg.

Niet te geloven trouwens, dat ik dat echt denk. Ik heb toch zeker wel in de gaten dat dit gewoon om de spanning van het jagen gaat? Hij op mij. Ik op hem. Waarschijnlijk is mijn interesse in hem zo verdwenen als ik eenmaal gekregen heb wat ik wil. Zit ik er nu echt op te wachten om een gezin kapot te maken en voortaan als stiefmoeder door het leven te gaan? Al is Sven wel het liefste mannetje dat een zichzelf respecterende stiefmoeder zich wensen kan. En het zou mij de zwangerschapsstriemen en hangtieten besparen.

'Hannah!' bijt Anna Lee me venijnig toe. 'Ik vroeg je wat!'

Werkmodus! Werkmodus! 'Sorry Anna Lee, ik was even niet, nou ja, ik was er natuurlijk *wel* bij met mijn gedachten, ik zat aan werk te denken. Aan mijn werk. Er is namelijk iets wat ik graag met je zou willen bespreken.'

'Tja, dat zal moeten wachten, want ik heb belangrijke dingen te doen.'

'Natuurlijk, dat snap ik helemaal, maar misschien kunnen we

afspreken dat ik een momentje in je agenda plan waarop we een en ander kunnen overleggen... met betrekking tot mijn functie binnen het bedrijf.' Ik steek mijn handen onder het bureaublad zodat ze niet kan zien hoe ik tril. Ik heb het gezegd! Ik heb het werkelijk uitgesproken. Na drie jaar!

'Verbazingwekkend.'

'Ehm... vind je?'

'Ik vind het verbazingwekkend dat je de opdracht die ik je zojuist gegeven heb simpelweg negeert om vervolgens mijn tijd te verspillen aan gestamel. De functioneringsgesprekken vinden over een halfjaar plaats en ik zie geen enkele noodzaak om voor jou een uitzondering te maken.' Ze maakt aanstalten om weg te lopen. Ik sta op.

'Anna Lee, ik... heb je nog heel even, alsjeblieft, ik denk dat ik niet zo lang kan wachten met wat ik te bespreken heb.'

'Ben je zwanger?' vraagt ze en ze zou waarschijnlijk fronsen als haar gezichtsspieren niet door botox verlamd waren.

'Nee.'

'Terminaal?'

'Nee!'

'Dan kan het wachten.'

Ik loop achter mijn bureau vandaan. 'Toen ik mijn eerste contract ondertekende, kwamen we overeen dat we na een halfjaar zouden evalueren wat mijn ambities zijn en hoe die zijn in te passen binnen het bedrijf, maar daar is nog nooit tijd voor geweest. Ik wil daar nu echt tijd voor maken.'

'Hannah, wat jij wilt, is niet van belang. En als jij het zo graag over je functioneren wil hebben, dan kan ik je alvast wel verklappen dat ik niet bepaald in mijn nopjes was over dat incident met de fax. Je bent de laatste tijd erg afwezig en als dat zo doorgaat, zal ik daar consequenties aan verbinden. Dus je kunt kiezen. Je gaat nu daar zitten en volgt mijn opdracht op, of...'

Ze hoeft haar zin niet af te maken, want bij het woordje 'of' hebben mijn billen de zitting van mijn stoel allang teruggevonden.

FRANK

Ik heb het mobiele nummer van Hannah. Het heeft me wat
moeite gekost, maar ik heb het nu. Ze had me die dag met Sven
natuurlijk op mijn oude nummer gebeld, dus ik kon het niet te-
rugzoeken. Ik had het wel aan Jackie kunnen vragen, want zij
had die dag zeker tien gemiste oproepen van haar. Maar ik had
niet zoveel zin om aan Jackie uit te leggen waar ik het nummer
voor nodig heb. Aangezien ik het natuurlijk niet echt *nodig* heb.
Ik *wil* het gewoon graag hebben.
Toevallig moest ik zaterdagochtend naar kantoor om wat
werk te doen dat eigenlijk vrijdag had moeten gebeuren. Ondertussen dacht ik aan Hannah en vroeg ik me af wat zij nu aan het
doen was. Ik zocht in mijn verwijderde items naar de mail van
Odette waarin ze me doorgaf dat ik ene mevrouw Fisher terug
moest bellen. Nergens te vinden. Gewist. Na een tijdje stond ik
op en liep ik naar de receptie waar ik bijna alle laden overhoop-
gehaald heb voor ik het logboekje vond waarin Odette noteert
wie ze op welk tijdstip heeft gesproken. Ik bladerde terug tot 6
januari en trof zeven keer Hannahs naam op het lijstje aan. En
bij de eerste stond netjes haar mobiele nummer. Dat heb ik nu
dus in mijn eigen toestel opgeslagen. En nu ben ik weer thuis. Alleen. Sven is met Jackie het hele weekend bij haar ouders. Arm
ventje. Maar ik heb het zelf ook niet zo gezellig als ik het zou
kunnen hebben.
Ik heb nog wat werk mee naar huis genomen, maar mijn concentratie is niet helemaal wat het hoort te zijn. Na een tijdje hou
ik ermee op en bel ik mijn zus om te vertellen dat ik morgen bij
haar op bezoek kom. Als iedereen dit weekend bij familie door-
brengt, waarom ik dan niet? Ik geef toe dat de reden om mijn
zus weer eens op te zoeken, tamelijk triest is. Ze is namelijk
danslerares. Ze geeft ook salsa workshops. Vooral salsa work-

shops, moet ik zeggen, want dat vindt ze het allerleukste om te doen. En daarom kan ik het dus ook. Al vanaf het moment dat zij haar eerste dansles kreeg, was ik de pineut als ze thuis iets moest oefenen. Toen ik oud genoeg was, moest ik zelfs invallen als haar danspartner het om wat voor reden dan ook liet afweten. Heel irritant. En het werd alleen maar erger toen ze zelf ging lesgeven. Ik had weinig in te brengen omdat ze nu eenmaal de oudste is. En ze heeft lang thuis gewoond, waardoor ik tegen wil en dank goed kan dansen. Nou ja, het is niet altijd helemaal tegen mijn wil geweest, aangezien ik zo lekker in de buurt van haar knappe vriendinnen kon rondhangen. En ik merkte al snel dat vrouwen het heel erg leuk vinden als een man goed met ze kan dansen. En dan bedoel ik goed. Niet als een nicht. En ook niet als een stijve hark. Het is een wankel evenwicht, maar volgens mij kan ik dat evenwicht redelijk goed in balans houden. Al kan het geen kwaad even mijn techniek op te frissen. Ik heb de afgelopen twee jaar weinig reden om te dansen gehad. En dat geldt voor meer dingen.

Zo ben ik ook weer eens aan mijn conditie gaan werken. Ik heb geen aanleg voor papzakkerigheid, dus op zich hoef ik helemaal niet zo hard te trainen om er fatsoenlijk uit te zien. Maar Hannah is wel een beetje meer dan fatsoenlijk. En als ze me nog eens uitdaagt om een sprintje met haar te trekken, dan wil ik me toch wel graag bewijzen. Het voordeel daarbij is dat ik nu weer wat blokjes in mijn buik zie verschijnen die een heel klein beetje tegen de achtergrond begonnen te verdwijnen. Een paar honderd sit-ups op een dag en een beetje opdrukken doen wonderen. En het werd toch tijd dat ik stopte met het sponsoren van mijn sportclub. Dat heb ik ongeveer een halfjaar gedaan, maar nu ga ik weer één keer per week in ieder geval even de loopband op.

Ik heb ook in een paar nieuwe overhemden en spijkerbroeken geïnvesteerd. Iemand als Hannah ziet dat soort dingen, denk ik. En het is niet dat het er allemaal niet meer mee door kon. Het zou zelfs kunnen dat niemand het verschil ziet. Maar ik merk het verschil. En ik merk vooral dat het heel lang geleden is, dat ik zin had om een beetje extra moeite voor iemand te doen. Bij Jackie ben ik dat punt volgens mij al vlak na de geboorte van Sven gepasseerd en bij vrouwen die sinds die tijd af en toe mijn pad gekruist hebben, was er al helemaal geen sprake van dat ik ook maar iets in hen investeerde. Tot nu dus. Tot Hannah, die ik heel graag wil bellen, terwijl ik geen idee heb wat ik tegen haar zou moeten zeggen.

Ik heb al meerdere malen door mijn contactenlijst gescrold tot ik bij haar naam was, om het dan weer weg te drukken. Net zoals ik nu weer doe. Ik staar naar de letters die haar naam vormen. Ik lees ze van links naar rechts en weer van rechts naar links, tot ik me bijna zeeziek voel. Dan hoor ik plots de kiestoon en besef ik dat ik gebeld heb. Ik zou nog weg kunnen drukken, bedenk ik, maar nog voor die gedachte zich goed en wel gevormd heeft, hoor ik haar stem. Ze zegt haar naam op een afgemeten toontje. Ik besef dat ze dit nummer niet herkend kan hebben.

'Hoi Hannah, ik ben het. Frank.'

'Frank!' zegt ze opeens heel enthousiast. 'Ik zag een onbekend nummer en we dachten hier allemaal dat het Anna Lee was. Ik was in gedachten al weer onderweg naar huis.'

'Nou, dat hoeft dus niet...' Al zou ik het niet erg vinden als ze nu terug zou komen. Ik hoor een andere vrouwenstem op de achtergrond en Hannahs antwoord klinkt alsof ze haar telefoon met de hand afdekt terwijl ze praat.

'Nee, mam, het is niet mijn vriendje... Gewoon een vriend, oké?' Daarna klinkt ze weer duidelijk. 'Frank?'

'Ja. Ik ben er nog. Ik eh... weet niet eens of het wel uitkomt dat ik je bel.'

'Ja! Jawel, hoor. Ik zit alleen... wacht even, ik loop even naar buiten. We gaan zo aan tafel met z'n allen. Mijn nichtje is vandaag getrouwd, dus het is hier nogal druk.'

'Als je geen tijd hebt, bel ik wel een andere keer terug.'

'Nee, ik heb tijd genoeg. Wacht heel even.' Ik hoor het geluid weer afzwakken. 'Gewoon een vriend, mam... Nee, jij kent hem niet, ik ga even... ja? Mag ik er even langs?'

Ik moet lachen. Ik zie helemaal voor me hoe ze langs een lange tafel met genodigden naar de uitgang schuifelt, terwijl een hele rij nieuwsgierige tantes wil weten wie ze aan de telefoon heeft.

'Frank? Ik ben er weer, hoor,' zegt ze een paar tellen later.

'Hé,' antwoord ik, 'heb je het gered?'

'Ja,' zegt ze met een lief lachje. 'Het was een beetje druk daarbinnen.'

'Ik ving er iets van op, inderdaad.'

'O. Dat was mijn moeder, denk ik. Iedereen vraagt de hele tijd aan me waarom ik geen vriendje heb.'

'Die heb je wel, toch?'

'Alex? Het kan lang duren voor ik hem mee naar huis neem. Ik heb hem nog niet ter sprake gebracht, hier. En nu denken ze natuurlijk dat jij het bent.'

'Ik wil wel doen alsof. Geef me je moeder even, dan stel ik me netjes voor.'

Ze giechelt. 'Dat lijkt me geen goed plan.'

'Kom op, Hannah. Gun haar ook een pleziertje.'

'Belde je nu voor mij of voor mijn moeder?' vraagt ze.

'Voor jou. Denk ik. Ik heb je moeder nog nooit gezien, natuurlijk.'

'Ik denk dat ik zo meteen per ongeluk de verbinding ga verbreken, Frank.'

'Niet doen. Je weet nog niet waarvoor ik belde.'

'Dat is waar,' antwoordt ze. 'Vertel het eens...'

'Eerlijk gezegd heb ik er geen enkele reden voor.'

Ze lacht weer. Een heldere, oprechte, aanstekelijke lach. Als ze bij me was, zou ik haar nu zoenen. 'Dat is eigenlijk wel een beetje raar, vind je niet?' vraagt ze.

'Heel raar,' zeg ik. Daarna blijven we allebei even stil. 'Ik was gewoon benieuwd,' ga ik dan maar verder, 'hoe je het daar maakte.'

'Nou, met mij gaat het wel goed, maar mijn moeder heeft het wat moeilijker. Ze had waarschijnlijk altijd gedacht dat zij eerder moeder van de bruid zou zijn dan haar jongere zus. Mijn nichtje is drieëntwintig.'

'Dat is jong.'

'Ja. Voor een bruiloft wel. Vind ik. Aangezien ik op mijn drieëntwintigste echt nog *niets* wist.'

'Maar aan de andere kant... ik was zevenentwintig toen ik trouwde en moet je zien waar ik nu sta.'

'Hmm. Dus jij weet nog steeds niets?'

'Geen sikkepit.'

'Mooi is dat. Ik denk dat ik maar nooit ga trouwen.'

'Goed besluit. Ik doe het ook nooit meer.'

'Mijn moeder zal in therapie moeten...' zegt ze mijmerend.

'Ze had gepland allang oma te zijn. En iedereen heeft het hier maar over mijn aanstaande verjaardag. Alsof het vanaf dat moment echt afgelopen is met me.'

'Omdat je jarig bent?'

'Ik word dertig dit jaar.'

'Dertig pas?' vraag ik. Ze reageert geschokt. 'Hoezo? Zie ik er oud uit of zo?'

'Nee joh,' zeg ik vlug. 'Maar in mijn directe omgeving is iedereen de dertig al gepasseerd. Het stelt niks voor. Dat beloof ik je. Niet over inzitten.'

'Dat doe ik ook niet. Dat deed ik niet. Tot iedereen die ik spreek me eraan begon te herinneren dat ik nu wel een beetje op mag schieten met bepaalde dingen. Ik had het er laatst zelfs met Micky over...'

'Micky...'

'O, ja, dat is mijn beste vriendin. Een van de drie, bedoel ik. Ze woont boven me, heel gezellig. Maar Micky is niet het type van langetermijnplanningen, dus het zegt wat dat ik zelfs met haar over die dingen praat.'

'Hannah, het leven gaat gewoon door na je dertigste. Je kunt nog steeds die opleiding doen. Je kunt nog steeds die eigen kledinglijn beginnen.'

'Dat denk ik niet. Anna Lee wil niet eens naar me luisteren als ik het woord "functioneringsgesprek" laat vallen.'

'Heb je dat gedaan?' vraag ik. 'Wat goed van je.'

'Nou, ze blafte me af en toen ben ik weer braaf aan het werk gegaan. Ik denk niet dat ik er de komende jaren op kan rekenen dat er ook maar iets voor me verandert binnen het bedrijf.'

'Je moet niet opgeven, Hannah. Wacht even je momentje af en probeer het opnieuw. Ze kan niet blijven weigeren naar je te luisteren.'

'Ze zegt dat ze niet tevreden over me is. Dat ik er niet bij ben met mijn hoofd. En misschien heeft ze gelijk, want ik vind het steeds moeilijker om mijn leven zo in te richten, dat ik aan al haar grillen gehoor kan geven.'

'Hé, weet je wat?' zeg ik. Ik kan horen dat ze er verdrietig over is. 'Je hebt weekend nu. Je hoeft niet aan Anna Lee te denken. Zet het lekker van je af en ga aan de champagne. Jaag die nicht van je maar eens flink op kosten.'

'Ja, misschien doe ik dat wel. En jij? Heb jij nog plannen?'
'Niet echt. Sven is met Jackie het hele weekend bij haar ouders. Misschien ga ik straks even met Roy de stad in. Ik heb ook wel zin om te drinken.'
'Je bent alleen?' Ze klinkt een beetje verbaasd. 'Als ik dat had geweten, hadden we samen dronken kunnen worden op kosten van mijn nicht.'
'Dat vooruitzicht zou bijna genoeg zijn om nu nog even op en neer te rijden. Wat zijn nu drie uurtjes?'
'Alleen zou mijn moeder het verkeerde idee krijgen en ontroostbaar zijn als ze daar achter kwam.'
'Dat willen we natuurlijk niet,' zeg ik.
'Nee.' Het is weer even stil. 'Het bruidspaar komt net binnen, zie ik. Ik moet maar eens terug.'
'Goed. Ik zie je wel weer. Volgende week...' Dat lijkt nog een eeuwigheid te duren.
'Ja. Ik vond het leuk dat je belde. Ook al had je geen reden.'
'Er is natuurlijk wel een reden...'
'Wat dan?'
'Ja, nu moet je weg. We hebben geen tijd meer.'
'Zit je me te pesten?'
'Nee,' zeg ik. 'Een klein beetje, misschien. Maar er is wel echt een reden, denk ik.'
'Wat bedoel je nou?' vraagt ze ongeduldig.
'Ik vertel het je wel een andere keer. Misschien mail ik het je.'
Ze slaakt een gefrustreerd kreetje. 'Nu maak je me weer zenuwachtig.'
'Hannah?' vraag ik langzaam genoeg om er zelf nerveus van te worden. 'Waarom word jij de hele tijd zo zenuwachtig van mij?'
'Ik moet gaan nu.'
'Jammer.'
'Doei!'

'... dus dat is mijn conclusie.' Roy kijkt me aan alsof hij zojuist heeft uitgevogeld hoe je goud uit aarde smeedt, terwijl hij me alleen zijn theorie over vrouwen heeft uitgelegd. De kroeg waar we zitten, is ondertussen van vol naar stampvol gegaan.
'Je kletst maar wat,' zeg ik.
'O ja?'

Ik knik.

Roy kijkt nog verontwaardigder dan hij al deed. 'O ja?'

'Ja!'

'Het is een feit, Frank. Kijk naar jezelf. Je hebt Jackie jarenlang de prinsesjesbehandeling gegeven, terwijl zij zich langzaam heeft laten inpakken door Smallenberg met zijn ochtendadem.'

'Ze ontkent nog steeds dat dat zo is, Roy.'

'Als ik hem voor lunchtijd tegenkom in de rechtbank, loop ik altijd met een grote boog om hem heen. Die vent heeft me een kegel!'

'Roy, ik wil niets weten over de adem van Oscar Smallenberg.'

'Ik kan me niet voorstellen dat Jackie zich door die kerel laat bepotelen, maar sommige vrouwen zijn zó machtsgeil dat ze alles slikken. Al ziet hij er verder niet verkeerd uit. Voor een kerel van zijn leeftijd, bedoel ik. Zou jij hem nou nooit eens gewoon op zijn bek willen slaan?'

'Ik heb drie keer tegenover hem in de rechtszaal gestaan en ik heb drie keer van hem gewonnen.'

'Maar hij heeft wel aan je vrouw gezeten. Als hij het niet nog steeds doet.'

'Hij doet maar,' zeg ik, al word ik een beetje misselijk bij de gedachte. 'Je dwaalt wel af, trouwens.'

'O ja, dat wilde ik zeggen! Jij hebt haar dus als een prinsesje behandeld en zij loopt over je heen en weer terug. En nu, met dat andere chickie...'

'Bedoel je Hannah?'

Hij rolt met zijn ogen. 'Die, ja. Hoe meer kloterige mailtjes je haar stuurt, hoe heter ze wordt. Zo werkt het gewoon, man. Ik heb het helemaal door. Als ze denken dat je geen interesse hebt, weten ze niet wat ze moeten doen om die op te wekken.'

'Ik doe niet kloterig tegen Hannah. Niet meer althans.'

Hij trekt zijn wenkbrauwen op. 'Je gaat het nu toch niet over een andere boeg gooien, hè? Het werkte perfect.'

'Ik heb niet kloterig gedaan. Ik lok haar uit en zij mij. Het werkt twee kanten op en het is geen truc om haar in bed te krijgen.'

'Je wilt haar toch in bed krijgen, of niet?' Hij zet zijn fles bier aan zijn lippen en kijkt me aan alsof hij beter weet wat ik wil dan ikzelf.

Het zou onzinnig zijn het te ontkennen, dus houd ik maar even mijn mond.

'En het mooie is,' gaat Roy verder, 'dat je erop kunt rekenen dat Jackie niet weet wat haar overkomt als jij een beetje met Hannah gaat aanrommelen. Grote kans dat zij ook meteen weer haar nagels in je slaat.'

'Ik denk dat ik klaar ben met Jackie.'

'Echt?'

Ik knik.

'Dus als zij op haar knieën voor je ligt, smekend om een tweede kans en Sven kijkt je met grote, vochtige ogen aan... Als ze Smallenberg aan de kant zet, voorstelt in therapie te gaan en elke week een ander kinky seksstandje belooft, dan zeg jij: sorry meid, te laat.'

'Wil je Sven erbuiten laten?'

'Dat zal zij ook niet doen, jongen.'

Ik neem een slok en denk na. 'Misschien zou ik dat wel zeggen, ja. Misschien wel.'

Roy fluit tussen zijn tanden. 'Dat is nogal wat.'

'Dat weet ik.' Ik zit een paar tellen voor me uit te staren om het gevoel van opluchting tot me door te laten dringen dat gepaard gaat met het laten varen van de gedachte dat ik het goed zou moeten maken met Jackie. Ik *hoef* er niet meer aan vast te houden. Ik kan het laten gaan. Ik denk dat ik dat nu echt kan.

'Hé, kijk daar eens, maat,' zegt Roy met een klapje op mijn schouder. 'Is dat geen bekende van jou?'

Ik volg zijn blik en zie Micky aan het andere uiteinde van de bar staan. Ze probeert iets te bestellen, maar het is zo druk dat ze daar waarschijnlijk nog wel even staat. Ik sta op. 'Ik ben zo terug.'

'Zo ken ik je weer,' hoor ik Roy geamuseerd zeggen. Ik loop zonder weerwoord naar de uiterste hoek van de bar. Micky is geconcentreerd bezig een bierviltje heen en weer te schuiven. Zo komt ze nooit aan bestellen toe. Ik moet me tussen wat mensen door duwen voor ik een plekje naast haar bemachtig.

'Hoi,' weet ik na een aarzeling van vijf seconden uit te brengen.

Ze kijkt op van haar bierviltje. Haar blik blijft leeg. Ik moet eigenlijk zeggen dat haar blik leeg *wordt*, want het bierviltje herkende ze. 'Hoi...'

'Micky was het toch?'
'Ja.' Nog steeds niks. Kom op. Zo slecht was ik echt niet.
'Frank,' zeg ik, ervan overtuigd dat haar nu toch wel iets zou moeten gaan dagen. 'Frank Stevens, we hebben elkaar een paar weken geleden hier opgepikt. Jij was met een vriendin, die met het zwarte haar, en ik was hier met hem daar...' Ik wijs naar Roy en begin te beseffen dat ik dus toch mijn kop had moeten houden. Het was nooit uitgekomen. Ze weet niet eens wie ik ben. Waarom heeft iedereen het toch altijd zo op eerlijkheid? 'O!' zegt ze opeens. 'Sorry, je dacht zeker dat ik nog zou bellen? Ik had misschien duidelijker moeten zeggen...'
Ik val haar in de rede. 'Je was heel duidelijk.'
'O.' Haar blik wordt weer troebel. 'Weet je, ik ben hier met een man. Als in een echte date. Met iemand die ik echt heel leuk vind.' Ze kijkt me hoopvol aan. Zo van: hoepel je nu weer op?
'Een rosé en een Bacardi-cola!' schreeuwt ze dan zodra er een barman binnen een afstand van honderd meter opduikt.
'Micky,' zeg ik. Ik moet nu wel doorgaan, want nu herkent ze me natuurlijk wél als ze me met Hannah zou tegenkomen. 'Ik wil even heel kort iets met je bespreken.'
'Luister, ik heb een date. Ik wil... o, shit...' Ze kijkt me aan en als ze haar ogen nog verder openspert, stuiteren ze hier over de plakkerige vloer. 'Je naam... Hoe heet je, zei je?'
'Frank. Frank Stevens.'
'Frank Stevens? Frank Stevens van A&S Advocaten, Frank Stevens van Sven? Van de mailtjes en *Het Koffiehuys* en de smoes over de kapotte faxlijn en van La Sala en, en, en van het chocoladestrooisel! Die Frank? Hannahs Frank?'
Hannahs Frank? Zei ze dat echt? 'Daar wilde ik het met je over hebben.'
'Shit! Shitterdeshit! Shit! Fuck!' Ze grijpt mijn mouw vast en trekt me met een ruk achter zich aan, weg bij de bar. Niet veel later staan we buiten. Het is steenkoud. 'Shit.'
'Dat had je al gezegd.'
'Vind je het gek? En ik wil het nog veel vaker zeggen. Dit is gewoon... Wie verzint zoiets?' Ze draait zich om, loopt twee passen bij me vandaan en keert weer om. 'Luister, dit mag ze niet weten. Begrepen?'
'Niet?'

'Nooit! Helemaal nooit! Wij kennen elkaar niet. Ik heb jou nog nooit gezien. Nooit van mijn leven!'

'Denk je niet dat we het beter...'

'Nee!' gilt ze. 'Mijn god, nee! En jij! Wat ben jij eigenlijk allemaal met haar van plan?'

Ik probeer te bedenken wat ik eigenlijk wilde zeggen voor zij het hele gesprek overnam. 'Ik ben niet echt iets van plan.'

'O nee? Wat dan? Je doet maar wat in je opkomt? Je kunt maar beter een plan hebben, want anders... wat voor soort meisje denk jij eigenlijk dat ze is?'

'Eh, weet je, Micky...'

'Zeg mijn naam niet zo!'

'Hoe... hoe bedoel je?'

'Alsof je aardig bent. Alsof je mij aardig vindt.'

'Sorry. Maar om af te maken wat ik net wilde zeggen: ik mag Hannah echt heel erg graag.'

'Dat snap ik, ja. Waarom zou je haar niet mogen?'

'Juist. Precies. Ze is geweldig.'

'En daarom waarschuw ik je maar alvast: als je denkt haar even tot een van je vele veroveringen te kunnen maken, dan kom je bedrogen uit. Sorry voor de woordspeling.'

'Ik ben er niet op uit om...'

'Nee! Natuurlijk niet, dat zijn jullie nooit. Blijkbaar vind jij het normaal om er meerdere vrouwen op na te houden...'

'Dat vind ik helemaal niet normaal,' zeg ik. 'En als ik geen oordeel over jou heb na onze... onenightstand, hoef jij dat ook niet over mij te hebben. Je kent mij niet eens.'

'Ik weet dingen van Hannah.'

'Wat voor dingen?' vraag ik een beetje bang.

'Dingen!' antwoordt ze dreigend. 'Luister heel goed.'

Ik heb de neiging om dat te doen, al weet ik niet waarom.

Ze haalt haar handen door haar haren. 'Oké, ze mag dit dus niet weten.'

'Nee.'

'En als wij elkaar tegenkomen, doen we allebei alsof we elkaar nooit gezien hebben. Ook duidelijk?'

'Ja.'

'Hannah is impulsief, net als ik. Ze volgt haar hart. En dat is goed.'

Ik knik.

'Behalve als mannen zoals jij misbruik maken van die eigenschap om snel aan hun trekken te komen en dan weer naar hun ingekakte gezinsleven terug te keren. Ik weet van Sven. En ook van, hoe heet ze, Jackie.'

'Wat dat gezinsleven betreft, Jackie en ik zijn...'

'Uit elkaar gegroeid, vreemden voor elkaar, bla, bla, bla. Dat heeft Hannah me allang verteld.'

'Zonder het bla, bla, bla, hoop ik.'

Micky knijpt haar ogen een beetje samen. 'Je zou ze de kost moeten geven die uiteindelijk toch te schijterig zijn om de daad bij het woord te voegen. Ik ben geen heilige, verre van zelfs. En ik veroordeel ook niet graag. Maar je moet niet aan Hannah komen, Frank. Dat meen ik echt. Ik gun iedereen wat spanning en avontuur. Ik gun Hannah alle kriebels die je haar kunt bezorgen, maar als je haar ook maar een haartje krenkt...'

'Ik doe haar geen pijn, oké? Kunnen we de bedreigingen nu even achterwege laten? Jij bent echt doodeng. Niet te geloven dat ik naast je in slaap heb durven vallen.'

Ze steekt haar vinger waarschuwend naar me op.

'Dat is nooit gebeurd, ik weet het,' zeg ik.

'Inderdaad. Want er zit ook nog een man daarbinnen die ik graag wil houden en als hij ontdekt dat er een bepaalde overlapping heeft plaatsgevonden...'

'Ik hou mijn mond wel, geloof me. Als jij dat ook doet, hebben we geen probleem.' Ik steek mijn hand naar haar uit. 'Deal?'

Ze aarzelt even voor ze me de hand schudt. 'Leuk je nooit ontmoet te hebben.'

'Insgelijks.' Ik loop voor haar uit terug naar binnen. 'God, wat is het koud.'

Als ik thuiskom, neem ik een snelle douche om Roys theorieën en Micky's bedreigingen van me af te spoelen. Daarna duik ik mijn ijskoude bed in en probeer ik een beetje warm te worden, wat niet heel snel lukt in mijn eentje. Als ik een beetje op temperatuur begin te komen, maakt mijn gsm geluid en moet ik helemaal over het koude stuk van mijn bed heen reiken om bij het nachtkastje te komen. Maar dan zie ik haar naam en maakt het me allemaal niet meer uit.

```
Ik wil het nu
weten!
-x- H
```

Mijn duim vliegt al over de toetsjes van mijn mobieltje voordat mijn hersenen tijd gehad hebben een antwoord te formuleren. Toch vliegt dat antwoord een paar seconden later door de ether.

```
Hey H, wat heb je
ervoor over?
```

Ik hou mijn telefoontje in de hand en wacht tot ze iets terugstuurt. Het duurt niet lang.

```
Tja… wat wil je
ervoor hebben?
```

Hmm... hoe ga ik dat in een sms'je verpakken?

```
Ik zal het je zeggen,
maar dan moet je
zelf nog een tegen-
prestatie bedenken.
```

Ik lees haar andere berichtjes terug, tot ik haar volgende ontvang.

```
Goh, nu was ik net
bereid alles te doen wat
je maar wilt.
```

Nu kan ik het echt niet meer met zo'n stom berichtje af. Ik kies haar nummer en begin te praten terwijl zij de eerste letter van haar naam nog moet zeggen. 'Dat mag nog steeds als je wilt.'
Ze begint te lachen. 'Dat is een snelle reactie.'
'Niet zo gek, vind je wel?'
'Maar toch te laat. Nu mag ik zelf iets bedenken.' Ze praat zachter dan normaal.
'Ben je nog steeds op het feest?'

'Nee, ik ben thuis. Mijn ouders zijn net naar bed gegaan, maar ik ben nog niet zo moe.'
'Was het leuk?' vraag ik.
'Ja,' zegt ze enthousiast. 'Eigenlijk wel. Maar nu zit ik hier in mijn eentje... heel zielig.'
'Als je mij nu mee had gevraagd, zou je helemaal niet zielig zijn. Of alleen.'
Het lijkt even of ze me uitlacht, maar dan is ze weer serieus.
'Ga je het me nog vertellen?'
'Nu?' vraag ik om tijd te winnen. Geen idee wat ik moet zeggen. 'Ik denk dat ik weer wil sms'en.'
'Watje...' mompelt ze.
'Als jij nu eens ophoudt mij watje te noemen,' stel ik voor, 'dan vertel ik het. Per sms.'
'Mag ik je nooit meer watje noemen?'
'Nee.'
'Oké,' antwoordt ze en dan drukt ze de verbinding weg. Ik blijf even liggen met die pieptoon aan mijn oor en open een nieuw sms-bericht. Waarom heb ik haar vandaag gebeld? Er komt maar één zin in me op. Het voelt raar om die te typen, maar ik doe het toch en verzend hem voor ik me kan bedenken.

```
Ik denk de hele
tijd aan jou.
-X- F
```

Ik sluit mijn ogen en durf het bericht dat ik terugontvang bijna niet te openen.

```
Frank, ik vind je
geen watje...
xx
```

HANNAH

Met nog maar drie weken te gaan voor de grote lenteshow van Anna Lee heb ik het zo druk dat ik geen tijd meer heb voor Frank. Ik heb het zelfs te druk om te merken dat ik bijna geen mailtjes meer van hem ontvang op mijn werk. Behalve eentje 's ochtends om me een fijne dag te wensen en 's avonds om me sterkte te wensen met het overwerk. Het is maar goed dat ik het niet in de gaten heb, want dan zou ik me allerlei dingen af gaan vragen. Ik zou me kunnen afvragen of hij misschien vindt dat we een bepaalde grens overschreden hebben. Ik zou erover in kunnen zitten. Ik zou er 's nachts van wakker kunnen liggen, me in hem verplaatsend, waardoor ik plots heel zeker zou weten dat hij het niet meende. Dat hij een grapje maakte en nu schade-beperkend te werk gaat door vriendelijk te blijven, maar niet meer dan dat. Dat hij waarschijnlijk grote lol heeft met mij een beetje het hoofd op hol te brengen, terwijl hij rustig zijn leven-tje voortzet omdat dit soort uitstapjes precies is wat hij nodig heeft om het allemaal vol te houden.

Gelukkig heb ik het dus druk genoeg om daar niet mee bezig te zijn. Daarom trek ik ook niet elke keer dat ik mezelf in de spiegel zie een gezicht naar dat domme wicht dat het voor elkaar krijgt om helemaal hoteldebotel te zijn van dat laatste sms'je, terwijl ze heus wel weet dat het gewoon een nieuwe zet in een spelletje is. Een spelletje dat waarschijnlijk langzaamaan te ver is gegaan. Misschien is hij er zelf van geschrokken. Of hij is het beu. Dat kan ook. Hoe dan ook, ik ben er echt nauwelijks mee bezig.

Er zijn duizenden dingen te regelen voor de show. Een van onze favoriete modellen heeft verplichtingen in New York en kan de show niet lopen. We zijn dus naarstig op zoek naar een geschikte vervanger. Heel vervelend. Zeker omdat Anna Lee, naast de gewo-ne lentecollectie, ook een herenondergoedlijn zal lanceren.

Verder spelen er duizenden andere dingen, van organisatorische details zoals de juiste verlichting en welk fingerfood we zullen serveren tot aan het feit dat bepaalde ontwerpen op het laatste moment veranderd zullen moeten worden. Zo heeft Anna Lee voor de vrouwencollectie een slankvallende jurk die op kniehoogte plotseling in een broek verandert. Het is bedoeld als cocktailkleding, maar ik vraag me nog steeds af hoe we weg zullen komen met een gewaad waardoor supermodellen met benen van anderhalve meter eruit gaan zien als kabouters met een bovenlijf dat twee keer zo lang is als de onderkant. Ik weet het niet, maar het zal haar ongetwijfeld weer lukken. Het lukt haar namelijk altijd. En ik heb alles onder controle. Alles. Elk detail staat vastgelegd in mijn draaiboek dat ik speciaal voor de komende weken in elkaar gezet heb. Ik heb de touwtjes strak in handen. Als Anna Lee op een of andere manier uit de roulatie zou raken, heb ik alles zo goed op orde dat geen mens het zou ontdekken. Ik zal zorgen dat alles van een leien dakje gaat. Anna Lee zal zo trots op me zijn dat ze me zelf promotie aan zal bieden.

Het enige wat ik moet voorkomen, is dat ik ziek word. Ik voel me namelijk niet helemaal lekker. Niets bijzonders. Ik weet precies hoe het komt. Dat heb ik wel vaker in periodes als deze. Ik ben Anna Lee's rechterhand. Zij is zelf zo druk dat zo'n beetje alles nu op mij neerkomt. Er zijn een heleboel dingen die alleen ik regel en waar niemand anders weet van heeft. Als ik dus uitval, loopt alles in het honderd en dat legt zo'n druk op me dat ik bij voorbaat al niet lekker ben. Puur door de stress. Maar ik denk tenminste niet aan Frank. Helemaal niet. En ook niet aan het feit dat we nog geen tijdstip voor zaterdag hebben afgesproken, als ik de kinderen van Debbie heb. Ik weet zeker dat hij afzegt.

'Het sneeuwt!' zegt Micky als ze op vrijdagavond, helemaal opgetut, nog even bij me binnenvalt voor ze met Galerieman op stap gaat. Ze heeft een baretje op haar hoofd om haar kapsel niet te verpesten.

'Leuk mutsje,' zeg ik terwijl we samen naar het raam lopen om naar buiten te kijken.

'Wil je het passen?' Ze trekt het van haar hoofd en duwt het in mijn handen. 'Zie je! Echte sneeuw!'

Ik trek het gordijn wat verder open. 'Noem je dat sneeuw? Het miezert gewoon!'

'Niet! Het is sneeuw...'

'Kijk dan, het blijft niet eens liggen.'

We kijken allebei naar beneden. 'Het is natte sneeuw,' concludeert Micky voor ze zich omdraait en naar mijn paspoppen loopt. 'Maak je dit nog een keertje af, of niet?'

'Als ik tijd had, zou ik dat heus wel doen.' Ik zet het mutsje op mijn hoofd en kijk in de spiegel bij de voordeur. Ik moet nog een beetje herschikken, zie ik.

'Ik wil deze jurk echt een keertje aan.' Ze frunnikt een beetje aan de mouw en draait zich dan om. 'Ik denk dat ik vanavond maar met hem naar bed ga.'

'Met Galerieman?'

'Nee, met meneer Oss, nou goed? Natuurlijk met Rick. Ik heb het nog nooit zo lang uitgesteld met een man. Het wordt echt tijd.'

'Goh, inderdaad, hoeveel dates heb je gehad? Drie?'

Ze knijpt haar ogen een beetje samen. 'Vier met vandaag erbij.'

'Je hebt gelijk. Het wordt tijd.'

'Het wordt écht tijd,' herhaalt ze nog maar eens.

Ik trek het mutsje aan een kant wat lager dan aan de andere kant. 'En?'

'Leuk! Je mag het hebben, het staat jou beter.'

'Doe niet zo raar!'

'Ik meen het.' Ze ploft in kleermakerszit bij mij op de bank. 'Ga jij in je eentje voor de tv zitten vanavond?'

Ik zet de baret af en ga op de brede armleuning zitten. 'Ik wil vroeg naar bed. Ik ben doodmoe van het werken. Ik heb volgende week drie meet&greets met modellenbureaus en mijn hele agenda staat bomvol met stomme kleine dingen die geregeld moeten worden. Alleen al de gedachte aan de komende twee weken maakt dat ik onder de dekens wil kruipen om er niet meer onder vandaan te komen, tot het laatste model de catwalk verlaten heeft.'

'Heeft hij al afgezegd?' vraagt ze alsof mijn hele relaas het ene oor in en het andere uitgegaan is.

'Frank? Nee. Nog niet. We hebben gisteren zelfs een tijdstip afgesproken via de mail. Ik denk dat hij pas op het laatste moment een beroep op overmacht gaat doen.'

'Of... hij komt gewoon.'
'Ik weet het niet. Het is ineens heel raar tussen ons.'
'Hoe bedoel je raar?'
'Alsof hij van zichzelf geschrokken is, of zo. Of van mij. We waren een beetje uitgelaten aan het sms'en.'
'Maar eh... waar is hij dan precies van geschrokken?'
'Of hij heeft genoeg van me, dat kan ook. Ik weet niet wat het is, hij doet gewoon anders.'
Micky kijkt naar me alsof ik haar zojuist een wiskundig probleem voorgelegd heb. 'Vreemd.'
'Dat is niet vreemd, hij is gewoon een man. En misschien heeft zijn vrouw onze mailtjes wel gevonden, of het wordt hem te heet onder de voeten, of... nou ja, noem maar op.'
'Ik denk niet dat dat het is.'
'Waarom niet?'
Ze haalt haar schouders op. 'Hij heeft toch met je afgesproken voor morgen?'
'Ja.' Ik draai het mutsje in mijn hand rond. Om en om. Om en om. 'Maar ik weet niet meer wat ik daarvan moet denken.'
'Denk dan niet zoveel. Je maakt het misschien allemaal moeilijker dan het is. Laat het gewoon een beetje gebeuren.'
'Hoe dan?' vraag ik. 'Hij is getrouwd.'
Ze zucht. 'Er zijn maar twee opties, Han. Je kapt het af, of je gaat ermee door.'
'Vind je dat ik een fout maak door morgen met hem op die kinderen te passen?'
'Fout, goed, zwart, wit... Moet het altijd het een of het ander zijn?'
'Misschien heeft Jessica gelijk en ben ik "zo'n vrouw" geworden.' Ik maak de bijbehorende aanhalingstekens in de lucht en Micky rolt met haar ogen.
'Onzin.'
'Hoezo, onzin? Ik spreek met hem af en ik flirt met hem alsof het allemaal geen kwaad kan, terwijl... Weet je, in het begin was het nog onschuldig, maar als je ermee doorgaat... als je er allebei doelbewust mee doorgaat, dan loopt het een keertje fout.'
'Fout...' zegt ze. 'Je vindt het dus fout?'
'Het gaat ten koste van iemand anders, dus kan het niet goed zijn, toch? Maar het voelt zo... zo... goed. Als ik met hem praat,

en eigenlijk hoef ik niet eens echt met hem te praten, als ik een mailtje van hem krijg, voel ik me al...'

'Verliefd?' vraagt ze. 'Je zou niet verliefd worden!'

'Het is gewoon anders dan anders. Het is zo leuk. Het is krankzinnig en ik moet ermee stoppen, maar ik kan geen weerstand aan hem bieden.'

'Misschien vind je hem zo aantrekkelijk omdat hij onbereikbaar is. Denk er maar over na. Alex claimt je te veel en bij Frank heb je de garantie dat je op je eigen voorwaarden met hem om kunt gaan. Je zit niet aan hem vast, want hij heeft zijn eigen leven.'

'Misschien... misschien is dat het. Ik weet het niet. Ik weet alleen dat ik ermee moet stoppen, nu het nog kan. Ik ga mijn leven niet wijden aan een man die vastzit in een rottig huwelijk zonder ooit de keuze te maken eruit te stappen.'

'Je gaat ook niet van de ene op de andere dag scheiden, neem ik aan,' antwoordt Micky. 'Je hebt het niet altijd in de hand dat je gevoelens voor iemand ontwikkelt. Ik kan me voorstellen dat het verwarrend voor hem is en dat hij eerst moet uitzoeken wat hem overkomt.'

Ik sta op en leg het mutsje op tafel, voor ik mezelf helemaal duizelig maak met het ronddraaien. 'Kom jij niet te laat op je afspraakje?'

Ze kijkt op haar horloge. 'Ik moet onderhand gaan, ja.'

'Wees maar blij dat je lekker ongecompliceerd met een ongebonden man scharrelt.'

Ze glimlacht gelukzalig en staat dan op.

'Wacht,' zeg ik. 'Je haar zit door de war door die baret. Je moet wel op je mooist zijn vanavond...' Ik ontwar de plukjes en kijk haar aan als ik klaar ben. 'Zal ik me dan maar laten koppelen door Debbie tijdens dat etentje? Het leidt in ieder geval even mijn aandacht af van Frank.'

'Kijk nou eerst maar eens hoe het morgen loopt.' Ze werpt een blik in de spiegel voor ze de deurklink vastpakt. 'En slaap eens een nachtje langer dan zes uur. Dat zal je goeddoen. Je tobt te veel.' Ze geeft me een kus op mijn wang en dan gaat ze op weg naar haar afspraakje en sluit ik de deur achter haar, klaar voor in ieder geval twaalf uur nachtrust.

De volgende ochtend sneeuwt het nog steeds. En niet van het gezellige soort, waarbij we het sleetje kunnen pakken en met de kinderen een sneeuwpop in de tuin kunnen maken. 'Ik verveel me,' is ook ongeveer het eerste wat Benji tegen me zegt zodra ik met hem en Nina alleen in het huis van Debbie ben. Toen zij en Tom vertrokken, was hij druk bezig met een legpuzzel, maar ze hadden hun hielen nog niet gelicht of hij was erop uitgekeken.

'Straks kun je met Sven spelen,' zeg ik.

'Ik wil buiten spelen,' jammert hij.

'Het is niet zulk lekker weer, lieverd.'

'Geeft niet.'

Het is moeilijk discussiëren met een kind dat elk argument met 'geeft niet' pareert. 'Er zijn ook een heleboel leuke dingen die we binnen kunnen doen. We gingen toch koekjes bakken?'

'Ik wil nu koekjes bakken.'

'We moeten even op Sven wachten.'

'Dan wil ik nu buiten spelen.'

Ik glimlach naar hem en zet de televisie aan. Al zappend kom ik uit bij een aflevering van *Dora*. Heel educatief. Leert hij nog een beetje Engels ook. Gelukkig is Nina in de box in slaap gevallen. Ik ga met een kop thee bij Benji voor de tv zitten en vraag me af waarom ik per se deze gelegenheid aan moest grijpen om Frank te zien. Ik had een volkomen ontspannen dag kunnen hebben, maar in plaats daarvan kies ik hiervoor. Ik zie bijna op tegen het moment dat hij binnenkomt. Ik heb tien outfits aangehad voor ik uiteindelijk in deze spijkerbroek, met een simpel zwart coltruitje en gemakkelijke laarzen, mijn flat verliet. Alsof het me niks kan schelen hoe ik eruitzie.

Vanuit mijn ooghoek zie ik de auto van Frank voor het huis stoppen en ik dwing mezelf om te doen alsof ik het niet in de gaten heb en te wachten tot de bel gaat. Ik zorg er wel voor dat ik daarna zo snel mogelijk opendoe, want het is echt hondenweer.

'Hoi,' zeg ik en mijn hart maakt ongewild een sprongetje als ik Frank zie. Ik kan een glimlach niet onderdrukken. Hij lacht terug en stapt binnen, met Sven op de arm.

'Annah!' roept hij. Sven. Niet Frank. Frank is helemaal cool en als hij al gespannen is, dan blijkt dat echt nergens uit.

'Je bent geen "boem-kapot" meer,' zegt Frank. Sven strekt zijn armpjes naar me uit en ik neem een knuffel van hem in ontvangst, terwijl Frank hem langzaam aan me overdraagt. Daarna begint hij Svens jas uit te trekken die van het kleine stukje van de auto naar hier al behoorlijk nat geworden is. Ik sta te dubben of ik Frank nog ter begroeting op zijn wang zal kussen, maar dan is het jasje uit en hangt hij ook zijn eigen jas aan de kapstok. 'Hannah,' hoor ik Benji achter me zeggen. Hij klinkt alsof hij zich flink in de steek gelaten voelt en kijkt een beetje beschuldigend naar Sven. En ze moeten juist vriendjes worden. 'Hé Benji, ken je Sven nog?' probeer ik. Ik loop naar hem toe en hurk voor hem neer. Ik zet Sven op de grond, maar hij blijft verlegen tegen me aan geleund staan. Benji pakt mijn andere hand, alsof hij wil zeggen dat hij toch echt meer recht op mijn aandacht heeft. 'Zeg eens hallo.'

'Hallo...' zegt Benji.

Er verschijnt een lachje op het gezicht van Sven. 'Geef Benji maar een handje,' zegt Frank en dat doet Sven, maar wel de verkeerde. En in plaats van te schudden blijft hij gewoon staan, zoals je dat vroeger in de rij op school moest doen.

'Laat Sven je puzzel maar eens zien,' draag ik vervolgens Benji op, waarna ze samen naar de huiskamer lopen en voor de puzzel neerknielen. Wij volgen hen en kijken naar elkaar alsof we elkaar nu pas zien.

'Hoi,' zegt hij dan en ik besef dat ik heel blij ben hem weer te zien. Het gevoel dat ik net had, betekende niet dat ik ertegenop zag om hem hier te hebben. Het betekende dat ik het heel erg graag wilde. Dat ik hem als het ware een beetje gemist heb de afgelopen dagen, al lijkt dat een groot woord voor iemand die je amper kent. 'Hoe is het met je?' vraagt hij.

'Goed. Het is druk op het werk. Met de show en dergelijke.'

Hij staat er nonchalant bij, midden in de kamer. 'Ik merkte het aan je mailtjes. Ik heb geprobeerd je een beetje met rust te laten, zodat je kon doorwerken.'

'O,' zeg ik. 'Dat is... dat is aardig van je.'

'Ik wil natuurlijk niet dat Anna Lee je er weer van beschuldigt afgeleid te zijn.'

Ik bestudeer zijn gezicht. Was dat alles? Hij wist dat ik het druk had en hield zich daarom op de achtergrond?

'Ik heb er wel naar uitgekeken om je weer te zien,' zegt hij dan, en ik heb grote moeite niet in puberaal gegiechel uit te barsten.

'Ik eh... ook,' weet ik uiteindelijk uit te brengen en dan voel ik het volle gewicht van een vierjarige aan mijn arm.

'Gaan we nu koekjes maken?' vraagt Benji.

'Ja, natuurlijk. Zo meteen. Wil je niet nog even met die puzzel spelen?'

'Hij kan het niet zo goed,' zegt Benji en hij doet zijn best discreet te zijn door zijn rug naar Frank te draaien als hij praat, alsof ik de enige in de kamer ben.

'Jawel,' zeg ik met mijn blik op Sven, die een stuk losgehaald heeft en het weer terug probeert te leggen. 'Hij kan het wel, maar jij bent ietsje ouder, dus lukt het jou sneller. Je moet hem gewoon een beetje helpen. Dat is toch leuk?'

'Hij maakt het stuk,' fluistert hij.

'Hé Sven,' roept Frank, 'wil je koekjes gaan bakken?'

'Ja!' antwoordt hij enthousiast en hij begint te zingen. 'Koekjes! Koekjes!'

'Zullen we dit dan maar even terugleggen?' Frank hurkt naast hem en legt de losgehaalde stukjes terug.

Ik neem ondertussen Benji mee naar de keuken om zijn handjes te wassen en de vormpjes klaar te leggen.

'Ik hoop dat jij weet wat je doet met die koekjes,' zegt Frank terwijl hij achter me opduikt. 'Ik heb namelijk geen idee.'

'Het is heel gemakkelijk.' Ik haal een haarbandje uit mijn broekzak en zet mijn haar ermee vast, zodat het niet in het deeg terechtkomt. Terwijl ik daarmee bezig ben, laat Frank zijn ogen over mijn hele lichaam gaan. Ik merk dat ik plotseling wat langzamer beweeg, zodat hij de tijd heeft. Daarna help ik Sven op het opstapje voor de gootsteen en help ik hem zijn handen wassen.

'Volgens mij heb je alles onder controle,' zegt Frank. 'Ik kijk wel gewoon toe.'

Ik werp hem een blik toe over mijn schouder. 'Let maar goed op.'

Ik weet de jongens een hele tijd bezig te houden met de koekjes, maar als ze de oven ingaan, moet ik toch echt wat anders bedenken. Buiten is het helaas nog steeds niet opgeklaard, iets waar ik stiekem een beetje op gerekend had. Ze worden nogal baldadig van het binnen zitten. Eerst smeren ze elkaar gierend van het lachen onder het koekdeeg, waarna ik hen met veel moeite lang genoeg op het aanrecht kan parkeren om ze op zijn minst een beetje schoon te krijgen. Daarna beginnen ze tikkertje te spelen in de huiskamer, wat eindigt in een ruige stoeipartij met Frank. Ondertussen wordt Nina wakker. Ze begint te jengelen omdat ik natuurlijk te laat ben met haar flesje. Uiteindelijk krijg ik haar daarmee stil, tot het moment dat het flesje op is en jengelen niet meer het woord is voor de keel die ze opzet.

'Gaat het met haar?' vraagt Frank als ik na drie kwartier, twee onnodige luierverschoningen en een halve marathon door de woonkamer met een krijsend kind tegen mijn schouder, de wanhoop nabij ben. Hij is inmiddels bezig een gigantische toren van duplo te bouwen, maar na wat motiverende woorden voor Sven en Benji staat hij op. 'Kom maar, ik los je af.' Hij steekt zijn handen uit naar Nina, die met een beschuldigende blik in haar ogen verder huilt.

Opgelucht overhandig ik haar aan hem. 'Ze kijkt zo verwijtend, moet je zien, alsof ik haar met opzet laat lijden.'

'Dat is het ergste van huilende baby's. Soms heb je alles gedaan wat je kunt doen...' Hij laat haar een beetje door de lucht zweven, maar er kan geen lachje af.

'Deb heeft me verteld dat Nina last van darmkrampjes heeft,' zeg ik, 'maar ik wist niet dat het zo'n lijdensweg was.'

'Ja, dat is heel zielig. De darmen zijn nog helemaal niet gewend te moeten verteren, dus dat kan heel vervelend zijn.'

Ik laat me uitgeput op een stoel aan de eethoek zakken. 'Ik bedoelde eigenlijk voor de ouders.'

Hij lacht. 'Voor hen ook, ja. Weet je wat bij Sven altijd hielp?' Met een beweging die er bij hem doodeenvoudig uitziet, verandert hij van houding tot ze met haar buikje op zijn onderarm ligt. Hij wiegt haar zachtjes heen en weer en het lijkt zowaar te helpen. Het huilen verliest wat aan scherpte. Haar beentjes zijn niet meer tot het uiterste gestrekt. De spanning verdwijnt langzaam van haar gezicht en ze kalmeert.

'Dat is magie,' zeg ik als Nina alleen nog zo nu en dan een beetje nahikt.

'Als ik haar nu zo in slaap kan krijgen, hebben we het ergste gehad.'

Volgens mij heeft ze zich al zodanig uitgeput dat het nooit meer lang kan duren voor ze onder zeil is. Haar ogen vallen al dicht. 'God,' zeg ik na een paar tellen weldadige stilte, 'dit zal toch maar je leven zijn.' Het blijft stil na die woorden en plots realiseer ik me wat ik gezegd heb. 'O! Dit *is* jouw leven. Sorry.' 'Het is niet mijn hele leven,' antwoordt hij met zijn blik op het donzige achterhoofdje van Nina. 'Alleen het belangrijkste gedeelte.' 'Sorry dat ik dat zei. Ik kan me gewoon niet voorstellen altijd die zorg te hebben, altijd dat kleintje op nummer één te hebben, nooit meer eens alleen met je eigen problemen bezig te zijn, om vierentwintig uur per dag beschikbaar te zijn...' 'Het is anders als ze van jezelf zijn, Hannah.' Hij trekt voorzichtig een stoel naar zich toe en gaat aan de andere kant van de hoek van de tafel zitten. Zijn knie schampt weer langs de mijne. Nina lijkt op te schrikken, maar hij hervat het wiegen en ze dommelt weer in. 'Andermans kinderen zijn vermoeiend,' gaat hij verder. 'Hoe leuk ze ook zijn, je bent altijd blij als je ze weer in kunt leveren. Dat is niet zo bij je eigen kind.' Hij kijkt naar Sven. 'Hij kan dwars zijn, strontvervelend, driftig, eigenwijs, bloedirritant, maar dan nog... hij blijft Sven. Ik ben nooit te moe voor hem. Ik heb nooit even geen zin in hem. Soms denk ik dat het zo is, maar als ik hem dan aankijk, is het over.'

Ik kijk naar hem. 'Jij bent zó anders dan ik op het eerste gezicht dacht.'

'Hoezo?' vraagt hij met een adembenemende lach.

'Nou, gewoon. Het zullen die neonletters die "ongevoelige klootzak" op je voorhoofd spellen wel zijn, die me op het verkeerde been gezet hebben.'

'Goh. Fijn te weten dat ik die indruk maak.'

'Waarom doe je dat?'

'Wat?' vraagt hij.

'Is dat een verdedigingsmechanisme of zo?'

'Nou ja... mensen kunnen complex in elkaar zitten, denk ik. Op mijn werk moet ik hard zijn, dingen naar mijn hand zetten, mensen bespelen. Maar zo ben ik thuis niet. En jij bent privé niet half zo volgzaam als op je werk.'

'Ik ben niet volgzaam,' merk ik op.

'Wel op je werk.'

'Toevallig heb ik Anna Lee om een functioneringsgesprek gevraagd én ik heb op eigen houtje een afspraak met jou ingepland. Alsof dat niet proactief is.'

'Heb je daar eigenlijk nog wel tijd voor met alle voorbereidingen voor die show?'

'Nee,' antwoord ik, 'maar daar maak ik wel tijd voor.'

'Je komt daar toch niet mee in de problemen, hè?'

'Nee.'

'Vindt Anna Lee het goed dat haar steun en toeverlaat vriendendiensten verricht onder werktijd?'

'Dat weet ik niet, maar ga jij het haar vertellen, dan?'

'Gaat ze dat niet zelf ontdekken, denk je?'

'Nee, dat heeft ze nu echt niet in de gaten. En ik ga je een ongelooflijk duur pak aansmeren, dus ze zal er niet mee zitten.'

'Maar het is niet je normale werk, toch?'

'Nee. Meestal laten we het aanmeten over aan onze tailorafdeling. Daar werken heel leuke mannen die daarin gespecialiseerd zijn. De meeste mannen vinden het niet zo prettig als een vrouw het meetwerk doet.'

'Het lijkt me erg vervelend, inderdaad.'

'Mij ook,' antwoord ik met een glimlach.

Na het oppassen loop ik eerst naar het appartement van Micky om de stand van zaken door te nemen op het gebied van Galerieman. Ik doe ons speciale klopje op de deur en niet veel later zwaait ze de deur open.

'Zo te zien is het goed gegaan, gisteren?' zeg ik, afgaand op haar vrolijke gezicht.

'Ik heb seks gehad,' antwoordt ze, 'dus inderdaad.'

'Vertel...' Ik loop bij haar naar binnen, trek mijn jas uit en zet mijn nieuwe baretje af.

'Wijntje?' vraagt ze.

'Ach...' antwoord ik alsof het me om het even is, waarna zij giechelend twee glazen uit de kast haalt.

'Domme vraag. Rosé doen?'

'Lekker. Doe maar een halfje, want ik voel weer een bonkende koppijn achter mijn oog opkomen.'

Ze schenkt de glazen allebei even vol. 'Misschien gaat het hierdoor wel over.'

Ik neem mijn glas aan en ga haar voor naar de zithoek, waar ik me in een hoekje van de bank nestel. 'Dus, Galerieman, details?'

'Details?' vraagt ze talmend. 'We hadden natuurlijk al gezoend.

Flink gezoend, bedoel ik, van het soort waardoor je al een idee hebt wat voor vlees je in de kuip hebt.'

Ik knik. 'En hoe beviel het vlees uiteindelijk?'

'Het was goed vlees.'

'Goed? Alleen goed? We hebben het over Galerieman hoor, er zijn verwachtingen gewekt.'

'Het was anders,' zegt ze.

Ik kijk haar een beetje verbaasd aan en probeer te bedenken hoe ik dat op moet vatten. 'Anders dan je verwachtte?'

'Ik verwachtte seks.'

Ik knik. 'En die heb je gekregen, toch? Wat bedoel je met anders, heeft hij een totaal andere methode? Heeft hij twee penissen?'

'Nee, hij heeft er één, en die werkt fantastisch.' Ze drinkt rustig van haar wijn, terwijl ik nu onderhand wel eens wil weten wat ze bedoelt. 'Ik verwachtte seks...' zegt ze weer, 'zoals ik seks gewend ben. Soms is het goed, soms is het slecht...'

'Soms springen de veren uit je matras,' maak ik voor haar af.

'Heb ik dat wel eens gezegd? Dat kan ik me niet echt herinneren.'

'Jawel, een tijd terug, vlak voor je met Galerieman begon uit te gaan...'

Micky valt me in de rede. 'Wil je nog weten waarom het anders was?'

'Ik wil weten of er veren sprongen.'

'Vergeet de veren!' antwoordt ze. 'Ik denk dat ik voor het eerst... Sorry, ik kan het niet zeggen, het is te belachelijk.'

'Wat?' Ik grijp haar arm en zet mijn wijn neer voor er ongelukken gebeuren. 'Je vertelt me altijd alles, Mick. Was het zo raar? Wat heeft hij dan met je uitgespookt? Jij bent niet zo snel geschokt, toch?'

'We moeten toch altijd heel hard lachen als iemand de term "de liefde bedrijven" gebruikt?'

Ik knik. 'Noemde hij het zo?'

'Nee. God nee, alsjeblieft zeg! Het *voelde* zo. Niet in het begin. In het begin was het porno en dirty talk en noem maar op, maar toen het erop aan kwam... Toen was het opeens anders. Hij viel niet eens meteen in slaap na afloop. We hebben gepraat en gelachen en toen ik dacht dat *ik* bijna in slaap zou vallen, begon hij heel langzaam opnieuw en... Nou ja... anders dus.'

'Mick! Je bent verliefd! Ben je echt verliefd op Galerieman?'
'Ik weet het niet. Misschien. Ik wil er niet te veel over naden-
ken, want straks laat hij ineens niets meer van zich horen en dan
voel ik me vreselijk onnozel dat ik dat allemaal uitgesproken heb.'
'Heeft hij nog niets laten horen? Niet dat dat iets naars zou
betekenen, want het is nog geen vierentwintig uur geleden.'
Ze pakt haar mobieltje, drukt wat knopjes in en toont me het
scherm.
'Ik krijg je niet meer uit mijn hoofd, wanneer zie ik je weer?'
lees ik hardop voor. 'Mick, die Galerieman heet toevallig niet
Frank Stevens, hè?'
Ze kijkt me geschrokken aan. 'Wat bedoel je daarmee?'
'Nou, gewoon, dat berichtje zou ik van Frank gekregen kunnen hebben. Ik wil even zeker weten dat we niet op hetzelfde
paard zitten te wedden. Ik heb al genoeg concurrentie wat hem
betreft. Van zijn vrouw.'
'Nou, wees maar niet bang, van mij zul je geen last hebben. En
trouwens: Rick *lijkt* niet eens op Frank Stevens.'
Ik pak mijn wijnglas weer op. 'Hoe weet jij dat nou? Je hebt
hem nog nooit gezien.'
'Je hebt hem toch beschreven?' antwoordt ze. 'En zijn foto staat
op de site van A&S. Geen slechte foto, overigens. Ik doe mijn
huiswerk heus wel.'
'Dat blijkt. Ik heb die site zelf nog niet eens bekeken.'
'En hoe was het oppassen vandaag?' vraagt Micky.
'Benji en Sven lustten de koekjes niet die we gebakken hadden
en Nina krijste de hele boel bij elkaar vanwege darmkrampjes...
en weet je, Frank is een wonder wat het sussen van baby's betreft.'
'Hij weet wel hoe hij punten moet scoren,' zegt Micky. 'Een
mooie man die met baby's om kan gaan... Nog even en hij hoeft
alleen nog af te wachten tot jij je aan hem vergrijpt.'
'Dat doe ik dus echt niet. Stel je voor, zeg.' Ik neem een paar
slokken om het beeld weg te spoelen van een totaal verbaasde
Frank die me van zich afduwt met de woorden: 'Ik dacht dat we
gewoon maatjes waren. Nam je dit dan allemaal serieus?'
'Misschien moet je het eens uitspreken,' zegt Micky. 'Het is gewoon een kwestie van tijd tot een van jullie beiden een momentje de consequenties uit het oog verliest en dan zit je pas echt in
de knoei.'

Ik schud mijn hoofd. 'We kunnen het niet uitspreken. Als een van ons dat doet, is het opeens echt, terwijl het nu allemaal door kan gaan voor onschuldig geflirt. Of vriendschap met een klein beetje gezonde man-vrouw-spanning. Zodra we het benoemen, geven we het bestaansrecht en dan moeten we er iets mee. Ik denk niet dat we daartoe bereid zijn. Ik denk dat we blijven doen wat we nu doen, tot ik het niet meer trek en dan kap ik het af. Dat doe ik echt. Ik ga niet die grens met hem over.'

'O, Hannah, je staat gewoon te trappelen om die grens over te gaan. Ik heb je nog nooit zo meegemaakt.'

'Zeg dat nou niet...'

'Ik durf er alles om te verwedden dat jij geen weerstand aan hem kunt bieden als hij iets probeert.'

'Heus wel,' zeg ik vastbesloten. 'Ik begin niks met hem.'

'Dan zou ik die passessie maar afzeggen. Als jij met dat meetlintje over zijn lijf slingert, sta ik niet voor je in.'

'Ik ben dan aan het werk, hoor. Waar zie je me voor aan?'

Micky begint te schaterlachen. 'Mag ik je nog eens herinneren aan een voorval tijdens je eerste jaar bij Anna Lee, waarbij je geacht werd om, heel professioneel, een model alleen maar naar de ruimte te *begeleiden* waar hij zich kon omkleden?'

Ik zucht. Ik vertel haar te veel. Dat is het gewoon. Ze heeft te veel om tegen me te gebruiken. 'Dat was tijdens mijn eerste jaar inderdaad en dat was ook het allereerste model dat ik ooit van dichtbij gezien had. Ik ben inmiddels wel wat gewend. Er is vandaag toch ook niets gebeurd?'

'Dat is waar. Ik zou vragen of je Benji en Nina donderdag ook mag lenen om als buffer tussen jullie twee te dienen.'

Ik geef het op. Dit is een discussie die ik niet ga winnen. Ik gooi het over een andere boeg. 'Vertel maar eens, Micky, hoe voelt dat nou om de liefde te bedrijven?'

FRANK

Ik haal de kledinghoes met de Anna Lee die ik nooit draag uit de kofferbak van mijn auto en wandel de receptieruimte van het gebouw binnen. Ik meld me bij de receptioniste en wacht daarna bij het raam, waar een wachtruimte ingericht is. Ik blijf staan en kijk naar buiten tot ik het geluid van pumps op marmer hoor. Het geluid verplaatst zich naar me toe en als ik me omdraai, zie ik Hannah. Ze heeft zelf ook een behoorlijk op maat gemaakt pakje aan. Ze draagt haar haren losjes opgestoken en heeft rood gestifte lippen. Iets wat ik nog niet eerder bij haar gezien heb, maar wat ze erg goed kan hebben. Ik vind het bij haar namelijk niet ordinair of clownesk. En ik zie nu ook waarom ze die kleur gekozen heeft, want haar pumps zijn ook rood.

'Meneer Stevens,' zegt ze beleefd, 'komt u verder.' Ze laat de handdruk achterwege en schenkt me in plaats daarvan een lach die ik in de kroeg zou opvatten als een teken om tot actie over te gaan. Ik volg haar naar de liften, waar we meteen in kunnen stappen en we staren naar de lichtjes. We hebben de hele ochtend met elkaar gemaild en nu weet ik niet wat ik tegen haar moet zeggen.

'Weet je wat zo raar is,' begin ik uiteindelijk maar, 'in televisieseries zie je mensen in een lift altijd op een knop drukken om de lift stil te zetten als ze plannen met elkaar hebben. Ik heb van mijn levensdagen nog nooit een lift gezien met zo'n knop. Jij wel?'

Ze lacht. 'Nee.' De lift maakt een 'ping'-geluid en de deuren gaan open. 'Maar ik heb zo'n knop ook nog nooit nodig gehad.'

'Ik ook niet,' antwoord ik, terwijl ik haar voor laat gaan. Ik kijk even naar haar mooie, strak verpakte kontje dat subtiel meedeint met elke stap die ze op die stiletto's maakt. 'Tot tien seconden geleden.'

Ze doet een deur halverwege de hal open en als ik langs haar heen loop, zie ik een schattig blosje over haar wangen trekken. 'Wil je koffie?' vraagt ze. 'We hebben lekkere cappuccino in de automaat en ik wil mijn cacao wel met je delen.' Ik wil knalrode lipstick met jou delen, bedenk ik, maar ik houd me in, want ze ziet er een beetje vermoeid uit. 'Alleen als je zelf ook neemt. Je hoeft het niet speciaal voor me te halen.' 'Doe jij dat lelijke pak maar alvast aan,' zegt ze voordat ze naar buiten loopt en de deur achter zich dichttrekt. Ik speel even met de gedachte om indruk op haar te maken met mijn ontblote, afgetrainde lijf, maar ze blijft belachelijk lang weg en ik ben alweer helemaal aangekleed als ze met een dienblaadje, twee bekers met cappuccino en een doosje met luxe bonbons terugkomt.

Ze houdt haar hoofd een beetje schuin. 'En wat is daar nu precies mis mee?'

'Dat zou jij toch moeten zien?'

Ze trekt haar wenkbrauwen op. 'Ik heb de hele ochtend modellenbureaus met hun meest geschikte kandidaten over de vloer gehad en als iemand van hen eruit had gezien zoals jij in dat pak, had ik me een hele hoop werk kunnen besparen.' Ze lijkt ervan te schrikken dat ze dat zegt en begint zich in te dekken. 'Ik praat nu natuurlijk puur vanuit het Anna Lee-concept. Dat is niet noodzakelijkerwijs mijn eigen mening.'

'Zo vatte ik het ook niet op.'

Ze geeft me een cappuccino aan. 'Serieus, wat vind je nu zo slecht aan dat pak?'

'Ten eerste zou ik nu nooit voor double-breasted kiezen.'

'Nee,' zegt ze. 'Ik vind jou meer een Milaan-type. Eén knoop in het jasje.' Ze neemt de panden van het colbert bij elkaar zoals ze dat voor zich ziet en laat dan weer los. Ze loopt om me heen. 'Het mag misschien wat strakker. Je hebt een goede bouw, dat mag je best laten zien. Je hebt lange ledematen en het zou kunnen dat de mouwen iets te kort zijn, maar dan kijk ik wel erg kritisch. Misschien is het een idee om een meer Italiaanse snit te nemen. Dit is eerder Amerikaans, dat valt allemaal wat wijder. Ik denk dat je daarvoor gekozen hebt vanwege de schouderlijn. Omdat je lang bent, kun je prima een breedgeschouderd jasje hebben, maar ik denk dat je misschien wat meer accent op de

taille en heupen wilt.' Ze staat weer voor me en kijkt me aan.
'Zal ik je wat nieuwe modellen laten zien?'
'Heb je een drukke week gehad?' vraag ik.
'Heb je een woord gehoord van wat ik net gezegd heb?' vraagt
ze terug.
'Ja, Italiaanse snit, strakker model, ik vind het allemaal prima.'
'Dat zou best eens de reden kunnen zijn dat je niet tevreden
bent over dat pak. Heb je toen ook gezegd dat je het allemaal
wel best vond?'
'Ik geloof dat Jackie het toen voornamelijk besloten heeft.'
'Hmm...' Ze kijkt er heel bedenkelijk bij. Dan wordt ze gebeld
op haar BlackBerry en excuseert ze zich. 'Is hij er nu?' vraagt ze.
'Nee, natuurlijk kan dat niet, hoe zou ik dat contract nu al op-
gesteld kunnen hebben? Hij is verdomme een halfuur geleden
aangenomen... ja, nee... dat snap ik, ja. Ik kom er al aan. Maar
leg hem even uit dat we meer te doen hebben hier, ja?' Ze opent
het doosje met chocolaatjes en draait zich naar me om. 'Deze
heb ik uit mijn kantoortje meegesmokkeld. Ze zijn heel lekker.
Met vijg en rode pepertjes en gember. Allerlei aparte combina-
ties. Probeer maar even, want ik moet snel een contractje voor
die modellenklus opstellen. Heb je even?'
'Ik heb de hele middag.'
'Als je het vervelend vindt, kan ik Mario sturen om alvast verder te gaan.'
'Ik wacht wel op jou,' zeg ik.
Ze legt een paar boeken en waaiers op tafel. 'Dit zijn stalen
voor de stof van het pak en hieruit kun je verschillende stiksels,
knopen en stof voor de voering kiezen.' Ze bladert door een sta-
lenmap en wijst een paar dingen aan. 'Dit vind je vast mooi... of
dit. Nou ja, kijk maar rustig, ik zal opschieten.'
Ik heb niet veel zin om me zonder haar in de boeiende mate-
rie van maatpakken te verdiepen, al moet ik toegeven dat er wel
mooie dingen tussen zitten. En ze heeft precies het juiste aangewezen.
'En?' vraagt ze, als ze een kleine twintig minuten later terug is.
'Zit er wat tussen?'
'Die stof voor de voering die je aanwees, is heel mooi. Gaat het
wel?' vraag ik. Ze ziet er nog vermoeider uit dan even geleden.
'Ja, prima. Sorry dat het wat langer duurde. Ik was onderweg

naar boven, maar toen werd ik weer geroepen door...' Ze zucht diep als haar verhaal wederom onderbroken wordt door haar BlackBerry. 'Angela, ik ben hier met een cliënt!' zegt ze snibbig als ze opneemt. 'Dat weet ik ja, maar... nee! Die liggen in de bovenste la. Maar kijk uit dat het niet met de post meegaat, vandaag. We moeten eerst de bevestiging ontvangen hebben. Laat ze daar nu maar liggen, ja? Dan kijk ik er straks naar...' Ze legt haar hand tegen haar voorhoofd alsof ze de tegendruk nodig heeft om niet te ontploffen. 'Ja, ik help je zodra ik klaar ben. Oké. Nu moet ik echt verder, doei.' Ze verbreekt de verbinding en kijkt me aan. 'Nogmaals sorry.'

'Wanneer vindt de naamsverandering hier plaats?' vraag ik. 'Ze kunnen het net zo goed Hannah Lee gaan noemen.'

'Er staat een ideeënbus bij de ingang,' antwoordt ze, terwijl ze een meetlint uit een laatje pakt.

'Je kunt dit uur natuurlijk ook gebruiken om even bij te komen. Je hoeft dit voor mij niet per se door te laten gaan, hoor. Waarom ga je niet even zitten?'

'Probeer je er onderuit te komen?'

'Ik probeer te voorkomen dat *jij* onderuitgaat. Je ziet er een beetje uitgeput uit.'

'Ik heb hoofdpijn. Dat is alles. Komt gewoon door de stress, hier. Misschien voel ik me wel beter als ik iets leuks gedaan heb. Je moet je schoenen uitdoen, anders meet ik niet goed.'

Ik doe wat ze zegt en ga dan voor haar staan. 'Zo goed?'

'Het jasje mag nu uit...' zegt ze terwijl ze om me heen beweegt en haar handen op mijn bovenarmen legt. Ze neemt het aan als ik het van mijn schouders laat glijden en hangt het netjes over de stoel. 'Ik ga je schouders nu opmeten, daarna je armlengte en borst-, taille en heupomvang. Dat is allemaal voor het colbert. Daarna gaan we naar beneden.'

'Ik verheug me er nu al op.'

'Niet te veel, hè Frank,' zegt ze en haar handen tasten mijn schouderlijn af. 'Dat vertroebelt de meetresultaten.'

Ik probeer haar aan te kijken, maar ze staat pal achter me. Ze noteert iets en laat het meetlint langs mijn arm naar beneden vallen. Haar hand volgt de lijn van mijn arm, vanaf het eind van mijn schouder naar de knokkel van mijn duim. Ik laat mijn vingers tegen de hare komen, maar dan is ze weer weg om het op te schrijven. Vervolgens komt ze voor me staan en meet ze vanaf mijn schouder langs mijn bovenlijf naar beneden tot mijn duim. 'De mouw hoort hier te eindigen...' Ze neemt de knokkel van mijn duim tussen haar duim en wijsvinger. 'Hoe vind je dat? Ik kan het aanpassen aan wat jij prettig vindt, zolang we niet meer dan een centimeter afwijken...'

'Ik vind het goed zo.' Ik streel de rug van haar hand met mijn vingertoppen.

'Doe je armen eens een beetje zo...' Ze pakt mijn polsen vast en beweegt mijn armen van mijn lichaam af naar boven. Ze meet eerst het breedste punt van mijn borstkas en haalt het meetlint daarna onder mijn armen door om de omvang af te lezen. 'Het moet natuurlijk niet helemaal strak zitten, hier...' zegt ze terwijl ze haar vinger tussen mijn borst en het meetlint steekt. Ze beweegt van links naar rechts om wat ruimte te creëren.

'Zullen we afspreken dat ik bij jou mag doen, wat jij bij mij doet?'

'Nee,' zegt ze zonder naar me op te kijken.

'Zijn er wel eens mannen die wat proberen als je zo met ze bezig bent?'

'Meestal doe ik dit niet zelf. We laten mannen door mannen opmeten en vrouwen door vrouwen. Voor de zekerheid.'

'Maak je geen zorgen. Ik zal geen onverwachte bewegingen maken.'

Ze laat het meetlint los en nu kijkt ze me wel aan. 'Heb jij het ook zo warm?'

'Het vriest buiten.'

'Dat weet ik, maar we hebben iets nieuws hier. Het heet centrale verwarming.' Ze loopt bij me weg om wat op haar lijstje te krabbelen en ze trekt meteen haar eigen jasje uit. Ze draagt er een strak truitje met korte mouwtjes en een diepe v-hals onder. Ik geloof niet dat ik ooit eerder zoveel huid van haar heb gezien.

Als ze weer voor me komt staan, lijkt het alsof haar lichaamswarmte allerlei geurnuances geactiveerd heeft. Ze ruikt honingachtig. Zoet. Het lijkt eerder een bodylotion dan een parfum, want haar hele lichaam ademt het uit. Ik moet me inhouden om mijn neus niet in het kuiltje van haar blote nek te duwen, nu ze bezig is mijn taille en heupen op te meten. Ik kijk naar een plukje haar dat langs haar oor hangt. Naar haar gloeiende wangen. Ik vecht tegen elke impuls die ik nu voel, tot ze eindelijk weer van me af beweegt, haar notitie maakt en naar de watercooler in de hoek van het kamertje loopt. Ze schenkt zichzelf een bekertje in en geeft mij er ook één.

'Toen ik vanochtend wakker werd, had ik een beetje koorts,' zegt ze. 'Toen ik eenmaal op was, ging het wel, maar ik denk dat het nu terug is.' Ze gaat zitten. 'Misschien kunnen we tussendoor even de stoffen uitzoeken.'

'Waarom ga je niet naar huis, Hannah? Zal ik je thuisbrengen?'

'Nee, nee... het gaat wel. Echt.' Ze glimlacht. 'Nog een paar uurtjes vandaag, dan vroeg naar bed en morgen rond deze tijd is het alweer bijna weekend. Ik red het wel.'

'Het is niet normaal dat je blijft werken als je je zo voelt.' Ik ga bij haar zitten.

'Ik kan niet weg,' zegt ze. 'Die show staat voor de deur en ik heb overal de verantwoordelijkheid voor. Als ik nu wegga, raakt iedereen hier in paniek. Ik wil mijn collega's niet met mijn probleem opzadelen.'

'Hannah...'

'Anna Lee zou me levend villen als ik me ziek zou melden. "Je kunt hier ook ziek zijn," zegt ze dan.'

'Wat is dat nu weer voor onzin?'

'Het is gewoon vermoeidheid, Frank. Het gaat wel weer over. Hoe vond je die print voor de voering die ik je heb laten zien? Waar heb ik die nou gelaten?'

'Hannah...'

'Hmm? O! Hier is hij, deze bedoel ik...'

'Laat haar toch barsten.' Ik leg mijn hand over haar handen die druk bezig zijn de juiste stofjes te vinden. 'Je bent hier veel te goed voor, waarom doe je dit?'

'Frank, alsjeblieft, ik wil die discussie nu niet voeren.'

'Ik wil geen discussie aangaan. Ik wil alleen weten of je niet nu zou willen opstaan om met me naar buiten te lopen en hier nooit meer terug te komen.'

Ze knippert een paar keer met haar ogen. Alsof ze het liefst zou willen huilen. 'Het is mijn baan. Ik moet een baan hebben.'

'Je kunt overal werken.'

'Niet in de mode. Jij ziet het niet zo, maar ik heb hier kansen die ik nergens anders...'

Ik onderbreek haar. 'Je wordt leeggezogen. Stel dat je nu werk zou vinden dat je minder energie kost, waarbij je voldoende tijd overhoudt en genoeg verdient om die studie in deeltijd te volgen én waarbij je tijd overhoudt om creatief bezig te zijn...'

'Tuurlijk, Frank,' zegt ze, 'dat klinkt fantastisch. Waar kan ik solliciteren? In Luilekkerland?'

'Nee. Bij mij. En je bent aangenomen.'

Ze kijkt naar me alsof ik haar in de maling zit te nemen. 'Die grap van koffiejuffrouw begint nu wel een beetje afgezaagd te worden.'

'Ik meen het. Ik heb je toch verteld dat ik Sven niet steeds naar het kinderdagverblijf wil brengen? Ik probeer daar al maandenlang een oplossing voor te bedenken en afgelopen zaterdag heb ik die ineens gevonden.'

'Hoezo?'

'Sven is gek op jou. En jij bent fantastisch met hem. Kom op, Hannah, denk erover na. Ik weet dat het geen geweldige carrière is die ik je bied, maar het is wel een kans om van een doodlopende weg af te raken en gewoon te doen waar je echt gelukkig van wordt. Je zou de tijd hebben om iets voor jezelf te beginnen.'

'En dan kom ik voor jou werken? Als nanny? Dan ben jij mijn baas?'

'Nou ja, je baas... ik help jou en jij helpt mij. Ik zou Sven veel liever elke dag bij jou achterlaten dan bij die kabouters.'

'Het is één ding dat jij daar zo over denkt, maar je beslist daar niet in je eentje over, toch?'

'Ik moet het nog wel even overleggen met Jackie, maar ik kan haar wel overtuigen.'

Ze laat een schamper lachje horen. 'Vind je het goed als ik daar niet al mijn geld op inzet?'

'Laat dat maar aan mij over. Wil je erover nadenken? Ik snap dat ik je ermee overval.'

'Nogal, ja. Ik denk echt dat...'

Ik knijp in haar hand. 'Denk erover na. Dat is alles wat ik vraag. Dat en of je al plannen hebt voor het weekend.'

Ze trekt haar hand onder die van mij vandaan. 'Probeer je nu je nanny te versieren?'

'Dat ben je toch nog niet? Of wel?'

'Nee,' zegt ze.

'Dus... ik wil je graag nog een keertje zien zonder dat we op kinderen moeten letten of over stofprintjes moeten nadenken.'

'Jij hebt vandaag nog geen seconde over die stof nagedacht, Frank Stevens.'

'Sorry,' zeg ik. 'Ik word nogal afgeleid.' Ik leun een beetje naar haar toe. Ik weet dat ze zich niet lekker voelt, maar ik zou me graag door haar met een griepvirusje laten besmetten. Helaas zie ik in haar ogen dat ze het niet aandurft. Nog niet. Maar ik krijg haar nog wel zover. Misschien dit weekend wel. 'Ik vind die print ontzettend mooi, Hannah. Precies wat ik zoek. Kunnen we ook even naar de verschillende knopen kijken?'

Ze glimlacht en schuift haar stoel dichterbij. Ik ruik weer haar warme, zoetige geurtje en kriebel voorzichtig over de zachte huid van haar onderarm terwijl ze me het verschil uitlegt tussen Super 200 en Super 120, wat in de wolkwaliteit blijkt te zitten. Ze laat het rustig toe en blijft zo dicht bij me tot we alles hebben besproken wat er te bespreken valt over verschillende modellen, stoffen, afwerkingen en wat al niet meer. Dan komt het ergste. Die broek moet nog aangemeten worden.

Aan: Hannah.Fisher@al.com
Van: F.Stevens@A&S-advocaten.eu
Datum: 26-02-2010, 08:12
Onderwerp: zielig

Goedemorgen lieve Hannah,
Ben je je nog steeds aan het uitsloven voor die heks? Ik hoop dat je lekker geslapen hebt en dat je je weer wat beter voelt. Ik vond je echt heel zielig, gisteren, maar je hebt me geweldig geholpen. Ik denk dat het mijn lievelingspak gaat worden. Zie ik je morgen?
Kus,
Frank

Aan: F.Stevens@A&S-advocaten.eu
Van: Hannah.Fisher@al.com
Datum: 26-02-2010, 09:34
Onderwerp: Re: zielig

Hoi Frank,
Bedankt voor je medeleven. Het gaat wat beter, denk ik. Ik weet
zeker dat het je lievelingspak gaat worden.
xxx

Aan: Hannah.Fisher@al.com
Van: F.Stevens@A&S-advocaten.eu
Datum: 26-02-2010, 09:42
Onderwerp: ZIE IK JE MORGEN?

Sorry, je hebt het vast druk, maar je negeert het belangrijkste uit
mijn vorige mail. Zie ik je morgen?

Aan: F.Stevens@A&S-advocaten.eu
Van: Hannah.Fisher@al.com
Datum: 26-02-2010, 10:15
Onderwerp: Re: ZIE IK JE MORGEN?

Ik weet niet. Is dat slim?

Aan: Hannah.Fisher@al.com
Van: F.Stevens@A&S-advocaten.eu
Datum: 26-02-2010, 10:21
Onderwerp: Re: ZIE IK JE MORGEN?

Slim? Geen idee. Ik kan je beloven dat het leuk wordt.

Aan: F.Stevens@A&S-advocaten.eu
Van: Hannah.Fisher@al.com
Datum: 26-02-2010, 11:23
Onderwerp: Re: ZIE IK JE MORGEN?

Over het leuke aspect zit ik niet zo in. Het zit hem juist in het
slimme gedeelte.

Aan: Hannah.Fisher@al.com
Van: F.Stevens@A&S-advocaten.eu
Datum: 26-02-2010, 11:35
Onderwerp: Re: ZIE IK JE MORGEN?

Ik ruik dat geurtje dat je gisteren droeg nog steeds. Doe je dat morgen weer op?

Aan: F.Stevens@A&S-advocaten.eu
Van: Hannah.Fisher@al.com
Datum: 26-02-2010, 12:50
Onderwerp: Re: ZIE IK JE MORGEN?

Morgen als wij elkaar niet zien, bedoel je?

Aan: Hannah.Fisher@al.com
Van: F.Stevens@A&S-advocaten.eu
Datum: 26-02-2010, 12:55
Onderwerp: Re: ZIE IK JE MORGEN?

Morgen... als ik je eindelijk, eindelijk weer zie.

Aan: F.Stevens@A&S-advocaten.eu
Van: Hannah.Fisher@al.com
Datum: 26-02-2010, 13:01
Onderwerp: Re: ZIE IK JE MORGEN?

Zegt iemand wel eens 'nee' tegen jou?

Aan: Hannah.Fisher@al.com
Van: F.Stevens@A&S-advocaten.eu
Datum: 26-02-2010, 13:03
Onderwerp: Re: ZIE IK JE MORGEN?

Soms. Maar daar hou ik niet zo van. Wil je mij niet zien, Hannah?

Aan: F.Stevens@A&S-advocaten.eu
Van: Hannah.Fisher@al.com
Datum: 26-02-2010, 13:07
Onderwerp: Re: ZIE IK JE MORGEN?

Je weet dat dat het niet is.

Aan: Hannah.Fisher@al.com
Van: F.Stevens@A&S-advocaten.eu
Datum: 26-02-2010, 13:12
Onderwerp: Re: ZIE IK JE MORGEN?

Wat is het dan? Je vriendje?

Aan: F.Stevens@A&S-advocaten.eu
Van: Hannah.Fisher@al.com
Datum: 26-02-2010, 13:58
Onderwerp: Re: ZIE IK JE MORGEN?

Is dit een spel voor jou, Frank?

Aan: Hannah.Fisher@al.com
Van: F.Stevens@A&S-advocaten.eu
Datum: 26-02-2010, 14:14
Onderwerp: Re: ZIE IK JE MORGEN?

Ik ben gewoon graag bij je. En dat meen ik heel serieus.

Aan: F.Stevens@A&S-advocaten.eu
Van: Hannah.Fisher@al.com
Datum: 26-02-2010, 14:28
Onderwerp: Re: ZIE IK JE MORGEN?

Het is beter van niet. Ik voel me niet lekker en ik kan beter even rustig aan doen, dit weekend. Ik moet me opladen voor volgende week. Sorry. Ik laat je weten wanneer je pak klaar is, goed?

HANNAH

Vanaf het moment dat ik gisteravond laat een voet over de drempel van mijn flatje zette, voelde ik alle kracht uit me wegvloeien. Ik ben mijn bed ingerold en heb het klokje rond geslapen, waarna ik wakker werd met een keel die aanvoelt als schuurpapier en een hoofd waarin een sloophamer tekeergaat. Nu hang ik bijna levenloos op de bank. Ik ben wazig in mijn hoofd van een dosis Ibuprofen waar je een klein paard mee omver zou krijgen, maar ik voel me nog steeds ellendig. Ik heb na het douchen mijn zachte donzige ochtendjas over mijn lekkerste pyjama aangetrokken en ik heb mijn lenzen de hele dag niet in gehad. Eigenlijk zou ik iets te eten voor mezelf moeten klaarmaken, maar ik kan er de moed niet voor opbrengen, dus blijf ik maar liggen hopen dat ik beter ben voor maandag. Het is absoluut uitgesloten dat ik zo kan werken. Het is echter ook uitgesloten dat ik me ziek kan melden. Ik moet gewoon beter zijn binnen twee dagen, maar hoe meer ik dat denk, hoe slechter ik me voel. De laatste keer dat ik mijn koorts gemeten heb, was het negenendertig graden. De deurbel gaat, maar ik heb geen fut om op te staan, te vragen wie er is, uit te leggen dat ik ziek ben en weer naar de bank te lopen. Ik blijf dus maar liggen en na twee keer houdt het bellen op. Daarna val ik in slaap. Ik heb geen idee hoe laat het is als ik wakker word, maar de kamer is schemerig en aan mijn hoofd voel ik dat het tijd is voor een nieuwe Ibuprofen. Ik hijs mezelf overeind en strompel naar het keukenlaatje waar mijn medicijnen liggen. Ik zie het niet zo goed in het donker en loop terug om het licht aan te doen. Ik hoor Micky's klopje tegen mijn voordeur. Ik kan wel huilen van opluchting. Misschien kan zij een pil voor me zoeken, een potje thee voor me zetten en een boterhammetje smeren zodat ik terug naar de bank kan.

Ik open de deur, klaar om haar dankbaar te omhelzen, maar in plaats van Micky kijkt Frank me met een bezorgde blik aan. Er gaat van alles door me heen. Dat ik er niet uitzie, omdat ik na het douchen mijn haren niet eens gekamd heb. Dat ik een badjas aanheb, waarin mijn kont het formaat van een driezitsbank heeft. Dat ik mijn bril opheb. Mijn bril! Ik ga nooit de deur uit met die bril, de enige die me ooit zo te zien heeft gekregen is Micky. Micky met wie ik expres een codeklop heb afgesproken, zodat we weten dat we veilig open kunnen doen. 'Hoe...' begin ik te stamelen, 'hoe deed je dat? Hoe wist je...? Waarom klopte je zo?'

'Wat bedoel je?' vraagt hij. 'Ik kom gewoon even kijken hoe het met je is, maar je deed niet open, dus klopte ik op de deur.'

'Je klopte niet zomaar. Je deed het codeklopje van mij en Micky... Was jij dat die aanbelde?'

Hij knikt. 'Twee keer.'

'Dat is een eeuwigheid geleden.'

Hij kijkt op zijn horloge. 'Een kwartiertje ongeveer. Het duurde even voor een van je buren naar buiten kwam, zodat ik het gebouw in kon.'

'Maar dat klopje...'

'Ik klopte gewoon, Hannah. Ik deed maar wat. Gaat het wel goed met je?'

'Jezus!' zeg ik hardop. Ik heb het mezelf waarschijnlijk gewoon ingebeeld en nu sta ik hier wartaal uit te slaan en hij denkt vast dat ik helemaal doorgedraaid ben. Ik probeer de deur verder dicht te duwen. 'Ik ben echt ziek, wil je weer weggaan, alsjeblieft? Ik ben geen goed gezelschap nu.'

'Dat hoeft ook niet,' zegt hij, terwijl hij de deur verder openduwt, zonder last te hebben van de tegendruk die ik geef. 'Ik kom jou gezelschap houden. Ik heb een paar boodschappen gedaan...' Hij zet een plastic tasje op mijn bar. 'Zal ik wat te eten voor je maken?'

Ik sta nog steeds met de deur open. Hij moet weg. Hij mag me zo niet zien. Ik wil niet dat hij hier is. 'Wat doe je hier?'

'Je zei dat je rust wilde houden dit weekend. Dat je je op moest laden. Dus heb ik bedacht dat ik je daar dan wel een beetje mee kan helpen.'

'Nee,' antwoord ik. 'Je moet echt weggaan. Ik heb niet gere-

kend op bezoek of wat dan ook. Ik zie er verschrikkelijk uit.'
'Nou en?' zegt hij. 'Je vindt me niet leuk, dus wat maakt het
uit?' Hij loopt naar me toe, haalt mijn hand van de deurklink en
doet de deur dicht. Ik merk opeens dat ik bibber van de kou.
'Kom,' zegt hij terwijl hij me wegvoert bij de deur, richting mijn
bankstel. 'Laat me je nu even helpen. Ik heb het vaker gedaan
voor Sven als hij ziek is, dus je bent in goede handen.'
Ik laat me op de bank zakken en hij legt het fleecedekentje dat
opgepropt in een hoek ligt over me heen. Ik voel mijn ogen
dichtzakken en vraag me tegelijk af of dit wel echt gebeurt. Het
lijkt een beetje op zo'n droom waarin je weet dat je droomt.
Hij hurkt voor me neer en ik voel zijn hand over mijn haar
strijken. 'Doe maar gewoon alsof ik er niet ben.' Dat doe ik. Ik
val weer in slaap.

Ik word wakker van een rommelende maag en een heerlijke geur
die uit mijn keukentje komt. Hij is er dus echt. Ik heb het niet
gedroomd. Hij is hier en hij maakt eten voor me, waar ik al van
opknap door het alleen te ruiken. Het wazige gevoel in mijn
hoofd is iets minder en ik kom langzaam overeind, bang voor de
sloophamer die elk moment opnieuw kan beginnen met bonken.
Afgezien van twee zware kloppen, houdt hij zich koest en ik sla
het dekentje van me af.
'Hé, je bent wakker,' zegt hij. 'Hoe voel je je? Je was een beetje
verward, daarnet.'
'Het gaat weer beter. Denk ik.' Ik probeer op te staan en voel
me nog steeds een beetje zweverig als ik naar de badkamer loop.
'Ik ga me even opfrissen...'
'Je kunt zo meteen wat soep eten als je wilt. Het is niet die van
je moeder, maar hopelijk kan het ermee door.'
Ik sluit de deur van de badkamer achter me en kijk in de spiegel. Ik ben echt een spook. Mijn haar zit afschuwelijk. Ik pak
een borstel, maar mijn hoofd begint meteen te bonken zodra ik
hem door mijn haren haal. Dan moet ik het maar een beetje met
mijn vingers fatsoeneren. Het doet ook pijn, maar uiteindelijk
heb ik een redelijk normaal staartje gemaakt. Mijn huid ziet er
hartstikke droog uit, dus ik doe wat dagcrème op. Daarna trek
ik mijn pyjama uit. Konijntjes... wat zal hij wel niet denken?
Jezus! Ik gooi hem in de wasmand en probeer te bedenken welk

geurtje ik donderdag ophad. Hij mailde dat hij dat lekker vond, maar volgens mij had ik geen parfum opgedaan. Zou hij mijn whipped bodycream bedoelen? Voor de zekerheid pak ik de pot en smeer ik vlug mijn armen, benen en decolleté in. Daarna haal ik een andere pyjama uit de kast in mijn slaapkamer. Een lichtgrijze. Eentje voor volwassenen, van zacht katoen met een lange dunne broek die ik op mijn heupen met een koordje dichtknoop en een tanktop. Ik doe er een donkerder grijs sportvestje op en loop langs mijn slaapkamerdeur weer naar buiten.

Op de bar staat een dampend bord op me te wachten. 'Wil je hier zitten?' vraagt Frank. 'Je eettafel ligt nogal vol.'

Ik kijk naar de troep. 'Ik heb geen tijd gehad om op te ruimen deze week.'

'Hé, het is jouw huis.' Hij zet een bordje bij me neer met een donkerbruin broodje dat hij afgebakken heeft. 'En ik heb een kind van drie, dus ik kan wel wat hebben.'

Ik hijs me op een kruk, buig me over het bord en snuif de geuren van de bouillon op. Ik was mijn bril even vergeten en zet hem af, hopelijk voor Frank de beslagen glazen gezien heeft. 'Neem je zelf niks?' vraag ik. Ik zie hem zonder bril helemaal in soft focus.

'Ik wist niet of ik mocht blijven,' antwoordt hij.

'Wat dacht je nou?' vraag ik. Ik weet niet goed of hij een grapje maakt of niet. 'Dat ik je al dit werk liet doen en dan de deur uit zou zetten?'

'Ik weet het niet. Ik moest de deur haast forceren om binnen te komen.'

Ik lach. 'Ik ben blij dat je het gedaan hebt.'

'Eet nou...' dringt hij aan.

'Ik wil niet alleen eten. Neem jij ook wat?'

'Goed dan.' Hij draait zich om en pakt een bord uit mijn kast alsof hij precies weet waar alles staat. Ondertussen roer ik een beetje in mijn soep en neem ik een hapje. Pas dan besef ik hoe hongerig ik ben.

'Lekker,' zeg ik als Frank tegenover me gaat zitten, eindelijk dichtbij genoeg om hem weer goed te zien zonder bril of lenzen. Ik lepel door tot zeker de helft van mijn soep op is en breek dan een stuk van het broodje, dat nog warm is. 'Dankjewel. Had ik dat al gezegd?'

'Dat hoef je niet te zeggen.'

'Jawel. Ik was echt niet in staat iets te eten te maken.'

'Heb je nog koorts?'

'Ik denk dat het gezakt is. De hoofdpijn ook. Behalve als ik snel beweeg. Ik ben nog wel een beetje duizelig. Als het maandag maar over is.'

'Je denkt nu toch niet aan werk, hè?'

Ik eet verder van mijn soep zonder te antwoorden, want als ik zeg wat ik nu denk, dat dit zo verschrikkelijk ongelegen komt, kan ik weer een preek verwachten. Gelukkig gaat Frank er niet op door. Hij weet me al goed in te schatten. Eigenlijk begint hij zo langzamerhand de ideale man te worden, op dat ene detail na.

Na het eerste bord scheppen we nog een tweede keer op en dan ben ik weer moe. Alsof ik niet al bijna de hele dag geslapen heb.

'Wil je weer gaan liggen?' vraagt Frank.

'En jou alles laten opruimen?'

'Ik ben er om voor je te zorgen, dus laat het nu maar gewoon toe.'

'Je hoeft dit niet te doen... Het is zaterdagavond, je hebt vast wel iets beters te doen dan hier bij mij rondhangen.'

'Ik *wil* bij jou rondhangen.'

'Ik ben ziek.'

'Dat weet ik, maar ik wil het nog steeds.'

'Ik ga op de bank liggen en een *Grey's Anatomy* dvd-marathon houden...'

'Klinkt leuk.'

'Vind jij *Grey's Anatomy* leuk?'

'Geen idee. Ik heb het nog nooit gezien. Maar de meiden op het werk hebben het er ook altijd over én het staat in jouw lijst met dingen die je gelukkig maken, dus is het vast geweldig.'

'Het is altijd heel heftig en soms echt verschrikkelijk. Dan heeft iemand een bom in zijn buik of is op een ijzeren paal uit de metro gespietst en er was ook een keer een jongen tot zijn nek in het cement begraven. Maar het is ook heel romantisch en sexy.'

Frank kijkt me onderzoekend aan. 'Volgens mij ben jij echt nog heel ziek. Wil je weer gaan liggen?'

'Nee, het is echt zo, luister nou. Je hebt Meredith en McDreamy, dat is elke keer aan en uit, terwijl je weet dat ze bij elkaar horen. En in het tweede seizoen werd Izzie verliefd op Denny. Hij is hartpatiënt en hij stierf vlak nadat hij haar ten huwelijk vroeg. Ik heb toen zó gehuild. Hij is later nog teruggekomen als een soort visioen van Izzie, alleen zij kon hem zien, maar ze hadden wel seks en zo. Maar toen bleek ze ernstig ziek te zijn...'

Nu kijkt hij naar me alsof ik niet helemaal goed snik ben. 'Wacht even... ze hadden seks?'

Ik knik. 'Het was heel realistisch.'

'Ja, tuurlijk. Als ik alle keren moet opnoemen dat ik seks heb gehad met visioenen...'

'Nou ja, als je het gevolgd had, zou je het snappen. Je moet het gewoon zien.'

'Nou, laat maar zien, dan,' zegt hij. 'Zoek de beste, meest sexy, romantische en gruwelijke aflevering die je kunt vinden.'

'Wil je dat echt?' vraag ik.

Hij knikt en haalt de borden weg, waarop ik iets te enthousiast van mijn kruk spring en met mijn hand op mijn hoofd afwacht tot ik niet meer draaierig ben. Ik zou bijna vergeten dat ik ziek ben. Ik loop naar mijn dvd-kast en haal de box van seizoen 2 eruit. Het geluid van mijn BlackBerry doet me halverwege mijn beweging bevriezen. Nee. Niet nu. Geen Anna Lee, geen Anna Lee... ik herhaal het als een mantra tot ik de gevreesde naam werkelijk op het display zie staan.

'Je bent ziek,' zegt Frank als antwoord op de hulpeloze blik die ik hem toewerp. Geen idee waarom hij me moet vertellen wat ik moet doen, maar het liefst zou ik de telefoon nu aan hem geven. 'Zeg haar dat je ziek bent, Hannah, je kunt nu niets voor haar doen. Moet ik het zeggen? Geef maar hier...'

Hij komt naar me toe en hoewel het precies is wat ik wil, geef ik hem mijn BlackBerry niet. Anna Lee zou me wat doen. 'Nee, ik moet het zelf...'

'Ik laat je niet naar haar toe gaan. Wat het ook is, zolang ik hier blijf, blijf jij ook. Dat meen ik echt.'

Ondertussen kan mijn voicemail ieder moment aangaan, dus beantwoord ik snel de telefoon. 'Anna Lee, ik ben z...' Ik wil het meteen zeggen zonder haar de kans te geven eerst het onmogelijke aan me te vragen, maar dat lukt gewoonweg niet. Ze brandt meteen los en het komt erop neer dat ik met mijn draaiboek naar de locatie van de modeshow moet komen om van alles door te spreken. 'Ik ben ziek,' zeg ik na haar relaas van drie minuten. Frank steekt zijn duim naar me op, maar Anna Lee is minder begripvol. 'Hoe bedoel je ziek?' 'Koorts, hoofdpijn, keelpijn, duizelig... echt ziek.' 'Hannah, ik heb geen tijd voor die flauwekul. Kom hier met dat draaiboek en geen gezeur. Als je klaar bent, heb je tijd genoeg om zielig te doen. Ik heb je nu nodig.' 'Ik kan echt niet, sorry, maar ik voel me niet goed. Ik ben de hele dag nog niet uit bed geweest. Ik heb me nog nooit ziek gemeld, dus ik zou het echt niet zeggen als het anders kon...' 'Hannah, het is hooguit twee uurtjes werk. Stel je niet zo aan! Je zet me voor schut en je weet dat ik dat niet accepteer.' 'Ik doe het maandag. Ik werk net zo lang door als nodig is, als ik maar niet... Ik kan gewoon niet...' Ik voel de hand van Frank op mijn schouder en heb dan pas in de gaten dat ik in wanhopig gepiep ben uitgebarsten.

'Hannah, er is hier een crew van 25 man bezig. Zal ik dan maar even tegen de artdirector, de stagemanager, de geluidsmannen en de decorbouwers zeggen dat ze maandag terug moeten komen?' vraagt ze sarcastisch. Ik weet niets meer te zeggen, maar zij wel. 'Mensen krijgen één keer de kans om "ik kan niet" tegen me te zeggen. Jij hebt het net al twee keer gedaan, wil je je geluk nog verder uittesten?'

Misschien kan ik toch gaan. Misschien denk ik nu alleen dat ik het niet red, terwijl ik als ik daadwerkelijk ga, me er toch best doorheen zal slaan. Ik voel me toch al een beetje beter dan vanochtend?

'Je gaat niet!' zegt Frank hardop. Zo hard dat ik denk dat Anna Lee het misschien ook kan horen. 'Je wist je eigen naam niet eens toen ik hier daarstraks binnenkwam.' Hij dwingt me hem aan te kijken en praat opeens heel zacht. 'Je hoeft niet te gaan.'

De manier waarop hij die laatste woorden tegen me zegt, geeft de doorslag. Er zijn honderden mensen die me op een of ander moment verboden hebben gehoor te geven aan Anna Lee's wensen. Mijn ouders, mijn vriendinnen, mijn vriendjes. Ik deed het altijd toch. Tot nu. 'Ik kan niet,' zeg ik en de kiestoon klinkt al in mijn oor voor ik uitgesproken ben. Vol ongeloof kijk ik naar mijn BlackBerry. 'Dat was zelfmoord. Ik ben eraan. Ik heb carrière-zelfmoord gepleegd.'

'Zet dat apparaat maar uit.' Frank neemt mijn BlackBerry uit mijn handen. 'Voor het geval ze nog iets bedenkt om je onder druk te zetten. En ga zitten, want je staat weer te bibberen.' Hij legt zijn hand op mijn voorhoofd. 'Je hebt nog steeds koorts, Hannah. Je kon niet gaan werken, dat moet ze maar begrijpen. Wacht maar eens even.' Hij loopt naar zijn jas en haalt zijn eigen telefoon tevoorschijn. 'Mijn oude buurman is huisarts,' legt hij uit. 'Ik ga hem nu vragen om langs te komen, dan heb je meteen een doktersverklaring.'

'Dat hoeft niet, Frank, je hoeft niet...'

'Hannah, je beeft als een rietje, ga zitten...' Met zachte hand begeleidt hij me naar de bank en hij legt het dekentje over mijn schoot.

'Ik denk dat het gewoon de schrik is omdat ik nee gezegd heb.' Onvoorstelbaar. Ik heb gewoon nee gezegd tegen Anna Lee. Ik heb nee gezegd en ik leef nog steeds.

'Ze kan je niks maken, Hannah. Ik zorg ervoor dat je kunt bewijzen dat je echt ziek bent.' Hij knijpt even in mijn hand en ik wil hem vastpakken en tegen hem aan kruipen, maar hij staat op zodra zijn telefoon verbinding maakt. 'Harry! Hoe is het? Met Frank Stevens... Ja, prima! Prima... maar ik wil je wel even om een gunst vragen...'

Blijkbaar heeft Frank wat gunsten te goed, want een uurtje later is zijn buurman langs geweest en heb ik een verklaring waarop staat dat ik griep heb. Na een bakje koffie en wat sterke verhalen over zijn prestaties op de golfbaan, gaat de dokter weer weg. Frank heeft thee voor me gemaakt en zet de kom voor me neer. 'Gaat het?'

Ik haal mijn schouders op en kruip wat verder weg onder mijn dekentje.

'Het komt wel goed,' zegt hij. 'We gaan nu lekker die hele dvd-box erdoorheen jagen en morgen voel je je vast stukken beter.'

'Anna Lee pikt dit niet. Ik ken haar. Ze gooit me eruit.'

'Dat doet ze niet. Dat zou hartstikke stom zijn, want jij bent de beste. En je kunt bewijzen dat je echt ziek was én het is weekend, dus niet eens officieel werktijd.' Hij zet de televisie aan en stopt de dvd die ik uitgekozen had in de speler. Daarna doet hij het licht uit, wat heel fijn is voor mijn ogen.

Ik kijk naar hem terwijl hij terug naar mij loopt. 'In mijn contract staat dat ik als het bedrijfsbelang ertoe noopt ook opgeroepen kan worden om buiten reguliere werktijden arbeid te verrichten.'

'Ze kan je hier niet voor ontslaan, Hannah, echt niet. Ze mag het wel proberen. Des te beter, dan vecht ik het aan en regel ik een enorme vergoeding voor je. Maak je er nu niet zo druk over.'

'Ik heb misschien geluk dat het zeven dagen voor de show is. Ze kan me nu niet missen. Ik heb alles geregeld en het aan niemand overgedragen. Ze heeft me nodig.' Ik druk mijn hand tegen mijn voorhoofd om het bonken te stoppen dat sinds het voorval met Anna Lee dramatisch toegenomen is.

'Zet het van je af, Hannah. Je hebt er niks aan nu te blijven piekeren.' Hij pakt een kussentje achter me vandaan en gaat in de andere hoek van de bank zitten. 'Kom...'

'Wat?' vraag ik. Ik zit te ver van hem vandaan om iets van zijn gezicht af te kunnen lezen.

'Kom bij me liggen, dan help ik je met je hoofdpijn.'

'Bedoel je...' Ik aarzel nog steeds en hij strekt zijn arm naar me uit. Hij trekt me aan mijn pols zijn kant op.

'Ik bedoel dat je bij me moet komen en het helpt ook niet dat je je haar zo strak hebt gedaan.' Hij haalt voorzichtig het elastiekje weg en met zijn vingertoppen woelt hij zachtjes mijn haar los. Met kleine bewegingen masseert hij mijn hoofdhuid en ik kan een zucht van opluchting niet tegenhouden. 'Is het beter zo?' vraagt hij.

Beter? Hij heeft helende handen. Ik weet een instemmend geluidje uit te brengen en laat het toe dat hij me dichter tegen zich aan trekt. Het is niet voor het eerst dat een man mijn hoofd richting zijn schoot duwt, maar het is absoluut de allereerste keer dat de man in kwestie het doet zodat ik me op een kussentje kan nestelen en hij me door mijn haren kan kriebelen.

Hij streelt al mijn haar uit mijn nek, zodat ik er niet op lig en laat zijn vingers even langs de blote huid van mijn hals gaan en dan langzaam weer terug, waar ze ronddraaiende bewegingen over mijn hoofd maken. 'Lig je goed zo?'

'Ja,' zeg ik met een stem die het een beetje laat afweten. 'Heel goed.'

Hij geeft me de afstandsbediening van de dvd-speler aan. 'Bedien jij die maar.'

Ik kies de laatste aflevering van het seizoen. Die waarin Meredith en Derek eindelijk weer eens aan elkaar toegeven en waarbij ik tranen met tuiten gehuild heb omdat Denny op dat moment doodging. Maar hoe mooi ik deze aflevering ook vind – zelfs met wazig zicht, want ik ken elke scène haast vanbuiten – toch laat ik al na een paar minuten mijn ogen dichtvallen. De aanrakingen van Frank nemen me te veel in beslag. Zijn ene hand blijft lief door mijn haar kriebelen, maar de andere traceert de gehele belijning van mijn gezicht, van mijn oor, mijn nek, mijn arm. Als ik een katje zou zijn, zou ik nu liggen spinnen. Zijn vingers glijden onder mijn arm en aaien langs de achterkant van mijn onderarm naar beneden tot ze langs mijn pols bij mijn handpalm uitkomen. Nu ben ik het die mijn vingers langs de zijne laat gaan, langs zijn duim net als toen ik zijn mouwlengte opnam, langs zijn knokkels, de rug van zijn hand. Dan sluit hij zijn hand weer om de mijne en doet hij hetzelfde bij mij, waarna ik het weer omdraai. Hij, ik, hij, ik… net zolang tot de aflevering afgelopen is.

'Hannah?' vraagt hij zachtjes, maar ik houd me stil, alsof ik slaap en in plaats van de dvd uit te zetten, kiest hij de eerste aflevering in het menu en begint daarnaar te kijken. Ondertussen doe ik alsof ik slaap, zodat ik maar zo kan blijven liggen, totdat ik echt slaap.

Het is zo donker in mijn slaapkamer, dat ik niets kan onderscheiden. Ik kan me vaag herinneren dat Frank mijn naam zei en me zachtjes overeind duwde. Ik weet ook dat ik mijn hoofd weer op zijn schouder liet zakken en dat hij zijn armen om me heen sloeg en me van de bank tilde, terwijl de gedachte in me opkwam dat zijn stevige schouder het beste plekje was waar mijn hoofd ooit gelegen had. Toen voelde ik mijn matras onder me en ik was blij dat mijn haar aan het bovenste knoopje van zijn shirt bleef haken, omdat zijn gezicht zo lang dicht bij het mijne bleef dat ik langzaamaan al zijn knappe gelaatstrekken ontwaarde, zelfs zonder bril, in het pikdonker. Terwijl ik toekijk hoe hij mijn haar losmaakt, word ik pas goed wakker. 'Ga je weg?' 'Zo meteen,' antwoordt hij terwijl hij het laatste haarplukje ontwart. Hij schuift wat van me af en ik ga rechtop zitten zodat ik hem goed kan blijven zien. Ik wil niet dat zijn gezicht vervaagt. 'Wat is er?' vraagt hij en hij kijkt me indringend aan. 'Wil je dat ik blijf?'

Ik heb het gevoel dat de sloophamer in mijn hoofd wordt vervangen door een stelletje trapezewerkers die van mijn hersenpan naar mijn navel en weer terug zwieren. Het voelt prettiger. Veel prettiger. Ik knik.

'Ga maar lekker liggen,' zegt hij, 'ga maar slapen.'

'Ik wil dat je blijft,' zeg ik. Ik lijk niet helemaal onder controle te hebben wat ik zeg en doe, maar dat wil ik ook niet. Als ik controle zou hebben, zou ik hem nu laten gaan. En dan komt er nooit meer een mogelijkheid hem te vragen te blijven, want als ik ten volle zou beseffen wat ik hem vraag te doen, zou ik het niet wagen die vraag te stellen.

'Ik ben daar als je me nodig hebt.'

Zijn ogen schitteren in het donker en ik raak zijn wang aan. Kleine stoppeltjes prikken tegen de binnenkant van mijn hand. 'Nee,' zeg ik en ik volg met mijn wijsvinger de lijn van zijn wenkbrauwbot naar zijn slaap. 'Ik bedoel hier. Bij mij...'

Ik voel hem naar me over leunen. Hij zet zijn hand naast me neer en ik laat mijn vingers door zijn haar naar de zachte krulletjes in zijn nek glijden, zoals ik dat in gedachten al honderden keren gedaan heb. Ik hef mijn gezicht een stukje naar hem op en dan voel ik zijn bovenlijf tegen me aan zakken, over me heen buigen. Zijn hand ondersteunt mijn achterhoofd terwijl hij me neerlegt op bed.

Zijn onderlip strijkt over de mijne. Heel zacht, heel kort. Ik kreun een beetje, hunkerend naar meer en laat ook mijn andere hand naar zijn nek glijden en zich vastgrijpen in dat schitterende, dikke haar. Dan doet hij het nog een keer en ik fluister: 'Blijf... blijf hier.'

Ik kus hem even teder als hij mij. Ik zou me om hem heen willen vouwen, om hem heen willen kronkelen als een paaldanseres, maar in plaats daarvan lig ik bevend en vol verwachting onder hem, omdat ik nog nooit zo gekust ben.

Hij maakt zich een beetje van me los om me aan te kunnen kijken, maar ik wil niet stoppen. Ik kus hem nog eens en nog eens. 'Je moet slapen,' zegt hij.

'Nee...' Ik wil niet slapen. Ik wil hem.

'Doe je ogen dicht,' antwoordt hij. Ik gehoorzaam, ook al wil ik het niet en ik voel hoe hij een voor een mijn oogleden kust, daarna mijn wangen, mijn neus. Kleine kusjes die me helemaal laten tintelen. Hij rolt langzaam van me af en ik voel zijn gewicht naast me neerkomen. Hij slaat zijn arm om me heen en trekt me tegen zich aan, mijn rug tegen zijn borst, zijn hand die mijn haren uit mijn hals streelt, zijn adem op mijn blote huid. 'Slapen, nu...'

Misschien heb ik het gedroomd. Ik sta achter de deur van de badkamer en luister, op zoek naar een geluid dat zijn aanwezigheid verraadt. Het is stil. Hij is er niet. Hij is gewoon naar huis gegaan, ik heb het me allemaal maar ingebeeld. Ik duw de deurklink naar beneden en schrik me te pletter als hij 'Goedemorgen' zegt. 'Ik heb thee voor je. En een beschuit met jam, maar ik weet niet of je honger hebt. Schrok je nou?' Hij moet een beetje om me lachen. Ik ook.

'Ik wist niet of je er nog was.'

Hij kijkt een beetje verbaasd. 'O. Ik eh, ik heb op je bank geslapen.'

'Op de bank?'

Hij knikt. Zie je wel... ik heb het verzonnen. Hij heeft niet bij me geslapen. Hij heeft me niet gekust. Ik wist het wel. 'Hoe voel je je nu?' vraagt hij.

'Beter, denk ik.' Ik ga weer aan de bar zitten, waar ditmaal een beschuitje op me staat te wachten, in plaats van soep. 'Straks ga ik hier nog aan wennen.'

'Je kon wel een beetje hulp gebruiken, gisteren. Je had ze echt niet allemaal meer op een rijtje. Bommen in buiken, seks met visioenen, je was helemaal in de war.'

Ik lach. 'Hoe vond je *Grey's Anatomy*?'

'Ik denk dat we de volgende keer maar bij seizoen één moeten beginnen.'

'Je vindt het leuk, ik wist het wel.' Ik neem een slokje thee en plotseling voel ik me schuldig. 'Ik denk dat ik best naar Anna Lee had kunnen gaan. Moet je zien hoe ik nu opgeknapt ben.' 'Omdat je rust genomen hebt, Hannah,' zegt hij. 'Ik was er niet van doodgegaan.' 'Het ging te ver. Het ging echt te ver. Je had het volste recht te weigeren, laat je niets anders aanpraten.' Ik neem nog een slok, zonder te antwoorden en dan klopt Micky op de deur. 'Hoor je dat? Dat is Micky's klopje. Zo deed jij het ook gisteren...' 'Nog steeds koorts...' mompelt hij alsof ik gek ben. Ik laat me van de kruk glijden en doe de deur open. 'Ik kwam even kijken hoe je het maakte,' zegt Micky. 'En ik heb croissantjes voor je gehaald.' Dan is ze plotseling stil en kijkt ze verbluft naar Frank. 'O. Hallo. Ik wist niet dat je bezoek had. Zo vroeg. Nu heb je twee ontbijtjes.'

Frank staat op. 'Dat van jou is veel beter. Ik ben Frank, trouwens.'

'Micky.' Ze schudden elkaar de hand. 'Ik heb zoveel over je gehoord dat het lijkt alsof ik je al ken.'

Frank lacht zoals ik wil dat hij naar mij lacht. 'Nou, ik ga maar eens. Pas een beetje op haar, want ze kan nogal raar doen, af en toe.'

'Ja, dat ken ik,' zegt Micky terwijl ze de zak met croissants op de bar legt. 'Ik kan ermee omgaan.'

Frank loopt naar de deur en blijft voor me staan. 'Bel me als je er niet uitkomt met Anna Lee, oké?'

Ik glimlach. 'Oké.'

Hij legt zijn hand op mijn bovenarm en net als in de droomzoen voel ik zijn stoppeltjes als hij mijn wang kust. Ik sluit mijn ogen en probeer te ontdekken of het hetzelfde voelt als in mijn herinnering, maar het gaat te snel. 'Hou je taai, Hannah.' 'Nog bedankt!' zeg ik vlug terwijl hij al wegloopt. 'Echt... heel erg bedankt.' Hij kijkt nog even achterom en knipoogt naar me, waarna ik me weer helemaal slap voel. 'Jij ook bedankt,' zeg ik daarna sarcastisch tegen Micky. 'Je hebt hem weggejaagd!'

'Heb je het met hem gedaan?' vraagt ze botweg, terwijl ze een croissant heeft uitgepakt voor zichzelf en er één voor mij naast mijn beschuit gelegd heeft. Alsof ik dat nu weg kan krijgen.

'Nee,' zeg ik.

'Ik hoef toch niet te geloven dat hij net aan kwam wandelen, hè? Hij zag eruit alsof hij een ruige nacht achter de rug heeft. Wel een lekker ding, trouwens, die foto op de site doet hem geen recht.'

'Hij heeft op de bank geslapen. Hij heeft soep voor me gemaakt, Grey's Anatomy met me gekeken en door mijn haar gekriebeld tot ik in slaap viel. Verder is er niets gebeurd. Waarschijnlijk.'

'Waarschijnlijk?'

'Ik heb een soort van herinnering aan een kus,' leg ik aarzelend uit.

'Wat is dat nu weer? Een soort van herinnering? Je herinnert je iets, of je herinnert het je niet. Er is geen soort van!'

'Ik had koorts, dus misschien heb ik het gedroomd. Maar als het zo was, dan was het...'

'Was het nu wel of niet zo, Hannah?'

'Weet ik veel!' Ik pak mijn thee weer. 'Maar als het zo was, dan was het geweldig.'

'Hij is nog steeds getrouwd, hè? Je zou het afkappen zodra het de grens overging. Volgens mij ben je nu keihard over die grens heen gedenderd.'

'Niet als het niet gebeurd is.'

'Maar als het wel zo is?'

'Dan was het eenmalig omdat ik een slecht beoordelingsvermogen had en niet in staat was de situatie goed in te schatten.'

Micky neemt een flinke hap en laat de kruimels op de bar vallen. 'Ja, vast.'

'Ik had het afgekapt,' zeg ik. 'Ik had bedacht dat een man die zoveel werk van een andere vrouw maakt, terwijl hij getrouwd is, nooit een leuke man kan zijn. Hoe leuk hij ook lijkt. Dus heb ik gemaild dat ik niet meer af wilde spreken en heb ik al zijn mails gewist. Ze zijn allemaal weg. Ik was ermee gestopt.'

'En nu ben je weer begonnen,' concludeert ze zonder enig oordeel door te laten klinken.

'Ik had besloten dat het een klootzak in vermomming was,' ga ik verder, 'maar wat als dat nu niet zo is?'

'Volgens mij had je net de briljante conclusie getrokken dat iemand die zijn vrouw belazert te allen tijde een rotzak is.'

'Maar hij was lief. Hij was lief voor me... het was alsof ik iets voor hem betekende...'

'O, Hannah...' zucht ze alsof ik een dom kind ben met wie ze medelijden heeft.

'Waarom investeert hij dan zoveel in me? Denk na, hij had seks met me kunnen hebben, gisteren, maar dat heeft hij niet gedaan.'

'Omdat strontzieke meiden niet de grootste opwinding veroorzaken.'

'Als hij op me afknapte, had hij me ook niet gekust.'

'Maar je zei zelf dat hij dat misschien ook niet gedaan heeft.'

'Als het waar is, Micky, als ik die kus niet verzonnen heb, dan *kan* hij geen klootzak zijn. Een klootzak kan niet met zoveel gevoel kussen. Dat *kan* niet. En als hij geen klootzak is, is hij misschien...'

'Wat?'

'Dan is hij misschien wel verliefd op me.'

'Jeetje, Hannah!' roept ze vol ongeloof uit. 'Waarom kun je nu niet gewoon een tijdje met die kerel rollebollen en het daarbij laten? Dat is geen man om verliefd op te worden, daar moet je gewoon een paar keer mee neuken en klaar!'

'Goh,' zeg ik, 'je weet je punt wel te maken.'

'Ik dacht dat het een lolletje voor je was. Ik wist niet dat je het zó serieus nam. Hoe je het ook wendt of keert: hij heeft een vrouw. Wat als jij nu niet de eerste bent met wie hij dit flikt? Of de enige?'

Ik had al niet zoveel honger, maar ik kan nu zelfs mijn thee niet meer weg krijgen. 'Denk je dat hij er niets van meent?'

'Geen idee, Hannah. Misschien is hij wel echt gek op je, maar dat wil niet zeggen dat hij je gelukkig kan maken, want als hij niet kiest...'

Ik zet mijn thee neer. 'Daar kunnen we geen oordeel over hebben, Mick. Misschien kiest hij wel, ik heb hem er toch nooit naar gevraagd? Het is niet eerlijk om hem allerlei dingen te verwijten, terwijl hij niet eens een kans krijgt.'

'Zou je dat willen? Dat hij weggaat bij zijn vrouw en die lieve Sven? Daar ga je je niet rot over voelen als het eenmaal zo ver is?'

'Jawel. Natuurlijk. Je denkt toch niet dat ik het fijn vind dat een gezin uit elkaar valt...'

'Ik hoor een enorme maar aankomen.'

'Maar moet ik het daarom dan laten schieten? Volgens hem is dat huwelijk op sterven na dood. Ik kan nu heel principieel doen, maar dan laat ik misschien de man van mijn leven lopen. En wie weet komt hij daarna iemand anders tegen voor wie hij gaat scheiden en dan ligt het gezin dat ik zo nodig moest beschermen toch uit elkaar. Het is zijn huwelijk, zijn verantwoordelijkheid, niet die van mij.'

'Hij moet voor zichzelf scheiden, niet voor jou of welke vrouw dan ook. Hij moet eerst zelf uit zijn eigen sores komen.'

'Dat is waar.' Ik zucht en laat mijn hoofd op mijn armen zakken.

'Was er nu ook iets met Anna Lee?' vraagt Micky als zij ook mijn croissant opgegeten heeft en ik nog geen woord heb gezegd.

'O, hou op!' Ik sta op en loop naar mijn BlackBerry, die niet meer aan is geweest sinds gisteravond. 'Wedden dat ik honderdveertig gemiste oproepen van haar heb?' Ik zet het apparaatje aan. 'Hmm, maar één...' Ik luister mijn voicemail af. 'Hannah,' klinkt het afgemeten en volkomen beheerst. 'Je begrijpt dat ik dit gedrag niet kan tolereren. Je kunt maandag om acht uur je persoonlijke bezittingen ophalen en je sleutels inleveren bij personeelszaken. Je bent ontslagen. Per direct.'

Die maandag ben ik extra vroeg wakker en klaar om naar mijn werk te gaan. Natuurlijk ga ik gewoon werken, want het is onmogelijk dat mijn ontslag serieus is. Anna Lee was woedend en ze moest een daad stellen, maar ik weet zeker dat het een loos dreigement was. Ze kan me niet ontslaan. Ze kan niet zonder me. Niet nu. Ik kon niet eens lunchpauze nemen de afgelopen weken. Ik mocht niet ziek zijn in het weekend, zo onmisbaar was ik. Het is al maandenlang ondenkbaar dat ik een vrije dag opneem, zoals het ook niet mogelijk was dat ik vorig jaar vakantie boekte, vanwege mijn onmisbaarheid op het werk. Als ze echt zonder mij kon, had ik ook niet de afgelopen drie jaar elke vrije minuut oproepbaar hoeven zijn. Ik heb alles onder controle; van haar eerste koffie in de ochtend tot het moment dat ze het lampje naast haar bed uitknipt, ben ik degene die alles voor haar regelt. Ze kan me niet ontslaan en ik weet zeker dat zij niet anders verwacht dan dat ik vanochtend al lang en breed aan het werk ben voor zij haar haren in de lak heeft zitten. Ze heeft me duizenden keren op het hart gedrukt dat de hele show in het water zou vallen als ik mijn aandacht ook maar een fractie van een seconde liet verslappen. Ik ga ervan uit dat ik vandaag diep door het stof zal moeten en daarna is het weer als vanouds.

Ik zorg ervoor dat ik er tiptop uitzie als ik het pand binnenloop. Ik heb een poweroutfit bij elkaar gezocht. Laarzen met een stilettohak zodat ik me met haar kan meten. Een door mij zelf ontworpen broekpak dat me de uitstraling geeft van een vrouw van de wereld met wie niet te sollen valt. Mijn make-up zit uitzonderlijk goed en mijn haar ook. Ik denk er inmiddels over om in plaats van door het stof te gaan, haar maar eens te dwingen om te luisteren naar wat ik op mijn hart heb.

De receptie is onbemand als ik het pand binnenloop, maar het alarm is al uitgeschakeld. Tot mijn verbazing is er vandaag iemand zo gek om mij vóór te zijn. Ik kijk op mijn horloge. Halfacht. Ik vraag me af wie het is. Onderweg naar mijn kantoor is alles donker. Het eerste wat ik doe, is de bestelling van het maatpak van Frank uit het bakje halen. Ik had hem nog niet geplaatst en dat ga ik nu niet meer doen ook. Ik gun het Anna Lee niet dat haar pakken gedragen worden door hem. Ik weet dat hij er zó goed in uit zou zien dat iedereen die hij tegenkomt ook een Anna Lee zal willen. Die reclame verdient ze niet. Ze doet het maar met de nutteloze modellen die ik vorige week voor haar aangenomen heb. Ik maak er voor Frank wel een Hannah Fisher van. Ik ken de leveranciers van de stoffen goed genoeg om een vriendendienstje bij ze los te krijgen. Ze bezorgen het materiaal vast wel voor één keertje bij mij thuis.

Ik ga zitten en start mijn pc op terwijl ik in gedachten repeteer wat ik tegen Anna Lee zal zeggen. Ik begrijp dat het heel vervelend is dat ik zaterdag niet in staat was om te werken, maar ik ga het nu allemaal rechtzetten en ik zal er hoogstpersoonlijk voor zorgen dat de show er geen enkele hinder van ondervindt. Maar je moet ook toegeven dat je soms onredelijke eisen aan me stelt en daar moeten we het ook eens over hebben. Ondertussen heb ik al twee keer mijn gebruikersnaam en wachtwoord ingevoerd, maar het lukt me niet op het systeem in te loggen. Ik neem de hoorn van de telefoon, maar besef dan dat nog niemand van de automatisering binnen is. Ik zucht gefrustreerd. Ik wilde al aan het werk zijn als Anna Lee binnenkwam, maar op deze manier gaat dat niet lukken. Ik probeer het nog een paar keer, zonder resultaat. Hoe kan dat nou toch? Zelfs als Anna Lee het meende van mijn ontslag, kan ze onmogelijk nu al mijn account geblokkeerd hebben.

'Sorry, volgens mij ben ik verdwaald,' hoor ik vanuit mijn deuropening, waar een meisje staat, iets jonger dan ik, met in haar hand een BlackBerry en op haar hoofd een headset. 'Ik dacht dat dit mijn kantoor moest zijn.'

'Eerste dag?' vraag ik. Ik heb helemaal niets gehoord over een nieuwe kracht, dus het verbaast me nogal.

Ze knikt. 'Ik ben Nora. Anna Lee heeft me verteld hoe ik moest lopen, maar ik ben waarschijnlijk ergens verkeerd gegaan. Al die gangen hier ook.'

'Waar moet je zijn?' vraag ik. 'Ik breng je wel even naar de juiste afdeling, al geloof ik niet dat er al iemand is om je in te werken. Meestal laten we nieuw personeel rond halfnegen beginnen.'

'O, maar ik hoef niet echt ingewerkt te worden. Ik ben gediplomeerd PA. Ik kan zo aan de slag, als ik mijn werkplek gevonden heb.'

Ik sta op van mijn stoel. 'PA? Wiens assistente ben je dan eigenlijk?'

'Van Anna Lee. Ze heeft me net aangenomen.'

'Dat kan niet, want ik ben haar assistente. En ik ga nergens heen.'

'Ik heb anders net een contract ondertekend.'

Ik pak opnieuw de hoorn van de telefoon en kies de sneltoets van Anna Lee. 'Nora?' antwoordt ze op dezelfde snibbige toon die iedereen hier van haar krijgt. Eerste werkdag of niet. 'Als je me binnen vijf minuten al lastigvalt met details moet ik misschien een babbeltje maken met dat agentschap waar ik je vandaan heb.'

Ik smijt de hoorn op de haak en loop woedend langs Nora de hal in. Ik heb niet eens het geduld om op de lift te wachten en ren de zes trappen op naar de nok van het gebouw waar de kamer van Anna Lee is. Ik heb dit nog nooit gedaan. Zomaar bij haar binnenstormen. Ik heb altijd netjes gewacht tot ik ontboden werd, maar nu smijt ik de deur zo hard open dat het me niets zou verbazen als de kalk uit de muur erachter losgekomen is. 'Nu ga je te ver!' schreeuw ik.

'Hannah, je bent wat aan de vroege kant, zie ik,' zegt ze kalm, 'personeelszaken is hier pas over een halfuurtje. Zij helpen je wel met het inleveren van je spullen en het leegruimen van je werkplek. Dag-dag.'

'Ik accepteer mijn ontslag niet.'

'Helaas heb je daar niets over te zeggen. Het is al besloten. Ik handel het wel af met je advocaat. Al zal het in jouw geval eerder een rechtsbijstandverzekering zijn. Sluit je de deur even achter je als je vertrekt?'

Ik loop haar kantoor verder in en ga pontificaal voor haar bureau staan. Mijn handen in mijn zij, mijn benen een halve meter uit elkaar. Onverzettelijk. 'Ik ga nergens heen, je hebt geen enkele reden om mij te ontslaan. Ik heb mijn werk altijd goed gedaan en dat blijf ik doen.'

Ze reikt naar de telefoon. 'Eens kijken hoe snel de bewaking in actie komt. Het is lang geleden dat ik de kans heb gekregen dat te testen.'

Ik duw haar hand met de hoorn terug op het toestel. 'Je gaat toch niet beweren dat je dit niet alleen af kunt handelen?'

Ze haalt haar schouders op. 'Dat is waar.'

'Ik was ziek!' ga ik verder. 'De hele week al, maar ik heb stug doorgewerkt en daarom zat ik er zaterdag zo doorheen dat ik niet kon komen. Je kunt me niet ontslaan omdat ik ziek was.'

'Ik kan je hier niet meer gebruiken, Hannah. Je hebt mijn vertrouwen beschaamd en dat doet niemand een tweede keer. Ik ben geen liefdadigheidsinstelling.'

'De show is over een paar dagen. Denk je echt dat je nu zonder me kan? Dat je me zomaar kunt inwisselen voor een meisje van een of ander bureau? Ik heb me uit de naad gewerkt voor je. Van 's ochtends vroeg tot 's avonds laat, zonder klagen. Ik kon niet op vakantie. Ik kon geen dag vrij krijgen. Wanneer ik ziek was, kwam ik toch werken. Denk je dat je ooit nog iemand zo gek krijgt om dat te doen?'

'Ik heb Nora nu.'

'Nora weet niet wat ik weet. Ze krijgt het nooit op tijd onder de knie voor de show. Denk na, Anna Lee, dit is niet de tijd om mij eruit te schoppen.'

'Luister eens even heel goed, Hannah, ik ben klaar met jou. Ik heb helemaal niets meer aan je. Ik heb jou niet nodig, ik heb niemand nodig. De enige persoon bij Anna Lee die onvervangbaar is, is Anna Lee. Je kunt nu vertrekken en dan krijg je nog een maandsalarisje mee, of ik zorg ervoor dat je nooit meer ergens in de modewereld aan de bak komt.'

'Hoe durf je, na alles wat ik voor jou gedaan heb. Mijn hele leven staat in het teken van deze kutbaan!'

'Nu niet meer.'

'Weet je wat?' schreeuw ik in haar gezicht. 'Ik hoef je rotbaantje niet eens meer. Je bent een kreng en een slavendrijver en ik haat je al drie jaar lang! En jij drinkt al drie jaar lang koffie met mijn spuug erin! Ik hoop dat je het nog lust zonder!'

Ik draai me om en smijt de deur achter me dicht. Ik ren naar beneden waar Nora inmiddels aan mijn bureau zit. Zo te zien is het haar wel gelukt in te loggen.

'Ik neem aan dat dit dan toch het goede kantoor was,' zegt ze alsof dat enorm grappig is.

'Aan de kant,' snauw ik en ik duw haar met stoel en al achteruit. Ik pak mijn tas onder het bureau uit en steek het bestelformulier van Frank in het vak waar ook het draaiboek zit. Daar kan ze ook naar fluiten. Eens zien hoe die kleine Nora zich redt zonder mijn voorbereidingen. Verder wil ik maar twee dingen meenemen. Het fotolijstje met de foto van mij met mijn vriendinnen en mijn strooibusje met cacaopoeder.

'Ik waarschuw je alvast,' zeg ik tegen Nora als ik naar buiten loop. 'Je werkt nu voor de grootste draconische bitch op aarde. Veel plezier ermee.' Anna Lee verschijnt aan het eind van de hal en ik stampvoet haar zo voorbij. 'O, sorry, ik zou bijna iets vergeten.' Ik haal mijn sleutelbos tevoorschijn en draai met nijdige bewegingen de sleutel en de alarmsensor van het gebouw eraf. Ik gooi ze voor haar voeten op de grond. 'Dit heb ik altijd al eens willen doen. En die cocktailjurk met broek eraan is het lelijkste wat je ooit gemaakt hebt. En dat wil wat zeggen.'

Met opgeheven hoofd loop ik het pand uit. Dan pak ik mijn BlackBerry en ik begin een bericht te typen. Aan Frank.

```
Ik moet je zien.
Ze heeft me
ontslagen!
```

Bijna onmiddellijk ontvang ik zijn antwoord.

```
Hannah, kom
hierheen zodra
je kunt. Ik maak
meteen tijd voor
je. Geen zorgen.
```

FRANK

Ik ben er
binnen vijf
minuten.

Mijn vermoeden dat ik te maken krijg met een woedende Hannah Fisher, wordt inderdaad een minuutje of vijf na ontvangst van haar laatste sms al bevestigd. Ik hoor commotie ontstaan bij de balie en Hannahs stem bereikt mijn kantoor, waarna ik opsta en naar de receptie loop.

'Het kan me niet schelen wat er in die agenda staat, ik wil dat je hem nu belt!' draagt ze Odette op, die haar met een uitgestreken gezicht vertelt dat ze gewoon even plaats moet nemen tot ze een en ander uitgezocht heeft. Ik denk dat ik geen twee tellen later uit mijn kantoor had moeten komen, want dan was hier een heuse catfight ontstaan. Hannah kijkt naar mijn receptioniste alsof ze haar het liefst aan haar haren over de balie zou willen trekken.

'Het is in orde, Odette,' zeg ik vlug, 'ik heb mevrouw Fisher vijf minuten geleden pas ingepland. Streep je mijn agenda even af voor het komende uur?' Ik leg mijn hand op Hannahs elleboog en ben opgelucht dat ze niet ook meteen naar mij uithaalt. 'Mijn kantoor is deze kant op.' Ik werp een zijdelingse blik op haar terwijl we door de hal naar mijn kamer lopen. Ze is woest. Haar ogen schieten vuur en ik denk dat ze de eerste die haar nu iets in de weg legt, met blote handen vermoordt. Ik denk ook dat ik die gelukkige zal zijn, aangezien ik haar tegengehouden heb zaterdag. Ze gaat me met de grond gelijkmaken.

Ik laat haar binnen en doe de deur achter ons dicht. 'Laat ik allereerst nog maar eens zeggen dat ze geen poot heeft om op te staan. Ik weet dat het nu lijkt alsof je wereld is vergaan, maar ik kan ervoor zorgen dat dit het beste is wat je had kunnen overkomen. Oké?'

Ze kijkt me met grote, bijna zwarte ogen aan en ik tel in gedachten de seconden tot de bom barst. Dan verandert er iets aan haar gezichtsuitdrukking en besef ik dat me iets veel ergers dan een woede-uitbarsting te wachten staat. Hannah zet een stapje naar me toe en begint te huilen voor ze iets kan zeggen. Ik kan er niet tegen als vrouwen huilen. Ik vind het verschrikkelijk als Jackie het doet, zich van me afwendend met van die kleine, verwijtende snifjes die me duidelijk moeten maken dat ik helemaal verkeerd zit. Ik ken geen beter voorbeeld van passieve agressiviteit. Ik weet ook niet wat ik moet doen als een werkneemster in tranen uitbarst wanneer ik kritiek lever op haar werk. Het is niet vaak gebeurd, maar de twee keer dat het voorgekomen is, staan me beter bij dan me lief is. Ik kan er niks mee. Het geeft me een machteloos en ongemakkelijk gevoel. Alsof ik al met twee-nul achter sta voor de wedstrijd begonnen is. Ik haat het. Ik haat het echt.

Maar nu staat Hannah hier en haar ogen vullen zich met tranen terwijl ze naar me opkijkt. Haar onderlip trilt op een aandoenlijke manier en in plaats van dat ik weg wil lopen tot de bui overgewaaid is, voel ik een enorme beschermingsdrang in me opkomen. Ik hoor mezelf troostende geluidjes maken, terwijl ik haar mijn schouder bied om op uit te huilen. Alsof meevoelendheid mijn tweede natuur is. Alsof dit soort dingen me heel natuurlijk afgaat en het vanzelfsprekend is dat ik mijn armen om haar heen sla en haar vasthoud terwijl het schokken van haar schouders steeds erger wordt. 'Het is al goed, Hannah,' zeg ik en ik leg mijn wang tegen de zijkant van haar hoofd, wat me de heerlijke geur van haar haren als beloning oplevert. Ik raak de blonde plukjes voorzichtig aan met de vingers van één hand en streel ze zacht. Haar gesnik begint aan kracht te verliezen en niet veel later heb ik haar stilletjes in mijn armen. Nu zou ik bijna manieren gaan bedenken om haar opnieuw aan het huilen te krijgen, zodat ik nog wat langer zo met haar kan blijven staan. 'Gaat het?' vraag ik uiteindelijk voorzichtig. Ik moet me een beetje van haar losmaken om haar aan te kunnen kijken. Ze veegt haar tranen weg met de rug van haar hand en knikt flauwtjes.

'Hier,' zeg ik terwijl ik haar de doos met tissues aanreik die voor dit soort noodgevallen op mijn bureau staat. Het gebeurt vaker dat cliënten emotioneel reageren. Het gedeelte waarin ik ze in mijn armen houd en aan hun haren ruik, valt buiten het protocol. 'Wil je zitten?'

Ze dept met de tissue haar ogen droog en laat zich door mij naar een stoel leiden. Ik heb geen zin om haar los te laten en leg mijn hand over de hare als ik plaatsneem aan dezelfde hoek van de tafel. 'Ze heeft je dus ontslagen? Zomaar?'

Ze knikt.

'Je kwam vanochtend op het werk en toen vertelde ze dat je weer kon vertrekken?'

'Ze had me al ontslagen. Ze heeft een bericht achtergelaten op mijn voicemail, zaterdag. Ik nam het niet serieus. Hoe kan ze me nu ontslaan als ik niet eens ziek mag zijn in het weekend? Er gaat geen dag voorbij dat ze me niet ergens voor nodig heeft en de hele organisatie van de show ligt in mijn handen. *Lag* in mijn handen moet ik zeggen... Hoe kan dat nou?' Haar lip begint weer te trillen. 'Ik had nooit gedacht... In gedachten heb ik haar miljoenen keren de rug toegekeerd, maar het is nooit in me opgekomen dat ik door haar afgedankt zou kunnen worden. Hoe stom kon ik zijn?'

'Je bent niet stom...' Ik reik naar de telefoon en toets het nummer in van het secretariaat. 'Laura, mag ik twee glazen water van je? Dank je.' Ik verbreek de verbinding en kijk Hannah aan.

'Ik voelde me onoverwinnelijk,' gaat ze verder. 'Ik dacht dat ik door al die shit van haar te accepteren een uitzonderingspositie had. Dat ik onmisbaar was. Ik voelde zelfs een soort triomf als ik toch kwam werken met bonkende hoofdpijn of als ik snipverkouden was en koorts had. Zelfs als ik Alex in de steek liet om naar haar pijpen te dansen. Ik dacht dat ik mezelf ermee bewees. Dat ik ooit de vruchten zou plukken van mijn ontberingen.' Ze laat een schamper lachje horen. 'Moet je zien waar het me nu gebracht heeft.'

'We gaan nu die vruchten plukken, Hannah. Maak je geen zorgen. Anna Lee weet dat ze geen enkele juridische grondslag heeft om je op staande voet te ontslaan, dus zal ze dolblij zijn om dit buiten de rechtbank te houden. Ik maak een werelddeal voor je.' Ondertussen komt Laura binnen. Ik vraag me even af hoe vaak zij komt werken terwijl ze er eigenlijk niet toe in staat is en hoe vaak wij dat met z'n allen voor lief nemen. We hebben het waarschijnlijk niet eens in de gaten. 'Dankjewel, Laura,' zeg ik als ze de glazen voor ons neerzet. Haar licht fronsende blik maakt me erop attent dat ik nog steeds Hannahs hand in de mijne heb. Dat wordt weer een leuke kantoorroddel. We trekken allebei tegelijk terug om onze glazen te pakken en Laura verdwijnt met een samenzweerderige glimlach op haar gezicht uit mijn kantoor.

'Met jouw staat van dienst zal het geen enkele moeite kosten om een torenhoge afkoopsom te eisen,' zeg ik nadat ik een slok genomen heb. 'En als het tot een procedure komt, krijgen we het zeker voor elkaar dat je je functie mag behouden. Ze kan niet ontkennen dat je een voorbeeldige werknemer bent geweest.'

Ze kucht een beetje zenuwachtig. 'Geweest, ja. Het zou kunnen dat ik zojuist de controle een klein beetje heb laten glippen.'

'Wat bedoel je daar precies mee?' vraag ik.

'Ik heb haar de waarheid gezegd. Ik heb haar voor kreng uitgemaakt en een suggestie gedaan voor waar ze die klotebaan kon laten. Ergens waar de zon niet schijnt. En ik heb gezegd dat ik altijd in haar koffie spuugde.'

'Wat zeg je nou?'

'Ik heb het niet echt gedáán. Dat ze nu denkt dat het zo is, geeft me genoeg voldoening. O ja, ik heb ook de sleutels naar haar toe gesmeten.'

'Hannah...'

'Ik weet het. Ik heb alles verpest.'

'Nee... nou ja, het plan om haar te dwingen je terug in dienst te nemen, is hiermee wel een beetje van de baan, maar dat had toch niet echt mijn voorkeur. We richten ons nu gewoon op de hoofdprijs. Ik had trouwens graag willen zien hoe je haar aanpakte, Hannah. Het kan me niet schelen, zelfs al had je de hele zaak onderuitgehaald. Ik hou wel van een uitdaging.'

Ze glimlacht. 'Eerlijk gezegd luchtte het wel heel erg op.' Ze lijkt weer een beetje tot zichzelf te komen.

'Toen je hier binnenkwam, dacht ik even dat ik er ook aan moest geloven. Je zag er echt woedend uit.'

'Waarom zou ik boos op jou zijn?' vraagt ze.

'Is het niet mijn schuld dat je voet bij stuk hield, zaterdag?'

'Ja,' antwoordt ze terwijl ze haar glas langzaam ronddraait en geconcentreerd naar het golvende wateroppervlak staart. 'Misschien ben ik je wel dankbaar. Wie weet hoe lang ik anders nog met me had laten sollen. Het werd eens tijd dat iemand me dwong voor mezelf te kiezen.'

'En ik dacht nog wel dat iedereen je daar constant toe probeerde te dwingen.'

'Dat klopt...' Ze denkt even na. 'Maar ik heb nooit daadwerkelijk geluisterd. Wat is dat toch met jou?'

Ik haal mijn schouders op. 'Zeg jij het maar, Hannah.'

Ze lacht. 'Ik moet wel echt ziek geweest zijn.'

'Dat moet wel,' beaam ik. Ik kijk naar haar en probeer te ontdekken of ze zich echt niets herinnert of gewoon doet alsof. Ik weet niet wat ik erger vind.

'Ik heb het nog nooit zo fijn gevonden om ziek te zijn,' zegt ze dan zacht.

'Het was fantastisch,' antwoord ik. 'De hoofdpijn, de koorts, de wartaal die je uitsloeg. Moeilijk te zeggen wat het leukst was.'

'Jij... Ik vond jou... leuk... en dat klinkt vast belachelijk, maar ik ben niet gewend dat er voor me gezorgd wordt. Het was fijn, voor een keertje.' Ze strijkt met een nerveus gebaar een plukje haar achter haar oor. 'Zielig, hè?'

'Weet je wat zielig is? Dat afgelopen zaterdag met jou tot nu toe de beste avond van het jaar voor me was.'

Ze lacht. 'Maak je niet druk. Er komen nog meer avonden.'

'Ik hoop het,' antwoord ik, 'maar dat is aan jou.'

'Waarom is dat aan mij?'

'Nou,' zeg ik, 'omdat je me laatst ook afwimpelde.'

'Dat begrijp je toch wel?'

'Ja.' Ik probeer haar blik vast te houden, wat lastig is omdat ze mijn tafelblad veel interessanter lijkt te vinden. 'En nee.'

Ze kijkt plotseling naar me op. 'Niet?' De verbazing is van haar gezicht te lezen.

'Ik snap dat het moeilijk voor je is, maar... jij lijkt net zomin te willen stoppen wat er tussen ons gaande is als ik.'

'Er zijn meer mensen in het spel dan jij en ik.' Ze kijkt naar me met iets onpeilbaars in haar ogen. Ik heb geen idee wat het betekent.

'Dat weet ik,' antwoord ik uiteindelijk. 'Maar dat lijkt zo onbelangrijk als ik bij je ben.'

'Het is wel belangrijk,' zegt ze nadrukkelijk. 'Ik kan me daar niet zomaar overheen zetten.' Haar lichaamstaal vertelt me iets heel anders. Net als zaterdagnacht. 'Hannah...'

'Ja?' Ze vermijdt weer oogcontact.

'Jij bepaalt.'

Ze zet het glas opnieuw aan haar lippen en neemt een paar flinke slokken. Alsof ze eigenlijk iets sterkers nodig heeft. 'Ik moet maar eens gaan.'

Ik knik. 'Ik zorg ervoor dat je het wint van Anna Lee.'

'Laat het maar weten als ik iets moet doen, of als je informatie nodig hebt...' Ze staat op en ik volg haar voorbeeld. Op dat moment zet ze net een pas naar voren om langs me heen te lopen. Plotseling staan we dicht tegen elkaar.

'Ik zal je mailtjes missen,' zeg ik terwijl ik mijn vingers langs de mouw van haar jasje omhoog laat kruipen. 'Ik ga *jou* missen...'

'We zullen elkaar vast nog zien,' antwoordt ze. 'We moeten nog van alles bespreken, toch?'

'Ik kan van alles verzinnen als je dat wilt.' Ik kijk naar haar terwijl ik me naar haar toe buig. Mijn vingers sluiten om haar bovenarm en langzaam haal ik haar nog wat dichter bij me. 'Of...'

'Of?' vraagt ze.

'Of we kunnen gewoon dit doen.' Ze blijft staan terwijl ik me verder vooroverbuig, al verwacht ik elke seconde die voorbijgaat dat ze er vandoor zal gaan. Ik kijk in haar ogen tot ze te dichtbij is om haar nog helder te kunnen zien. Ze neigt een heel klein beetje achteruit, maar dat lijkt eerder bedoeld om mijn bereidheid haar te volgen te testen dan om bij me weg te komen. En op dit moment zou ik niemand liever volgen. Ze komt tot stilstand als ze de stoel achter zich op haar pad treft. Er ontsnapt een zacht geluidje uit haar keel, een soort zucht, alsof ze zich gewonnen geeft. Een geluidje waardoor ik haar wel *moet* kussen. Dus dat doe ik. En hoe. Ik was vergeten hoe lekker zoenen kan zijn. Om echt te zoenen, bedoel ik. Met hart en ziel. Het is niet moeilijk om Hannah te kussen met alles wat ik in me heb. Haar lippen zijn verslavend. Ik kan niet meer ophouden. Ik kus haar. Steeds opnieuw. De ruimte lijkt extra stil te worden om het geluid van onze lippen die elkaar keer op keer ontmoeten beter tot zijn recht te brengen. Het is ongelooflijk. Mijn vingers raken verstrengeld in haar haren, wat goed is, want ik weet niet hoe ik me anders zou moeten bedwingen om ze onder haar jasje te laten verdwijnen. Haar bloesje open te knopen, haar borsten te omvatten, haar achterover op mijn vergadertafel te duwen. Pas nu ik haar heb, besef ik hoe erg ik haar wil.

'Ik moet weg,' zegt ze tussen twee zoenen in. 'Ik moet echt... nu... weg.'

'Nog niet.' Ik eis haar mond weer op. Ik verzwelg haar. Ze slaat haar armen om mijn nek en ik voel haar overal. Haar hele lichaam tegen dat van mij.

'Het moet nu.'

'Oké dan.' We gaan gewoon door. 'Ben je al weg?'

'Bijna.' Ik voel haar mondhoeken opkrullen terwijl ze me zoent. Ze glimlacht. 'Ik ga echt zo.'

'Dat is goed, Hannah... wanneer je maar wilt.'

Ik ben een man van tweeëndertig die ervan houdt korte metten te maken met elke tegenpartij. Die binnen nu en een paar jaar aan het hoofd van een zeer succesvol advocatenkantoor zal staan. Die verantwoordelijk is voor de opvoeding van een kind van drie. Dat was ik tenminste voor ik Hannah kuste. Nu – na die kus – ben ik niets meer dan een glimlachende debiel. Ik ben totaal van slag. Ik ben mezelf niet. En ik weet zeker dat iedereen het ziet. De meiden op het secretariaat, mijn collega-juristen, zelfs de heren Anders en Salomon aan wie het kantoor de naam te danken heeft, zouden het zien als ik ze vandaag tegenkwam. En dat zijn geen mannen die bekendstaan om hun gave de gevoelens van hun personeel goed in te schatten. Salomon heeft het ooit gepresteerd om pas door te hebben dat een van mijn vrouwelijke collega's zwanger was, toen ze al zeven weken met verlof was en het kind al lang en breed geboren was. Ik vermoed dat de geboorte van Sven in zijn geheel aan hem voorbijgegaan is. Ik besluit me voorlopig maar even in mijn kantoor te verbergen, want als Roy me zo aantreft, hang ik natuurlijk. Mijn god... hoe moet ik nu nog werken, vandaag?

Aan: F.Stevens@A&S-advocaten.eu
Van: Hannah.Fisher@hotmail.com
Datum: 01-03-2010, 12:15
Onderwerp: Hoi

Nou… hoi, dus.

Aan: Hannah.Fisher@hotmail.com
Van: F.Stevens@A&S-advocaten.eu
Datum: 01-03-2010, 12:16
Onderwerp: Re: Hoi

Jij ook hoi.

Aan: F.Stevens@A&S-advocaten.eu
Van: Hannah.Fisher@hotmail.com
Datum: 01-03-2010, 12:21
Onderwerp: Re: Hoi

Nu zit ik dus gewoon te schetsen op een werkdag. Aan mijn eettafel. Met een muziekje op. Beetje meezingen, beetje tekenen en ik heb ook al een lekker broodje gehaald, maar op een of andere manier heb ik niet echt honger. En er vliegt steeds een duif langs die op de vensterbank gaat zitten om me aan te staren. Ik denk dat hij mijn ideeën komt jatten. Maar het punt is: zou ik me niet ellendig moeten voelen na dat ontslaggedoe?

Aan: Hannah.Fisher@hotmail.com
Van: F.Stevens@A&S-advocaten.eu
Datum: 01-03-2010, 12:23
Onderwerp: Re: Hoi

Hoe kan ik nu ooit nog een werkdag door komen zonder dit soort mailtjes van jou?

Aan: F.Stevens@A&S-advocaten.eu
Van: Hannah.Fisher@hotmail.com
Datum: 01-03-2010, 12:24
Onderwerp: Re: Hoi

Ik klets te veel.

Aan: Hannah.Fisher@hotmail.com
Van: F.Stevens@A&S-advocaten.eu
Datum: 01-03-2010, 12:27
Onderwerp: Re: Hoi

Ik ben gek op jouw geklets.

Aan: F.Stevens@A&S-advocaten.eu
Van: Jackie.Stevens-Hofland@Don&Walters.nl
Datum: 01-03-2010, 12:30
Onderwerp: Sven

Ik weet dat het mijn beurt is, maar kun jij Sven ophalen vandaag?
Ik kan hier niet voor 20.00 uur weg. Zorg je er dan voor dat hij ook
gegeten heeft en in bad geweest is?

Aan: F.Stevens@A&S-advocaten.eu
Van: Hannah.Fisher@hotmail.com
Datum: 01-03-2010, 12:32
Onderwerp: Re: Hoi

In dat geval kan ik nog wel even doorgaan. Het is heel raar om
ineens tijd te hebben, weet je dat? Ik kan doen wat ik wil. Ik kan zelfs
helemaal niets doen als ik wil. Maar eigenlijk moet ik me gaan
inschrijven bij uitzendbureaus en vacaturebanken langsgaan en zo.
Jobtrack en Monsterboard afstruinen... Ik voel me schuldig.

Aan: Hannah.Fisher@hotmail.com
Van: F.Stevens@A&S-advocaten.eu
Datum: 01-03-2010, 12:35
Onderwerp: Re: Hoi

Jij hoeft je echt nergens schuldig over te voelen. Doe lekker wat je wil.

Aan: F.Stevens@A&S-advocaten.eu
Van: Hannah.Fisher@hotmail.com
Datum: 01-03-2010, 12:40
Onderwerp: Re: Hoi

Het voelt alsof ik daar niet echt recht op heb.

Aan: Hannah.Fisher@hotmail.com
Van: F.Stevens@A&S-advocaten.eu
Datum: 01-03-2010, 12:45
Onderwerp: Re: Hoi

Jij hebt een veel te groot verantwoordelijkheidsgevoel.

Aan: F.Stevens@A&S-advocaten.eu
Van: Hannah.Fisher@hotmail.com
Datum: 01-03-2010, 12:52
Onderwerp: Re: Hoi

Soms moet je verantwoordelijk zijn.

Aan: Hannah.Fisher@hotmail.com
Van: F.Stevens@A&S-advocaten.eu
Datum: 01-03-2010, 13:01
Onderwerp: Re: Hoi

Gaat dit nog steeds over je positie op de arbeidsmarkt of hebben we het over de roze olifant in de huiskamer?

Aan: F.Stevens@A&S-advocaten.eu
Van: Hannah.Fisher@hotmail.com
Datum: 01-03-2010, 13:02
Onderwerp: Re: Hoi

Ik zie hier geen olifant.

Aan: Hannah.Fisher@hotmail.com
Van: F.Stevens@A&S-advocaten.eu
Datum: 01-03-2010, 13:23
Onderwerp: Re: Hoi

Dat dacht ik al, ja. Ik zie er wel een. Hij staat recht voor me, precies op de plek waar ik je zo ongelooflijk heb staan zoenen dat ik het er nu nog warm van heb.

Aan: F.Stevens@A&S-advocaten.eu
Van: Hannah.Fisher@hotmail.com
Datum: 01-03-2010, 13:32
Onderwerp: Re: Hoi

Van zo'n klein kusje?

Aan: Hannah.Fisher@hotmail.com
Van: F.Stevens@A&S-advocaten.eu
Datum: 01-03-2010, 13:58
Onderwerp: Re: Hoi

O, je was niet echt onder de indruk?

Aan: F.Stevens@A&S-advocaten.eu
Van: Hannah.Fisher@hotmail.com
Datum: 01-03-2010, 14:02
Onderwerp: Re: Hoi

Oké, het was een aardig kusje.

Aan: Hannah.Fisher@hotmail.com
Van: F.Stevens@A&S-advocaten.eu
Datum: 01-03-2010, 14:17
Onderwerp: Re: Hoi

Ik kan wel even langskomen om een betere indruk te maken. Ik heb toch verder niets te doen.

Aan: F.Stevens@A&S-advocaten.eu
Van: Hannah.Fisher@hotmail.com
Datum: 01-03-2010, 14:35
Onderwerp: Re: Hoi

Goh, jij weet wel wat een vrouw wil horen.

Aan: Hannah.Fisher@hotmail.com
Van: F.Stevens@A&S-advocaten.eu
Datum: 01-03-2010, 14:38
Onderwerp: Re: Hoi

Wil je dat ik mijn best doe voor je, Hannah?

Aan: F.Stevens@A&S-advocaten.eu
Van: Hannah.Fisher@hotmail.com
Datum: 01-03-2010, 15:00
Onderwerp: Re: Hoi

Dat heb je toch al gedaan?

Aan: Hannah.Fisher@hotmail.com
Van: F.Stevens@A&S-advocaten.eu
Datum: 01-03-2010, 15:11
Onderwerp: Re: Hoi

Als je denkt dat dat alles was...

Aan: F.Stevens@A&S-advocaten.eu
Van: Hannah.Fisher@hotmail.com
Datum: 01-03-2010, 15:14
Onderwerp: Re: Hoi

Ik zit je maar te plagen. Dat doe ik om te voorkomen dat ik de waarheid zeg. Je kunt koken. Je kunt knuffelen. En o god, wat kun jij zoenen. En je laat zelfs die lelijke Anna Lee-pakken er goed uitzien. Als je mijn man was, liet ik je nooit meer gaan.

Aan: Hannah.Fisher@hotmail.com
Van: F.Stevens@A&S-advocaten.eu
Datum: 01-03-2010, 15:17
Onderwerp: Re: Hoi

Dit ga ik eerst even aan Jackie forwarden...

Aan: F.Stevens@A&S-advocaten.eu
Van: Hannah.Fisher@hotmail.com
Datum: 01-03-2010, 15:18
Onderwerp: Re: Hoi

Haha... tenminste... het is een grapje toch? Vertel je haar dat soort dingen? Vertel je haar over mij?

Aan: F.Stevens@A&S-advocaten.eu
Van: Jackie.Stevens-Hofland@Don&Walters.nl
Datum: 01-03-2010, 15:24
Onderwerp: Sven!!

Ga je me nog antwoorden voor ik hysterisch op zoek moet naar noodoplossingen? Ik weet heus wel dat ik weer eens slecht gepland heb, zonder dat jij me nog eens onnodig laat creperen voor je me een antwoord stuurt. Ik zou ook liever op tijd naar huis gaan. Red je het nu of niet?

Aan: Hannah.Fisher@hotmail.com
Van: F.Stevens@A&S-advocaten.eu
Datum: 01-03-2010, 15:28
Onderwerp: Re: Hoi

Het is geen geheim, als je dat soms denkt. Maar ik strooi ook niet met details. We weten wat we moeten weten en verder is het heel gezond als we bepaalde dingen voor onszelf houden.

Aan: Jackie.Stevens-Hofland@Don&Walters.nl
Van: F.Stevens@A&S-advocaten.eu
Datum: 01-03-2010, 15:30
Onderwerp: Re: Sven!!

Natuurlijk red ik het, Jackie. Geen enkel probleem.

Aan: F.Stevens@A&S-advocaten.eu
Van: Jackie.Stevens-Hofland@Don&Walters.nl
Datum: 01-03-2010, 15:35
Onderwerp: Re: Sven!!

Is dit soms weer een slappe poging tot sarcasme?

Aan: Jackie.Stevens-Hofland@Don&Walters.nl
Van: F.Stevens@A&S-advocaten.eu
Datum: 01-03-2010, 15:38
Onderwerp: Re: Sven!!

Ik was gewoon even met iets anders bezig. Ik haal hem op. Geen punt. Maar als hij moe is, gooi ik hem in bed, of je nu klaar bent of niet. Dan zie je hem morgen maar.

Aan: F.Stevens@A&S-advocaten.eu
Van: Jackie.Stevens-Hofland@Don&Walters.nl
Datum: 01-03-2010, 15:40
Onderwerp: Re: Sven!!

Eens kijken hoe lang ik nog moet aanhoren dat je dit offer gebracht hebt.

Aan: F.Stevens@A&S-advocaten.eu
Van: Hannah.Fisher@hotmail.com
Datum: 01-03-2010, 15:40
Onderwerp: Re: Hoi

Ik weet niet of ik dat helemaal kan begrijpen.

Aan: Hannah.Fisher@hotmail.com
Van: F.Stevens@A&S-advocaten.eu
Datum: 01-03-2010, 15:42
Onderwerp: Re: Hoi

Hannah, ik heb zin om je weer te kussen.

Aan: F.Stevens@A&S-advocaten.eu
Van: Hannah.Fisher@hotmail.com
Datum: 01-03-2010, 15:43
Onderwerp: Re: Hoi

X

Aan: Jackie.Stevens-Hofland@Don&Walters.nl
Van: F.Stevens@A&S-advocaten.eu
Datum: 01-03-2010, 15:44
Onderwerp: Re: Sven!!

Aan: F.Stevens@A&S-advocaten.eu
Van: Jackie.Stevens-Hofland@Don&Walters.nl
Datum: 01-03-2010, 15:46
Onderwerp: Re: Sven!!

Waar slaat dit nu weer op?

Aan: Jackie.Stevens-Hofland@Don&Walters.nl
Van: F.Stevens@A&S-advocaten.eu
Datum: 01-03-2010, 15:48
Onderwerp: Re: Sven!!

Sorry, ik beantwoordde het verkeerde mailtje.

Aan: Hannah.Fisher@hotmail.com
Van: F.Stevens@A&S-advocaten.eu
Datum: 01-03-2010, 15:48
Onderwerp: Re: Hoi

HANNAH

Nou, dit is dus zwaar klote. Tijdens mijn eerste week als werkloze heb ik de geweldigste tekeningen gemaakt. Ik heb ook een mannelijke paspop gekocht. Ik heb alles in huis om een maatpak te creëren dat elke centimeter van het lichaam van Frank Stevens zal omhelzen en verheerlijken. Alleen wil niemand de stof aan me leveren. Ik ga geen rolletje op de markt halen. Ik moet en zal het beste van het beste hebben, dus bel ik mijn hele lijst met contactpersonen, maar zodra ik mijn naam noem, heeft iedereen het plots te druk of wordt er gewoon botweg opgehangen. Niet te geloven dat Anna Lee in de week voor de show haar tijd, of in ieder geval die van haar nieuwe PA, verspeelt aan het instrueren van contacten om mij niet te woord te staan. Ik kan het dus echt wel vergeten ooit nog in de modebranche te werken. Ze zwijgen me allemaal dood. Ik laat nog een paar berichten achter, maar verwacht er weinig van. Zelfs mijn mannetje in het atelier in Italië waar veel van onze maatpakken vandaan komen, heeft me niet te woord gestaan en met hem had ik altijd zulke leuke gesprekken. Ik weet alles over zijn kleinkinderen. Ik denk dat ik iets anders moet verzinnen, maar wat?

Ik loop naar een coupeusezaakje in de binnenstad, waar ik graag kom om voor stoffen te winkelen, maar hoewel ik voor mezelf al binnen tien minuten geslaagd ben, kan ik niets vinden dat ook maar kan tippen aan de materialen waar ik bij Anna Lee de beschikking over had. Ik wil niet iets leuks voor Frank maken. Ik wil iets geweldigs maken. Couture. Kwaliteit. Onderweg naar het eettentje waar ik met hem afgesproken heb – puur om mijn zaak te bespreken – loop ik nog even langs de kiosk om een *Elle* te kopen waarin het interview staat dat ik twee maanden geleden geregisseerd heb.

Ik ben eerder op de afgesproken plek dan hij en tijdens het

wachten blader ik het tijdschrift door tot ik een levensgrote foto zie van Anna Lee in haar eigen atelier, als een soort militaire drilmeester, met op de achtergrond haar legertje soldaten. Zo zien ze er echt uit in de door mij ontworpen kostuums. Allen keurig in het gelid, niemand die eruit springt, alsof ze er alleen zijn neergezet voor deze foto. Opeens dringt het tot me door dat een ontwerp van mijn hand in de *Elle* staat. Niemand zal het ooit weten. Ik kan mijn droom nu echt vergeten en dat terwijl hij zojuist voor een fractie is uitgekomen.

Ik voel me even heel treurig worden, maar op dat moment zie ik Frank aan de overkant van de straat lopen, klaar om over te steken en hij ziet er zo knap uit dat ik me onmogelijk rot kan voelen. Ik heb hem al van top tot teen in me opgenomen als hij binnenkomt, zijn haar zit ongelooflijk goed en die jeans staat hem fantastisch. Hij heeft ook eigenlijk helemaal niets nodig om er lekker uit te zien. Ik kan de lelijkste rol polyester kopen die ik kan vinden en dan nog zorgt hij ervoor dat het klasse uitstraalt.

Ik sta op en als ik hem zie lachen, kan ik niet anders dan teruglachen. Hij komt naar me toe en ik neem me voor hem niet te zoenen. Dat kan gewoon niet zo in het openbaar. Als hij zich naar me toe buigt, besluit ik dat een kusje op de wang wel kan, om daarna volledig te vergeten mijn gezicht ook maar een millimeter te draaien en hem vol op de mond te kussen. Een seconde, twee seconden, nu gaat het te lang duren. Veel te lang. Zijn hand bevoelt mijn heup en ik maak me van hem los. Duizelig, slap, vloeibaar vanbinnen.

Hij glimlacht nog steeds naar me en gaat tegenover me zitten. Hij kijkt naar me alsof hij heel erg blij is me te zien. Alsof ik het lichtpuntje van zijn dag ben. Hij kijkt dus naar me zoals ik naar hem kijk. 'Hoi,' zeg ik terwijl ik mijn hand over die van hem leg. Hij heeft de mouwen van zijn overhemd een beetje opgerold en ik word gek van de donkere haartjes op zijn armen. Ik kan me niet beheersen, ik moet hem aanraken. Het liefst zou ik hem mee naar huis slepen.

'Een week zonder Anna Lee doet je goed,' zegt hij, 'of was je altijd al zo mooi?'

'Waarschijnlijk wel,' zeg ik stoer, maar ik voel dat ik begin te blozen. 'Jij laat die spijkerbroek ook behoorlijk goed uitkomen.

Hebben jullie casual friday?' Ik aai in de richting van zijn pols, net zo lang tot ik die zachte haartjes tegen mijn handpalm voel.

Het blozen heeft inmiddels zijn volle hevigheid bereikt en nu hoef ik alleen nog te wachten tot het weer wegtrekt.

'Het is Svens vrijdag,' antwoordt hij. 'Ik heb hem even naar mijn zus gebracht.'

'Heb je een zus?' vraag ik alsof dat echt heel groot nieuws is. Ik honger naar hem en alles wat er over hem te weten valt.

Hij knikt en draait zijn arm zodat hij mijn hand in de zijne kan nemen. 'Een oudere zus, een ontzettend bazig kreng bij wie ik nooit op de kamer mocht komen en die me overal de schuld van gaf als mijn ouders ergens kwaad over waren. Ze betaalt haar schuld nu af door gratis te babysitten.'

'Goede deal.'

'Nou ja...' Hij brengt mijn hand naar zijn lippen en kust mijn vingers. 'Zolang ik geen leuke nanny heb gevonden...'

Ik trek verlegen mijn hand terug.

'Het is maar dat je weet dat het aanbod nog geldig is,' zegt hij. Dan pakt hij een lederen schrijfmap die hij meegenomen heeft. 'En over aanbiedingen gesproken: ik heb ook een eerste bod van Anna Lee. Het is bij lange na niet genoeg, maar het is een begin.' Hij schuift een brief naar me toe.

'Heb je haar in hoogsteigen persoon gesproken?' vraag ik verbaasd als ik de eerste regels lees.

'Ja. Harde tante.'

'Klotewijf...' mompel ik terwijl ik verder lees. Dan kijk ik weer op. 'Heeft ze het je moeilijk gemaakt?'

'Zij is misschien hard, maar ik ben harder.'

'Jij bent harder,' herhaal ik.

Er verschijnt een ondeugende grijns op zijn gezicht. 'Keihard.'

Ik voel zijn knie onder tafel weer tegen die van mij. Ik schuif met mijn been langzaam tegen het zijne en hij pakt mijn hand weer vast. 'Wanneer mag ik je nou eens echt mee uit nemen?'

'Dat weet ik niet,' antwoord ik terwijl ik met mijn enkel langs de zijne beweeg. Ik houd mijn blik nu weer strak op de papieren voor me gericht. 'Misschien is het principe van uitgaan niet zo handig in ons geval.'

'Ik vind het ook prima om thuis te blijven.' Hij kust nu de rug van mijn hand en dat doet hij zo zinnenprikkelend dat ik bedenk

231

dat hij een paar eeuwen geleden had moeten leven om het uiterste uit dat talent te halen. 'Misschien vind ik dat zelfs beter.'

'Twintigduizend?' roep ik als ik plotseling het bedrag zie staan. 'Biedt ze twintigduizend?'

'Het is een eerste bod, hè,' zegt hij. Hij legt mijn hand weer neer en hij streelt met zijn wijsvinger langs de vingers van mijn hand. Heen en terug, dan naar de volgende en weer heen en terug. 'Ik krijg nog wel meer los.'

'Nog meer?'

'Tuurlijk. Hannah, ze trekt de stekker uit je carrière zonder enige aanleiding en dat wil ze buiten de rechtszaal afhandelen. Dat gaat haar wat kosten.'

'Ze heeft alle relaties opgedragen me te negeren,' zeg ik. 'Ik kan geen van mijn contacten nog gebruiken. Sommigen zeggen recht in mijn gezicht dat ze van Anna Lee niet meer met me mogen praten. Anderen bedenken smoesjes. Het is in ieder geval duidelijk dat ik nooit meer aan de slag kom in deze branche.'

'Dat staat ook op mijn eisenlijst. Een positief getuigschrift. En als ze doorgaat met die lastercampagne, zorg ik ervoor dat dat bedrag op vijf nullen uit gaat komen.'

'Dat doet ze nooit.'

'Neem maar van mij aan dat ze graag negatieve publiciteit vermijdt.'

'Vandaag is de show,' zeg ik. 'De presentatie van de nieuwe collectie. Het gaat gewoon door zonder mij. Ik vind het zo raar om er niet bij te zijn. We hebben er zo hard voor gewerkt.' Ik laat hem het artikel in het tijdschrift zien. 'Hier was ik mee bezig toen ik Sven moest ophalen.'

'Toen je hem ontvoerde, bedoel je,' zegt hij met enige zelfspot. Hij neemt het blad van me aan. 'Je mist het toch een beetje, hè? Die rotbaan.'

'Ik haat het dat het nu allemaal voor niets geweest is. Al kan ik nu wel zeggen dat mijn creaties in de *Elle* hebben gestaan. Niemand zal me geloven, maar...'

'Staan er ontwerpen van jou in?' vraagt hij supergeïnteresseerd. 'Welke dan? Welke zijn van jou?'

Ik buig me iets voorover. Even staart hij naar mijn borsten in plaats van naar het tijdschrift, maar als ik de bladzijden omsla, is hij weer een en al aandacht. 'Dit. Wat zij allemaal dragen, heb ik ontworpen. Het personeel mocht geen eigen kleding aan tijdens de shoot. Anna Lee wilde een uniforme uitstraling. Niets mocht uit de toon vallen. Er moest een samenhangende collectie gemaakt worden, zonder dat iedereen hetzelfde zou dragen. Het moest lijken alsof iedereen het los van elkaar uit zijn eigen kledingkast geplukt had, maar tegelijkertijd moest het volledig afgestemd zijn. Ik ben toen zelf aan de opdracht begonnen, in mijn eigen tijd.'

'Wat goed van je. Dit is echt fantastisch, Hannah, dat je dat zo maar kunt... Je hebt er toch wel goed voor betaald gekregen? Waarom staat je naam er niet bij?'

'Ze wist het niet. Ze dacht dat het gewoon ergens van de ontwerptafels kwam. Ze heeft er nooit naar gevraagd.'

Hij leunt achterover met een diepe frons. 'Je hebt er niets voor gekregen? Geen cent?' Hij snapt duidelijk niet hoe ik zo stom heb kunnen zijn. Opeens breekt er een glimlach door. 'Ze heeft ze dus gestolen.'

'Wat? Nee... ik heb ze gegeven. Ik heb ze zomaar weggegeven.'

'Dat mag ze dan eerst bewijzen. Ik wil wel eens zien waar jij je rechten weggetekend hebt. Ze heeft ze gestolen, Hannah. Je hebt ze een keer mee naar je werk genomen en op een onbewaakt ogenblik heeft ze jouw ontwerpen gekopieerd en voor eigen doeleinden gebruikt. Heb je de tekeningen nog?'

'Ja. Maar ik... dan liegen we.'

'We moeten alleen zien te bewijzen dat jij de tekeningen gemaakt hebt voor ze door Anna Lee in productie genomen zijn. Daar moet ik even iets op bedenken.'

'Ze zijn geregistreerd,' antwoord ik, waarop hij meteen weer naar voren schiet.

'Je hebt ze geregistreerd?'

'Bij de Belastingdienst. Dat doe ik regelmatig. Ik heb ze eind vorig jaar met een stapel andere ontwerpen laten inschrijven.'

'Hannah! Meen je dat echt?'

Ik knik en voel me een beetje als een kleuter die tien stempels verzameld heeft en nu een plaatje mag uitzoeken bij de meester.

'Je bent een ster! En ik was al gek op je, maar nu...' Hij staat op, neemt mijn gezicht tussen zijn handen en drukt een kus op mijn lippen. 'Nu hou ik van je,' maakt hij zijn zin af.

'Ga zitten, de mensen staren naar ons.'
'Nou en?' zegt hij, maar hij doet wel wat ik zeg. 'Hannah, realiseer je je wel dat je er zojuist voor hebt gezorgd dat die vijf nullen binnen zijn?'
'Maar ze heeft ze niet gejat. Ik heb ze gegeven. Het is mijn
eigen stomme schuld.'
'Het gaat niet om hoe het echt zit, Hannah. Het gaat om wat
we kunnen bewijzen en ik maak haar zo bang dat ze zonder
morren tegemoet zal komen aan elk geldbedrag dat ik bedenk.
Het enige wat jij nu moet doen, is uitrekenen hoeveel je precies
nodig denkt te hebben om die studie te betalen en je eigen lijn
op te zetten. En niet bescheiden zijn. We praten over tonnen nu.
We hebben haar. We plukken haar helemaal kaal.'

Aan: Hannah.Fisher@hotmail.com
Van: F.Stevens@A&S-advocaten.eu
Datum: 08-03-2010, 14:27
Onderwerp: Anna Lee in de tang

Hannahtje,
Het is een mooie dag vandaag. Ik heb de advocaat van Anna Lee
gesproken om te vertellen dat ik hartelijk heb gelachen om zijn
eerste voorstel. Hij zegt dat hij niet begrijpt waar ik de arrogantie
vandaan haal, maar daar komt hij vanzelf achter. Ik laat ze nog even
in spanning tot aanstaande donderdag. Dan heb ik een afspraak
gepland. En ik heb gezegd dat hij best al een beetje zenuwachtig
mag worden.
Hoe is het verder met je? Al gewend aan een leven zonder Anna
Lee?
X
Frank

Aan: F.Stevens@A&S-advocaten.eu
Van: Hannah.Fisher@hotmail.com
Datum: 08-03-2010, 18:34
Onderwerp: Re: Anna Lee in de tang

Hallo meneer de hotshot-advocaat,
Volgens mij heb je alle touwtjes strak in handen (en hoe lekker vind

je dat? Dit is echt jouw spel, nietwaar?). Met mij gaat alles goed. Ik was vandaag bij Deb en ik heb informatie opgevraagd voor de deeltijd modeopleiding. Ik geloof zelf bijna niet dat ik er ook maar aan denk om het nog eens te proberen. Wat als ik nu niet goed genoeg ben? En wat als ik dankzij Anna Lee echt nooit meer ergens aan de bak kom? Maar verder gaat dus alles goed. Zeker omdat jij vol vertrouwen bent. Ik neem aan dat je weet waar je over praat. Ben blij dat je aan mijn kant staat.
Kusjes,
Hannah

Aan: Hannah.Fisher@hotmail.com
Van: F.Stevens@A&S-advocaten.eu
Datum: 09-03-2010, 10:30
Onderwerp: Vind je ook...

... dat er steeds veel te veel tijd zit tussen de keren dat wij elkaar zien?

Aan: F.Stevens@A&S-advocaten.eu
Van: Hannah.Fisher@hotmail.com
Datum: 09-03-2010, 11:15
Onderwerp: Ik denk...

... dat er echt problemen van komen als wij elkaar nog vaker gaan zien.

Aan: Hannah.Fisher@hotmail.com
Van: F.Stevens@A&S-advocaten.eu
Datum: 09-03-2010, 12:17
Onderwerp: Re: Ik denk...

... aan niets anders dan aan hoe jij zoent (en aan hoe ik je rijk kan maken, natuurlijk ;)).

Aan: F.Stevens@A&S-advocaten.eu
Van: Hannah.Fisher@hotmail.com
Datum: 09-03-2010, 13:25
Onderwerp: Re: Ik denk...

… soms ook wel eens op die manier aan jou.

Aan: Hannah.Fisher@hotmail.com
Van: F.Stevens@A&S-advocaten.eu
Datum: 09-03-2010, 13:34
Onderwerp: Re: Ik denk…

… dat ik helemaal gek word als je zo 'hard to get' blijft spelen.

Aan: F.Stevens@A&S-advocaten.eu
Van: Hannah.Fisher@hotmail.com
Datum: 09-03-2010, 14:42
Onderwerp: Re: Ik denk…

… dat je heel goed weet dat dit niet 'hard to get'-spelen is.

Aan: Hannah.Fisher@hotmail.com
Van: F.Stevens@A&S-advocaten.eu
Datum: 09-03-2010, 15:12
Onderwerp: Re: Ik denk…

… dat ik binnenkort gewoon voor je deur sta en dat je dan niets meer in te brengen hebt.

Aan: F.Stevens@A&S-advocaten.eu
Van: Hannah.Fisher@hotmail.com
Datum: 09-03-2010, 15:22
Onderwerp: Re: Ik denk…

… dat als jij per se problemen wilt, je ze kunt krijgen.

Aan: Hannah.Fisher@hotmail.com
Van: F.Stevens@A&S-advocaten.eu
Datum: 09-03-2010, 16:24
Onderwerp: Re: Ik denk…

… dat ik daar helemaal geen probleem mee heb.

Aan: F.Stevens@A&S-advocaten.eu
Van: Hannah.Fisher@hotmail.com
Datum: 09-03-2010, 16:32
Onderwerp: Re: Ik denk...

... dat jij je eerst maar eens moet concentreren op die afspraak donderdag. Straks ben je helemaal uit vorm.

Aan: Hannah.Fisher@hotmail.com
Van: F.Stevens@A&S-advocaten.eu
Datum: 09-03-2010, 16:45
Onderwerp: Re: Ik denk...

... dat je je daar echt niet druk om hoeft te maken. Ik weet precies wat ik doe.

Aan: Hannah.Fisher@hotmail.com
Van: F.Stevens@A&S-advocaten.eu
Datum: 11-03-2010, 16:01
Onderwerp: Shock & Awe

Hannah,
Ik moet toegeven dat die kerel een goede pokerface heeft. Hij gaf geen krimp, maar ik durf te wedden dat het gebouw van Anna Lee nu op zijn grondvesten staat te schudden. Ik ben zo vrij geweest zelf een eisenpakketje neer te leggen. Met die magere biedingen van haar schiet je toch niets op. En als ze niet happen, zie ik ze in de rechtszaal. Mocht ze nu contact met jou opnemen, Hannah, ga dan niet met haar in gesprek. Ze heeft mijn nummer, dus ze heeft niets bij jou te zoeken. Het kan heel goed dat ze nu gaat proberen een dealtje met je te sluiten. Niet doen, want we hebben hier de overhand. Oké. Dat was het dan weer. Had ik al gezegd dat ik je wil zien?
Frank

Aan: F.Stevens@A&S-advocaten.eu
Van: Hannah.Fisher@hotmail.com
Datum: 12-03-2010, 09:30
Onderwerp: Je bent de beste!

Frank! Ze staat op mijn voicemail en ze klinkt als een echt mens! Ze zegt dat ze nog eens wil praten over hoe we uit elkaar gegaan zijn. Denkt ze dat ik gek ben? Volgens mij is ze doodsbang voor je. Ik ga vanavond uit met mijn vriendinnen. Het is maar dat je het weet.

Aan: Hannah.Fisher@hotmail.com
Van: F.Stevens@A&S-advocaten.eu
Datum: 12-03-2010, 10:51
Onderwerp: Re: Je bent de beste!

Hannah,
Ik heb haar nu zelf gesproken en haar een paar data voorgelegd. Als ze graag met jou wil spreken, kan dat prima bij mij op kantoor. Ze komt er nog op terug. Ze wil er natuurlijk liever met jou zelf uitkomen, maar ik heb haar duidelijk gemaakt dat dat er nu niet meer in zit.
En Hannah, ik heb het je nu zeker vijfentwintig keer gevraagd. Ik waarschuw je alvast, dat ik er nog hoogstens vijfentwintig nieuwe pogingen tegenaan gooi, voor ik ermee stop! Het einde komt in zicht!

Aan: F.Stevens@A&S-advocaten.eu
Van: Hannah.Fisher@hotmail.com
Datum: 12-03-2010, 11:41
Onderwerp: Re: Je bent de beste!

Sukkel! Dat was een hint. La Sala. 22.00 uur. Ik. Wil. Jou. Ook. Zien. Nu duidelijk?

Ik weet niet zeker of hij komt, vanavond, maar voor de zekerheid heb ik er ongelooflijk veel tijd in gestoken om mezelf op te tutten. Ik ben rond drie uur vanmiddag al begonnen met een lang, warm bad en pas rond acht uur was ik echt klaar. Maar dat kwam ook omdat ik per se de broek aan wilde die ik gemaakt heb van mijn nieuwe stof. Hij is zwart en van glad, glimmend materiaal, waardoor het eruitziet als leer of latex. Ik heb hem zo strak op mijn lichaam gesneden als maar mogelijk was, zonder er een legging van te maken. Nog iets strakker en ik had hem van mijn lijf moeten knippen. Ik ga hem natuurlijk niet zo dragen. Dat is ordinair. Ik heb een tuniekje van een heel zacht, aaibaar stofje. Donkerblauw, met kleine knoopjes aan de zijkant en een ronde hals. Het is heel lieflijk, dus er mag wel iets heftigs met de rest van mijn outfit gebeuren. Daar heb ik ook mijn stiletto's voor, natuurlijk. Om kwart voor negen ga ik naar boven om Micky op te pikken.

Debbie en Jessica zitten al aan ons vaste tafeltje aan de balustrade bij de dansvloer. Er staan al drankjes voor ons klaar: tequila sunrise dit keer, en na een babbelrondje van een kwartier waarin iedereen vertelt hoe het gaat, kijkt Debbie van Jess naar Mick. 'Zullen we haar vertellen waarom we hier zijn?'

Opeens lijkt er sprake te zijn van een complot waar iedereen in zit, behalve ik. 'Is er iets speciaals aan de hand?' Ik kijk mijn vriendinnen een voor een aan. Ze zitten allemaal geheimzinnig te glimlachen en er komt een grote tas op tafel. Deb geeft de andere twee meiden een feesthoedje en zo'n kinderachtig uitroltoetertje.

'We zijn hier voor je verjaardag!' roept Jess enthousiast en ze fluiten alle drie tegelijk op de schelle toeters.

'Meiden... ik ben niet jarig.'

Ze kijken alsof ze nu heel erg in de war zijn, maar dan begint Micky te lachen. 'Dat weten we toch, domoor! Dit is je nogsteeds-geen-dertig feestje. Aangezien we heus wel weten dat je hem over twee weken naar je ouders smeert om onder ons uit te komen, hebben we dit bedacht om het te vieren. Nu je nog steeds twintiger bent. Nog twee weken lang. Wat betekent dat je van ons een vrijbrief krijgt om de komende weken voor het laatst allerlei onbezonnen dingen te doen die als dertiger echt niet meer door de beugel kunnen.'

'Ik heb nog *nooit* dingen gedaan die als dertiger niet door de beugel kunnen. Ik ben een heel verantwoordelijk meisje.'

Debbie staat op en buigt over tafel om een feesthoedje op mijn hoofd te planten. 'We hebben een aantal dingen voor je bedacht.'

'Anna Lee de waarheid zeggen,' vult Jessica aan. 'Maar dat heb je dus al uit jezelf gedaan.'

'Leren broeken dragen,' zegt Micky, 'goh, kijk nou eens wat je aanhebt.'

'Je haar sletterig blond verven. O. Die hebben we ook al,' gaat Debbie verder.

'Hé!' roep ik quasi verontwaardigd. 'Een beetje dimmen, graag, dames. Als dit mijn feestje is, mag het wel iets aardiger.'

'Oké. Cadeautjes dan maar.' Deb haalt een heleboel pakjes uit de tas die ze een voor een op tafel zet. 'Leef je uit!'

'Dus er is volgens jullie eigenlijk helemaal niets dat ik nog kan doen in die twee weken voor ik dertig word?' vraag ik, terwijl ik een mok met 'the big three-o' erop uitpak.

'Je kunt natuurlijk altijd nog een keertje hartstikke dronken worden met je vriendinnen,' antwoordt Jess.

'En dan een lekkere kerel uitzoeken puur voor de seks,' zegt Micky.

Debbie duwt een nieuw pakje naar voren. 'Maar mocht je nu niet zo snel een geschikte kandidaat treffen, dan komt dit misschien van pas.'

'Nou ja!' roep ik vol verbazing terwijl ik een doos met daarin een enorme vibrator van het cadeaupapier ontdoe. 'Waar zien jullie me voor aan? Jullie zijn echt te erg. Dit kan echt niet in een openbare gelegenheid en ik durf de rest ook niet meer open te maken.' Ik wil de doos in de tas terugstoppen, maar Jessica onderschept hem en begint het geval uit te pakken. Daarna zet ze hem midden op tafel. 'Jess! Moet je iedereen zien kijken!'

'Nou en? Je wordt maar één keer dertig.'

'Wacht,' zegt Micky, 'we zetten hem ook een hoedje op.'

Debbie geeft haar een nieuw feesthoedje en ze giert het uit als Micky het schuin op het apparaat plaatst, zodat het nog steeds zichtbaar is. 'Pak nou verder uit.'

Ik doe wat ze zegt en krijg een rol wc-papier met dertig erop, een boekje met wijsheden voor dertigers, een oorkonde voor meest sexy dertiger en allerlei andere onzin. Daarna krijg ik ook nog een grote button op mijn mooie tuniekje gespeld met de gevreesde cijfers levensgroot erop. Gelukkig is iemand zo vrij geweest om er met watervaste stift 'nog steeds geen' boven te schrijven. 'Nou, jongens, dat hadden jullie niet hoeven doen. En dat meen ik echt,' zeg ik als ik klaar ben. Ze hebben een klein fortuin aan die rommel uitgegeven.

'We hebben nog één cadeautje,' zegt Debbie, die duidelijk een groot deel van de organisatie van dit feestje op zich genomen heeft. Er komt een mooi ingepakt plat doosje op tafel. Ik herken het papier onmiddellijk als dat van een hip sieradenzaakje waar we graag onze ogen uitkijken. Helaas zijn de sieraden daar schreeuwend duur. Allemaal limited edition en van de duurste materialen.

Ik sla mijn hand voor mijn mond. 'Dat hebben jullie toch niet echt gedaan, hè?'

'Maak nou maar open,' zegt Micky. 'We hebben maar één Hannah.'

Ik maak het papier heel voorzichtig los en schuif dan langs één kant het doosje eruit. Er zit een mooi lint omheen, dat ik ook netjes losmaak. Als ik het dekseltje optil, zie ik de armband liggen waar ik een paar weken geleden met Debbie naar gekeken heb. Hij is gemaakt van zilver, witgoud en titanium en afgezet met allerlei steentjes en bedeltjes. Ik was er helemaal verliefd op, maar viel steil achterover van de prijs. 'Meisjes toch, dit is echt veel te veel!'

'Stil!' zegt Debbie streng.

Jessica pakt de armband van het kussentje om hem bij me aan te doen. 'Als het goed is, moet hij ook al op maat zijn.'

'Maar dit is echt een veel te groot cadeau,' zeg ik, bijna met tranen in mijn ogen, zo mooi vind ik het.

'Ik heb toch vorig jaar ook een pennenset van Mont Blanc van jullie gekregen?' antwoordt Jess.

'En ik die stedentrip naar Wenen met Tom, inclusief opera-arrangement,' zegt Debbie.

'O! Ik ben zo benieuwd wat ik straks krijg,' jubelt Mick. 'Ik zag laatst een heel leuke Smart, helemaal in chocoladebruin. Of ga ik nu te ver?'

Ik geef haar een dikke kus en daarna Jess en Deb. 'Dankjewel! Dankjewel! Dankjewel! Ik ben echt helemaal verguld met dit cadeau.'

'Mooi!' roept Mick. 'Dan gaan we nu vieren dat je nog steeds geen dertig bent!'

Na een nieuw rondje cocktails gaan we met z'n allen de dansvloer op. Micky is bang dat de turbo Tarzan gestolen wordt en neemt het ding gewoon mee, wat er echt niet uitziet en waarmee ze natuurlijk vrááagt om vulgaire opmerkingen. Maar ja. Als iemand daarmee om weet te gaan, is zij het wel. Uiteindelijk is

Debbie zo slim om het ding in de tas terug te stoppen en deze door een ober achter de bar te laten stallen.

Na een halfuurtje ben ik aan verkoeling toe. Ik loop de dansvloer af om een bezoekje aan de bar te brengen en dan zie ik hem. Frank staat naar me te kijken vanaf de hoek van de bar en hij geeft me een knikje ter begroeting als hij ziet dat ik hem gezien heb.

'Nog steeds geen dertig,' leest hij van mijn linkerborst als ik voor hem sta.

Ik besef opeens dat ik het feesthoedje nog op mijn hoofd heb en zet het af. 'Tja, het blijkt een soort verrassingsfeestje te zijn, vanavond.'

'Ben je vandaag jarig? Ik heb namelijk geen cadeautje voor je.'

'Ik heb nog precies twee weken voor ik officieel oud ben. Het is niet echt logisch misschien, maar we vieren dus eigenlijk dat ik nog niet jarig ben.'

'Aha.' Zijn blik glijdt langs mijn lichaam naar beneden en weer terug.

'Ben je al lang binnen?' vraag ik. 'Ik had je niet gezien.'

'Net pas. Hij is nog bezig iets te drinken te bestellen.' Hij knikt naar een man een halve meter verderop. 'Wat drink jij vanavond?'

'Ik ging net een tequila sunrise bestellen.'

'En je vriendinnen?'

'Ga je ons allemaal trakteren?'

Hij haalt zijn schouders op. 'Dat kan gemakkelijk van het honorarium dat ik je reken als je van Anna Lee gewonnen hebt.'

'Allemaal hetzelfde,' antwoord ik en hij geeft het door aan zijn vriend, die mij vervolgens ook van top tot teen bekijkt en me dan een schuin glimlachje toewerpt. 'Heb je... heb je nog iets van Anna Lee gehoord?' vraag ik Frank.

'Niet sinds mijn laatste mail. Maar ik spreek volgende week een datum met haar af. Je maakt je toch geen zorgen?'

Ik schud mijn hoofd. 'Ik vertrouw op jou.'

'Mooi zo.' Hij glimlacht, krijgt een cocktail van de andere man en geeft die door aan mij. 'Je kent Roy nog niet, denk ik. We werken samen. Maar daarvoor waren we al eeuwenlang bevriend.'

'Ik heb zijn hachje gered toen hij als brugklassertje in elkaar geslagen werd,' legt Roy uit terwijl hij erbij komt staan en Frank zijn tequilabiertje aangeeft.

'En nu red ik zijn hachje, elke keer als hij een zitting voorbereidt,' kopt Frank in. 'Dit is dus Hannah...'

'Aah, de beroemde Hannah,' zegt Roy en hij kijkt naar me alsof hij dingen van me weet die het daglicht niet kunnen verdragen. 'Moeten we je vriendinnen niet even waarschuwen dat hier karrenvrachten cocktails voor hen klaarstaan?'

Ik draai me om en zie hoe Micky de dansvloer onveilig maakt met een Cubaans type. Hij slingert haar heen en weer alsof het geen enkele moeite kost. 'Ik denk niet dat zij voorlopig aanspreekbaar is. Weet je nog wat ik gezegd heb over mannen die kunnen salsadansen? Zij heeft er nu een gevonden.'

'Eigenlijk zit hij niet helemaal in het ritme,' grapt Frank.

Ik moet lachen. 'Volgens mij is er niets mis met dat ritme. Helaas zit dat er alleen bij zuidelijke types zo van nature in.'

'Weet je dat zeker?' vraagt hij. 'Want daar zou je je nog best eens in kunnen vergissen.' Het is net alsof hij het echt meent. Misschien maakt hij toch geen grapje.

Ondertussen komen Jess en Debbie deze kant op. Terwijl ik iedereen aan elkaar voorstel: 'Frank, dit zijn Jessica en Debbie, mijn vriendinnen. Dit is dus Frank en dat is zijn collega Roy,' deelt Frank de drankjes uit. 'Je moet je niet aangesproken voelen, hoor,' ga ik daarna verder in op het onderwerp waar we het voor deze onderbreking over hadden. 'Het zit gewoon niet in jullie genen. Je kunt er niets aan doen dat je geboren wordt als stijve hark.'

'Hé, ik ken jou!' roept Jessica plots. Frank lijkt te verbouwereerd te zijn door mijn opmerking om aandacht aan haar te schenken.

Roy doet dat wel. 'Ik ken jou zeker.'

Micky laat haar zuidelijk danstalent plotsklaps in de steek en komt onze kant op. Frank neemt mijn drankje uit mijn hand en zet het naast het zijne op de bar. Hij pakt mijn hand vast en kijkt me aan. Er gaat een schokje door me heen. 'Kom jij maar eens mee,' zegt hij.

Hij neemt me mee de dansvloer op. Hij is geen type dat voorzichtig aan de kant gaat staan. Hij manoeuvreert zich tussen de mensen door en verovert een plekje in het midden, waar hij me tegen zich aantrekt en langzaam zijn vingers door de mijne sluit. Zijn ogen boren zich in de mijne en hij begint langzaam te bewegen zonder zijn blik van me af te wenden. Dit is niet bepaald de reguliere danshouding. Ik word er een beetje giechelig van en wil hem net vragen of dit alles is wat hij kan, maar dan komen zijn heupen echt in actie en hij kan het verdorie echt. Niet op de manier van: ik heb wel eens een workshop van een uur gevolgd tijdens een personeelsfeest, maar écht. Met gevoel. Ik laat me door hem leiden, naar links en weer terug naar het midden, dan naar rechts en weer terug. Hij volgt geen vastomlijnde routine, maar toch lijk ik zijn lichaamstaal te begrijpen en ben ik in staat hem te volgen bij alles wat hij doet. Heen en weer, schuin, naar voren en naar achter, elke draai, elke stap lijkt een logisch vervolg op de vorige. Zijn hand op mijn middel stuurt me aan als het nodig is en hij zwiert me in elke richting die hij op wil. Trekt me naar zich toe als ik weer van hem af beweeg, steeds opnieuw, tot ik me helemaal niet meer van hem af *wil* bewegen. Ik doe het toch vanwege de beloning die erop volgt: weer naar hem toe stappen. Deze dans is gemaakt voor hem en mij. Aantrekken, afstoten, keer op keer, onophoudelijk, tot ik bijna ontplof. Ik snak ernaar in zijn armen te blijven, ik wil niet naar achteren als hij naar voren stapt, ik wil blijven staan en me laten vangen. Tegelijk wil ik eeuwenlang met hem blijven dansen.

Het nummer is bijna afgelopen en de uptempo-tonen gaan langzaam over in een rustig, zwoel ritme. Er gaan lichten uit en ik herken de intro van een van mijn lievelingsnummers die ik hier in La Sala heb ontdekt. 'Ik vind dit een geweldig nummer,' zeg ik.

'Ik ook vanaf nu,' antwoordt hij. Hij komt in mijn dansruimte. Ik voel zijn knie tussen mijn benen, terwijl we dezelfde pasjes doen als zo-even. Alleen vele malen trager. Hij draait me een halve slag, zodat ik met mijn rug tegen hem aan uitkom, met zijn armen om me heen. Daarna weer terug en weer opnieuw, zodat ik steeds heel eventjes, in zijn sterke arm genesteld, heel dicht tegen hem aan dans. Zijn heerlijke geur van citrus en muskus om me heen ruik. Zijn sensuele heupbewegingen tegen me aan voel. In het donker. Alsof wij hier de enige twee mensen zijn.

Hoewel ik hem de leiding geef, ben ik zelf bepaald geen lijdend voorwerp. Ik dans dezelfde bewegingen tegen hem aan.

Kijk net zo broeierig naar hem als hij naar mij, elke keer dat onze blikken elkaar kruisen bij een draai. Ik voel zijn vingers om de mijne en hij brengt langzaam mijn handen omhoog, boven mijn hoofd. Ik blijf tegen hem aan kronkelen en zijn handen glijden langs mijn polsen, mijn onderarmen, mijn ellebogen, mijn bovenarmen, gestaag naar beneden, langs de zijkanten van mijn lichaam, waarna ze mijn middel omvatten en op mijn buik belanden. Ik voel ze zachtjes terug omhoogglijden, alsof hij voor mijn borsten gaat, maar hij laat ze tegen de onderkant van mijn ribben liggen. Zijn adem strijkt langs mijn nek en – als ik mijn gezicht wat naar hem toe draai – langs mijn wang. Ik vergeet bijna mijn rol in deze dans, maar ik kom net op tijd bij zinnen. Ik leg mijn handen over de zijne, draai weer van hem weg en hij volgt mij. Ik lijk wel in brand te staan. Van binnenuit. Zijn ogen die bij me binnendringen, wakkeren het vuurtje alleen maar aan. Hij brengt mijn handen naar zijn nek en ik laat ze langs zijn borstkas weer naar beneden glijden. Hij pakt mijn middel vast en buigt zich naar me toe, zijn voorhoofd is vlak bij het mijne. Hij glimlacht naar me en mijn maag maakt trampolinesprongen. De adrenaline giert door mijn lijf. Ik heb kippenvel, en heb het bloedheet tegelijkertijd. En ik weet dat ik nooit meer naar 'Te Extraño' van Xtreme kan luisteren, zonder aan hem te denken en spontaan opgewonden te raken.

'Ken je dit nummer?' vraag ik. Hij is zo dichtbij dat mijn lippen bijna de zijne raken als ik praat.

'Nee, maar wat hij zingt is wel toepasselijk...'

'Ik versta geen Spaans...'

Zijn hand glijdt langs mijn rug omhoog en zijn vingers spelen met mijn haar. 'Hij wil haar... heel erg... maar hij denkt dat zij zijn gevoelens niet beantwoordt.'

'Ik weet zeker,' fluister ik bij zijn oor, 'dat zij hem ook wil.'

'Weet je dat echt heel zeker?'

Ik laat mijn handen langs zijn armen naar zijn nek glijden. 'Als ze daar onduidelijk over is, dan is dat alleen omdat ze bang is dat ze niet in de hand heeft wat er gebeurt als ze eraan toegeeft.'

Zijn vingers grijpen zich vast in mijn haar en hij trekt me naar zich toe. 'Niet bang zijn.'

Het principe van salsa is nu definitief aan de kant gezet. De enige beweging die we nog uitoefenen is naar elkaar toe. Ik begraaf mijn gezicht in zijn hals en ik kus zacht de contouren van zijn kaaklijn. Het mag niet. Ik mag dit niet doen. Maar ik kan het onmogelijk *niet* doen, want alles wat ik ben, geeft me in dat hij het is. Waarom zou ik dit voelen als hij niet voor mij bestemd is? Het kan niet verkeerd zijn, maar als het dat wel is, dan heb ik nog één onbezonnen actie tegoed voor ik dertig word. Hij is mijn onbezonnen actie. Ik heb er recht op.

'Je moet terug naar je vriendinnen,' zegt hij als de laatste tonen van 'Te Extraño' klinken. Met een laatste draai leidt hij me de dansvloer af. Ik zie Debbie weer aan de tafel zitten waar we de avond begonnen zijn. Alleen.

'En daarna kom ik terug naar jou.'

'Mis je je eigen feestje dan niet?'

'Als het mijn feestje is, mag ik toch doen wat me blij maakt?' We staan weer bij de bar en Roy geeft onze drankjes aan.

'Misschien kookt het inmiddels,' zegt hij, 'het is hier stomend heet geworden de afgelopen tien minuten.'

'Ik ben zo terug,' zeg ik tegen Frank. 'Niet weggaan, hè?'

Hij schudt zijn hoofd. 'Hé Hannah!' roept hij als ik wegloop. Ik sta stil en draai me om. 'Ik wil jou heel graag blij maken.'

Ik lach. 'Dat doe je al.'

'Waar zijn Micky en Jessica?' vraag ik als ik tegenover Debbie zit.

'Naar de wc. Hoe was je paringsritueel?'

'Haha...' zeg ik. 'Je bent gewoon jaloers.'

'Ik niet. Ik ben niet met hem getrouwd.'

'O god, Deb, begin jij nu ook al?'

'Ik zeg het maar, voor het geval je het even vergeten was,' antwoordt ze. 'En ik denk dat ik die vibrator ook weer terug naar de winkel kan brengen.'

'Wie zegt dat ik met hem naar bed ga?' vraag ik, terwijl ik mijn glas voor de helft leegdrink.

'Nou, eventjes dacht ik dat jullie het gewoon midden op de dansvloer gingen doen.' Ze schuift haar glas een beetje uit de weg en buigt zich naar me toe. 'Je weet dat ik het afkeur, hè? Maar als je dan toch een zonde moet begaan voor je dertigste...'

Ik lach. 'Precies wat ik dacht.'

'Ik wist niet dat je dat kon, Han,' zegt ze met een knikje naar de dansvloer. 'Ik denk niet dat je er oog voor had, maar sommige stelletjes stopten zelf met dansen om naar jullie te kijken.'

'Hij deed al het werk. Ik volgde gewoon. Hij is echt fantastisch. Snap jij dat iemand hem laat lopen, Deb? Als je een man hebt die zo met je kan dansen, kun je toch niet van hem vervreemden? Zag je hoe hij naar me keek? Dwars door me heen...'

'Doe je voorzichtig, Hannah? Want dit ziet er allemaal geweldig uit, maar ik weet niet hoe hoog de prijs is die je er straks voor moet betalen.'

Micky loopt het opstapje op naar de verhoging waar we zitten en ploft naast Debbie neer.

'Hé, zei Jessica nou dat ze Frank kende?' vraag ik.

'Via haar werk,' antwoordt Micky met een gebaar alsof het er niet toe doet. 'Maar over Frank gesproken. Wat doe jij hier als hij daar staat? Straks gaat iemand anders ermee vandoor.'

'Ik moet voorzichtig doen van Debbie,' zeg ik sip.

Micky haalt haar schouders op. 'Condooms én de pil dus. Voorzichtiger kan haast niet. Wat doe je hier nog?'

'Nou, jullie hebben dit feestje voor mij georganiseerd.'

'Precies!' roept ze. 'Dat wil zeggen dat je lol moet maken en het is duidelijk dat je hoofd bij hem is en niet bij je vriendinnen die je tot vervelens toe ziet. Ga nu maar. Voor je snaren knappen.'

'Mijn wat?' vraag ik.

'Het leek een beetje alsof hij je aan het stemmen was, daar op de dansvloer.'

'Het was toch niet... Ik bedoel, je weet hoe ik die overdreven stelletjes haat. Ik was toch niet zo?'

'Hannah,' zegt Debbie, 'kan het je werkelijk iets schelen wat anderen denken?'

Hmm, dat is een gewetensvraag. 'Niet echt.' Ik drink mijn laatste beetje van de cocktail op en sta op. 'O, ik moet wel even wachten tot Jess terug is. Waar blijft ze toch?'

'Ga maar gewoon, joh,' zegt Micky. 'Ze ging nog even iemand bellen.'

Debbie knikt. 'We leggen het wel uit.'

'Bedankt, meiden.' Ik kus ze allebei op de wang. 'Bedank Jess ook van me. En zeg haar dat ik *niet* met hem naar bed ga!'

Het gesprek van Roy en Frank valt stil zodra ik in zicht kom. Zou Roy hem ook waarschuwen dat hij uit mijn buurt moet blijven? Als dat zo is, weet hij het trouwens wel goed te verbergen, want hij geeft Frank een schouderklopje terwijl hij opstaat. Hij zegt nog net niet: 'Pak haar, maat,' maar het is duidelijk dat hij dat bedoelt.

'Ik ga eens even bij je vriendinnen zitten,' zegt hij als hij langs me heen loopt.

'Wil je een kruk?' vraagt Frank.

'Nee, ik blijf wel staan.' Staand kan ik dichter bij hem komen. Ik zet een paar stapjes naar voren en raak zijn knie aan met mijn vingertoppen. Ik ben opeens zenuwachtig en trillerig. 'Dus... je verkoopt geen onzin over dat salsadansen. Ik dacht dat je opschepte.' Ik schuifel meer en meer naar hem toe, sleep mijn hand achter me aan en volg de naad van zijn jeans langs de binnenkant van zijn bovenbeen. Ik sta tussen zijn knieën in en leun nog wat naar voren.

Hij schuift een beetje naar me toe, zittend op zijn kruk. Ik voel zijn hand op mijn heup en hij zakt langzaam af om de ronding van mijn bil te bevoelen. 'Ik schep nooit zomaar op. Ik zeg alleen dat ik iets kan als ik zeker weet dat het ook zo is.'

'Hoe heb je dat geleerd?'

'Dat is geheim,' zegt hij.

'Het waren geen pasjes uit de dansschool. Toch? Ik heb nog nooit zo salsa gedanst.'

'Het was gewoon... wat ik wilde doen toen ik je in mijn armen had. Ik ken de basis... de rest was Hannah.'

Ik streel de aftekening van zijn spieren in zijn arm. 'Had ik al gezegd dat T-shirts je even goed staan als op maat gemaakte overhemden?'

'Had ik jou al gezegd dat je er verdomd lekker uitziet in leer?'

Ik schud mijn hoofd. God, waarom kust hij me nou niet? Ziet hij niet dat ik sta te wachten tot hij wat doet? Normaal is hij niet zo bang om het initiatief te nemen. Nu zit hij hier gewoon, met zijn hand op mijn kont, alsof ik degene ben die het moet doen.

'Het maakt me nieuwsgierig,' gaat hij verder, 'naar hoe je eruitziet zonder.' Hij lacht ontspannen naar me, alsof het woord 'afwijzing' hem volkomen onbekend is en hij oefent lichte druk uit op mijn rondingen. Ik besef dat hij zit te wachten tot ik hém kus. Ik kijk naar hem, naar hoe onwaarschijnlijk knap hij is en ik laat het gevoel door me heen stromen dat ik altijd heb als ik zo dicht bij hem ben. Ik vraag me maar één ding af. Als ik hem nu kus, hoe houd ik dan in godsnaam ooit nog op? Het is één ding om je te laten kussen door een getrouwde man, maar het zelf initiëren is iets heel anders. Onbezonnen, dat is het.

'Je mag niet met me mee naar huis,' zeg ik om geen valse verwachtingen te wekken.

'Dat geeft niet,' zegt hij met zijn armen stevig om mijn middel geslagen. 'Dan gaan we toch naar mijn huis?'

'En het leer... en alle andere stofjes... blijven aan.'

'Ik ben benieuwd hoe we dat gaan doen,' antwoordt hij, met een lach die mijn bloed doet stollen.

Ik weet dat ik tegenstrijdige signalen geef, maar dat betekent niet dat ik niet meen wat ik zeg. Verstand kan heus sterker zijn dan gevoel. 'Ik ga niet met je naar bed.'

Hij kijkt me aan, zonder iets te zeggen, en ik voel iets van me afvallen. Mijn goede fatsoen, mijn geweten, mijn bezwaren, alle goede redenen die er zijn om hiervan weg te lopen. Hij heeft ze weggekeken. Weggelachen. Ze bezwijken een voor een.

'Hannah...' zegt hij, '...als ik gewoon de hele avond zo naar je mag kijken, is het ook goed.'

Het lijkt alsof hij een codewoord uitspreekt, waarvan ik niet wist dat we het afgesproken hadden, maar iets in mij weet het wel, zet al mijn verstandelijke vermogens buitenspel en stort zich op hem. En alsof hij precies wist welk moment ik zou kiezen om hem te bespringen, beantwoordt hij mijn zoen, zonder enige aarzeling. Deze kus is anders dan die eerste, perfecte zoen in zijn kantoor, omdat hij vol is van alle andere dingen die we met elkaar willen doen. Dingen die niet kunnen. Niet hier in ieder geval. Misschien wel helemaal niet. Maar daar wil ik niet aan denken. 'Oké,' zeg ik, 'je mag heel even mee naar mijn huis.'

'Nu moet je gaan,' weet ik met de grootste moeite uit te brengen tussen twee zoenen door. Het heeft me een halfuur gekost om de woorden uit te spreken. Een halfuur vol van heerlijke zoenen met precies genoeg tong, precies de juiste druk. Zoals hij kust, zoals hij me vasthoudt en tussendoor naar me kijkt, zo ben ik nog nooit gekust, vastgehouden of bekeken.

'*Jij* zit op *mij*,' werpt hij tegen. En dat klopt. We zijn op de bank gaan zitten en ik ben schrijlings op zijn schoot geklommen en zo zitten we nu nog steeds. Als het aan mij ligt, blijft dat zo. Ik vind het heerlijk bij hem. Om alleen met hem te zijn, al zijn aandacht te hebben en dat lekkere grote mannenlijf te ontdekken.

'Je kunt mij toch wel aan?' Ik druk mijn lippen in zijn nek en kus hem, daal langzaam af naar beneden, terwijl ik zijn shirt over zijn buik omhoog schuif. Ik raak zijn warme blote huid aan. Zijn spieren voelen hard onder mijn hand. Ik duik met mijn hoofd naar beneden en laat kusjes neerdalen op zijn borstspieren. Ga met mijn tong langs zijn kleine, strakke tepels. 'Jij bent sterker,' zeg ik en ik voel zijn handen op mijn kont. Hij knijpt zachtjes in mijn vlees, alsof hij deeg kneedt en laat zijn vingers dan onder mijn tuniekje glijden. Hij trekt het zachtjes op. Ik lik zijn harde buik, richting zijn navel. Zijn ademhaling verzwaart.

'Kun je me niet tegenhouden?'

Zijn vingers kruipen langs mijn ruggenwervels omhoog. 'Dat wil ik niet.' Hij probeert mijn tuniek over mijn hoofd te trekken. Ik richt me op, zodat ik hem aan kan kijken. 'Er mag niets uit, weet je nog?'

'Als ik alles nog aanheb, kan er niets gebeuren, toch?'

Dat is waar. Hij kan soms zo overtuigend zijn. Ik doe mijn armen omhoog en laat hem het kledingstuk uittrekken. Hij veert op en duwt zijn gezicht in mijn hals. Ik leun achterover in zijn armen, terwijl zijn mond op onderzoek uitgaat. Hij kust het kuiltje van mijn keel, mijn sleutelbeenderen, de aanzet van mijn borsten. Een hand streelt langs mijn zij omhoog en omvat er één terwijl zijn lippen de andere kussen. Een zacht gemurmel ontstijgt mijn keel. De kans dat ik hem eruit ga zetten, wordt met de seconde kleiner. 'Je moet echt... echt weg nu.' Ik laat me een beetje van hem afglijden, maar zijn lippen vinden de mijne en voor ik het weet, lig ik onder hem op de bank. Ik vouw me om hem heen. Armen, benen, alles. Hij drukt zich tegen me aan.

'Waarom mag ik nu niet blijven, Hannah?' Hij geeft me kleine, vederlichte kusjes op mijn wang, op mijn neus, langs de contouren van mijn lippen. 'Ik wil zo graag bij je zijn. Ik wil jou helemaal. Wil jij het niet?'

Het is verkeerd, maar hij heeft me zo opgeladen met die kleine kusjes dat ik niets anders meer wil dan echt zoenen, me tegen hem aan wrijven, mijn tong tegen de zijne duwen, mijn armen om zijn nek slaan en me vastgrijpen in zijn haar. Ik doe dan ook al die dingen tegelijk.

'Ik word niet verliefd op je,' zeg ik alsof ik dat nog in de hand heb.

'Oké, Hannah,' zegt hij zo lief dat ik meteen weet dat ik net gelogen heb. 'Is het een probleem als ik het wel ben?' Hij kijkt me aan. 'Dat wist je toch wel? Ik heb het niet bepaald "cool" gespeeld. Ik ben tot over mijn oren verliefd op jou.'

Ik kijk hem sprakeloos aan, mijn maag doet de trampolinesprongen weer en ik weet dat ik nu de keuze moet maken. Ik kan hem wegsturen. Ik kan ook de beste seks van mijn leven met hem hebben. Ik weet ook dat mijn keuze al vaststaat. 'Ik denk dat ik nu misschien toch een heel klein beetje verliefd geworden ben.'

Hij lacht, alsof ik hem zojuist dolgelukkig gemaakt heb en nu wil ik hem nóg gelukkiger maken. Ik trek aan zijn shirt, dat aan de achterkant prima meegeeft, maar aan de voorkant klem blijft zitten tussen onze lichamen. 'Zijn de regels veranderd?' vraagt hij.

Ik schud mijn hoofd. 'Er zijn geen regels meer.'

'Mooi...' Hij helpt me met zijn shirt en gooit het achter de bank. 'Dan moet ik alleen nog bedenken hoe ik deze in hemelsnaam uit moet krijgen.' Hij kust mijn buik en laat zijn vingers onder de rand van mijn broek glijden. Hij maakt de knoopjes aan de voorkant los en probeert hem dan naar beneden te trekken.

'Wil je een schaar?' vraag ik lachend.

'Misschien,' zegt hij, terwijl hij overeind komt tot op zijn knieën. 'Maar ik heb niet de hele avond strategieën bedacht om het nu al op te geven. Wacht.' Hij trekt cirkeltjes rond mijn navel met zijn tong en hij kijkt naar me op terwijl hij verder afdaalt. Dan zet hij zijn tanden in de rand van mijn broek, alsof hij hem als een wild dier van me af gaat sleuren. Hij heeft sterke tanden, voel ik. 'Oké, geef me die schaar,' zegt hij een paar tellen later, 'ik hou het niet meer uit.'

'Zal ik je eens helpen?' Ik til mijn billen iets op en wurm me beetje bij beetje uit de broek.

'Vergeet dit niet.' Hij schuift ook mijn hipster langs mijn dijen.

Ik schrik er een beetje van. Ik had er even mee willen wachten tot hij ook wat meer uitgetrokken had, maar de blik in zijn ogen maakt dat ik niet tegenstribbel. Ik kom met mijn achterwerk neer en ik laat mijn linkerschoen van mijn voet glijden terwijl hij mijn broek naar mijn knieën trekt. Ik trek de hele pijp binnenstebuiten als ik mijn been de tegengestelde richting op beweeg. Als mijn ene been bevrijd is, begint hij aan de andere, steeds het stukje huid dat vrijkomt, kussend. Ik voel me de ster in mijn eigen pornofilm, zoals ik daar lig met dat been in de lucht. Dit is geen Hannah-seks. Dit is zoals Micky het zou doen. Ik ben veel doelgerichter. Alex zou nu al een kwartier liggen te slapen. Frank weet wat hij doet, dat is duidelijk. En hij ziet er voorlopig nog niet slaperig uit.

'Hannah Fisher,' zegt hij terwijl hij mijn rechterschoen terecht laat komen waar ook zijn shirt beland is. Mijn broek volgt er direct achteraan en ik probeer mijn been terug te trekken. Hij buigt evenwijdig mee naar voren, zodat ik niet voorbij zijn schouder kom. Iets wat een paar tellen later ook precies zijn bedoeling blijkt te zijn. Zijn hand streelt langs mijn kuit en hij laat mijn knieholte op zijn schouder rusten terwijl hij de binnenkant van mijn dij kust. 'Je overtreft echt alles.' Daarna had net zo goed de wereld kunnen vergaan, want hij brengt zijn gezicht tussen mijn benen en hij kust me. Daar. Hij kust me, likt me, hij doet alles wat hij daar kan doen en ik kan niet meer denken. Ik weet mijn eigen naam niet meer. Ik weet alleen de zijne en die zingt de hele tijd door mijn hoofd. *Frank, Frank, Frank.* Zelfs in mijn fantasieën was hij niet zo goed. Ik denk zelfs dat het – als hij zo doorgaat – niet lang meer zal duren voor ik... Ooo god, ik weet zéker dat het niet lang gaat duren voor ik klaar ga komen.

Het kost me al mijn concentratie- en coördinatievermogen om mijn hand naar zijn hoofd te brengen en zijn haar vast te grijpen. Sterke tanden én sterk haar. En een goddelijk lijf. Ik moet hem echt zien te houden. 'Wat is er?' vraagt hij. 'Werkt dit niet voor je?'

'Of het *werkt*?' herhaal ik terwijl ik overeind kom en naar hem toeschuif. 'Ik zie je nu in zesvoud.'

'Is dat goed?' Hij kijkt toe hoe ik zijn riem losmaak en daarna de knoop van zijn spijkerbroek.

Ik laat mijn hand naar binnen glijden en wat ik daar aantref, overtreft ook al mijn verwachtingen. 'Zo goed, dat jullie alle zes mee naar mijn slaapkamer mogen.'

FRANK

'Ben je nog niet moe?' vraagt Hannah. We liggen in haar bed, dicht tegen elkaar aan, allebei op onze zij met onze gezichten naar elkaar toe. Ik kan niet ophouden met naar haar kijken. Net zoals ik niet kan geloven hoe mooi ze is en hoe lief ze lacht en hoe zacht haar huid aanvoelt tegen die van mij. Ik schud mijn hoofd. Ik ben niet moe. We hebben het ruim twee uur volgehouden samen, maar ik ben niet moe. Niet eens een beetje. Het voelt alsof mijn lichaam een pretpark is, waarin duizenden bezoekers in attracties zwieren. Daar slaap je niet zomaar doorheen.

'Moet je zo weg?' vraagt ze dan.

'Nee... tenzij dat van jou moet.'

Ze kijkt me lang aan voor ze weer wat zegt. 'Blijf je hier vannacht?'

'Heel graag.' Ik kus haar. 'Je ruikt zo lekker... overal... wat is dat toch?' Ik ruik aan haar schouder, aan haar arm, ze is er helemaal van doordrongen.

'Dat is geheim,' antwoordt ze, 'gewoon iets om knappe hotshot-advocaten mee te lokken.'

'En in plaats daarvan zit je nu met mij opgescheept.'

'Ik heb een dubbele dosis moeten gebruiken voor jou. Het sloeg helemaal niet aan in het begin.' Ze legt een been over me heen en rolt me op mijn rug. Ik trek haar boven op me en sla mijn armen om haar heen.

'In het begin... was ik te druk bezig met mezelf om jou te zien. Maar toen ik je eenmaal zag, Hannah, was er geen ontkomen meer aan.' Ze legt haar hoofd op mijn borstkas en ik draai plukjes van haar haren rond mijn vingers. Met mijn andere hand streel ik de zijdezachte huid van haar rug.

Ze is zo stil dat ik begin te denken dat ze slaapt, maar dan zegt ze met een heel zacht en breekbaar stemmetje: 'Wat nou als ik verliefd op je word en zij dan besluit dat ze je terug wil?'

Ik ben zo op Hannah gefixeerd dat ik diep moet nadenken voor ik weet wie ze met 'zij' bedoelt. 'Wie? Jackie? Dat gebeurt niet. Ben je daar bang voor?'

'Natuurlijk,' zegt ze terwijl ze haar hand over mijn borstkas laat glijden. 'Ik heb jullie toch samen gezien in het park?'

'Er is niets meer tussen ons, Hannah.'

'Dat is niet waar. Jullie hebben Sven.'

'Hij is het enige wat we samen hebben. Zal ik je eens iets vertellen?'

Ze tilt haar hoofd een stukje op om me aan te kijken.

'Ik heb nog nooit salsa gedanst met Jackie. Ik heb geen idee wat voor strooisel zij op haar koffie drinkt. Ik weet niet eens zeker wat voor koffie ze drinkt. Ik heb nooit soep voor haar gemaakt wanneer ze ziek was. Ik heb nooit een hele dag van haar ene mailtje naar het andere geleefd. En ik heb me nooit één seconde druk gemaakt over hoe haar werk haar bevalt, of er geen mensen zijn die over haar heen lopen, of ze wel genoeg gewaardeerd wordt. Ik denk dat er soms hele dagen voorbijgegaan zijn zonder dat ik haar zelfs maar aankeek.'

'Maar zo is het toch niet altijd geweest?'

'We waren nog kinderen, Hannah. We studeerden nog. Ik heb van haar gehouden, dat geef ik toe. Ik heb zelfs nog tot voor kort geloofd dat er iets te redden viel tussen haar en mij. Toen het tot me doordrong dat dat niet zo was, pikte ik zo'n beetje om de week een andere vrouw op om maar te bewijzen dat ik haar niet nodig had.'

Ze kijkt me geschokt aan en ik voel dat ze zich van me los probeert te maken. 'Dat zijn veel vrouwen...' Ik begon me net af te vragen of ik haar niet over Micky moet vertellen, maar die vraag is nu meteen beantwoord. Ik wil haar niet kwijt, net nu ik haar heb.

'Ja. Maar toen ontmoette ik jou. Dit is echt, Hannah. Het gaat niet om Jackie. Ik wil haar niet meer terug. Een paar maanden geleden zou ik die vraag misschien anders beantwoord hebben, maar dat is alleen omdat ik toen nog niet wist hoe het voelt...'

'Wat?' vraagt ze als ik abrupt ophoud met praten.

Ik kijk naar de dansende lichtjes in haar ogen. 'Hoe het voelt om echt verliefd te zijn.'

'Echt verliefd?' Ze knijpt haar ogen samen. 'Zit je me voor de gek te houden? Wat is dit, Frank? Een mooi praatje dat je tegen elke vrouw ophangt voor je in de nacht verdwijnt om nooit meer terug te komen? Doe je dat bij iedereen? Mijn god, hoe stom kan ik zijn...'

'Wacht, Hannah, ik meen het. Ik meen het serieus! Wacht nou eens!' Ze probeert zich aan me te ontworstelen en het kost me de grootste moeite mijn grip op haar te houden.

'Ga van me af!' zegt ze als ik haar uiteindelijk onder me vastgepind heb.

'Hannah, kijk me aan... Ik weet dat het raar klinkt, maar het is de waarheid. Ik heb dit nooit eerder gevoeld. Zie je dan niet dat het echt waar is? Ik hou van je.'

Ze houdt eindelijk op zich te verzetten. 'Je houdt van me?'

Het is dat ze mijn woorden herhaalt, anders zou ik twijfelen of ik niet per ongeluk 'ik haat je' heb gezegd. Dat zou haar reactie namelijk een stuk aannemelijker maken. 'Ik weet niet hoe ik het anders moet noemen. Zo voel ik het. Ik wil de hele tijd bij je zijn. Als ik je aanraak, wil ik je nooit meer loslaten. Mijn god, Hannah, als je denkt dat dit allemaal een spelletje voor me is, dan zit je er goed naast. En als ik de verkeerde dingen zeg en doe, dan is dat alleen omdat het allemaal nieuw voor me is en ik gewoon niet weet hoe het moet.'

'Je snapt er niks van,' zegt ze.

'Dat zeg ik toch?'

'Het punt is juist dat je alle *goede* dingen zegt.'

'Je bent boos omdat ik de goede dingen zeg?' vraag ik, totaal in de war.

'Ja, ik weet toch ook niet hoe het hoort? Mijn vriendjes zijn allemaal bij me weggelopen zodra het monster Anna Lee zich roerde. Ze vielen meteen in slaap na de seks en ze beloofden dingen met hun tong te doen, zonder het waar te maken. Maar jij... Jij bestrijdt het monster en je valt niet in slaap, je zegt precies wat ik wil horen en jij doet *echt* dingen met je tong. Heel goede dingen... en... ik weet niet meer wat mijn punt is...'

Ik moet lachen. Ik heb misschien veel te vroeg gezegd dat ik van haar hou, maar kun je me dat kwalijk nemen? 'Misschien kunnen we elkaar leren hoe het moet.'

Ze knikt en ze kust me. Eerst op mijn mond, daarna over de rest van mijn gezicht. 'Leer het me maar.'

'Les één. Seks komt meestal na een ruzie. Ruzie doorgaans niet na seks.'

Ze lacht en als ik het nog niet was, zou ik nu verliefd op haar worden. 'Hè!' zegt ze dan alsof ze op een idee komt. 'Betekent dat dat we nu weer seks mogen?'

'Dat heb je goed gezien. Je bent een snelle leerling. En ik kan nog veel meer met mijn tong.'

'Ik ook,' antwoordt ze.

Als ik thuiskom, lijkt het alsof er een definitieve splitsing heeft plaatsgevonden tussen mijn leven voor en na Hannah. Ik voel me nu een heel ander mens dan toen ik hier gisteren wegging en de confrontatie met hoe het eerst was, is des te harder. De staat waarin mijn huis is achtergelaten, lijkt niet meer bij me te passen. En dat Sven er niet is, helpt ook niet echt.

Het is stil en leeg zonder hem. Er ligt nog een brandweerauto op de grond, midden in de doorloop. Alsof Jackie hem zomaar, midden in zijn spel, opgepakt en bij me weggehaald heeft. Zo abrupt was het natuurlijk niet, maar het voelt wel min of meer zo. Ik pak het stuk speelgoed op en breng het naar een hoekje achter de bank, waar hij zijn speeldomein heeft. Ik laat het in een kist met ander speelgoed vallen en gooi er nog wat losse spullen bij.

Daarna kijk ik rond, vechtend tegen de aandrang Hannah meteen te bellen of mijn mail te checken en op die manier contact met haar te zoeken. Normaal gesproken is er geen beter middel om lekker te ontspannen dan met een potje goede seks. Ik snap dan ook niet waarom ik nog niet onderuitgezakt op de bank in alle rust aan het nagenieten ben. In het geval van vannacht – en vanochtend – dekt 'goed' de lading namelijk niet eens. Ik zou zo loom als een kat in de zon moeten zijn. Maar dat is dus niet zo. Hannah is zo ongrijpbaar als lucht of water. Dat ik haar vannacht had, betekent niet dat ik haar nog steeds heb. Ik zou willen dat ik eens tien seconden in haar hoofd kon kijken. Ik zal niet zeggen dat ik ooit expert was op het gebied van de werking van het vrouwelijk brein. Dat is altijd een raadsel voor me geweest, maar sinds Hannah snap ik er helemaal niets meer van.

Ik loop naar de keuken waar het ruikt naar een vaatwasser die nodig moet draaien, en ruim de vuile vaat in die nog in de gootsteen opgestapeld staat. Terwijl ik het apparaat aanzet, besluit ik mijn tijd nuttiger te besteden dan ik doe met wezenloos rondlopen tot ik iets van Hannah zal horen of Sven weer zal zien. Ik moet het hier maar eens een beetje opknappen.

Ik begin op te ruimen. Oude kranten, reclamefolders, vakbladen, lege bierflesjes. Ik haal een stofzuiger door het huis, strijk mijn overhemden, maak een boodschappenlijst, hang een glow-in-the-dark poster van het sterrenstelsel boven het bed van Sven, waar hij zeker weten helemaal weg van is als hij weer terugkomt. Daarna ga ik naar mijn slaapkamer om die Hannah-proof te maken. Ik weet niet wanneer zij er klaar voor zal zijn om hier te komen, maar ik kan tenminste zorgen dat ik er klaar voor ben.

Aan: Hannah.Fisher@hotmail.com
Van: F.Stevens@A&S-advocaten.eu
Datum: 15-03-2010, 09:15
Onderwerp:

Lieve, mooie, verrukkelijke Hannah,
Wat er ook misgaat vandaag: mij krijg je niet chagrijnig. Als ik mijn ogen dichtdoe, heb ik meteen *Best of Hannah* op mijn netvlies. Dat is een heel lange film, die ik het liefst beeldje voor beeldje, in slow motion bekijk. Ik heb close-ups van je vanuit allerlei invalshoeken, maar ik weet nog niet welke mijn favoriet is. Mag ik ze allemaal nog eens overdoen?
Ik zit de hele tijd aan jou te denken. Aan dat stomend hete lijf van je. Ik ruik je geur nog, ik proef je en ik voel je...
En er was ook nog iets zakelijks, maar dat ben ik vergeten. Hoe belangrijk is een paar ton na een nacht met jou?
Frank

Aan: F.Stevens@A&S-advocaten.eu
Van: R.Sanders@A&S-advocaten.eu
Datum: 15-03-2010, 09:58
Onderwerp: Hoe was ze?

Aan: R.Sanders@A&S-advocaten.eu
Van: F.Stevens@A&S-advocaten.eu
Datum: 15-03-2010, 15:17
Onderwerp: Re: Hoe was ze?

Ze was het wachten meer dan waard. Alle zeven keren. ☺
Het zou perfect zijn als ik nu niet het gevoel had dat ik mijn ballen
op een hakblok heb gelegd en haar het hakmes heb gegeven. Ik heb
gezegd dat ik van haar hou.

Aan: F.Stevens@A&S-advocaten.eu
Van: R.Sanders@A&S-advocaten.eu
Datum: 15-03-2010, 15:25
Onderwerp: Re: Hoe was ze?

Ai. Nou ja, dat heb ik ook wel eens gezegd. Sommige meiden
houden daar nu eenmaal van. Wat maakt het uit, als het maar werkt.

Aan: R.Sanders@A&S-advocaten.eu
Van: F.Stevens@A&S-advocaten.eu
Datum: 15-03-2010, 15:30
Onderwerp: Re: Hoe was ze?

Ik… eh… meende het, zeg maar. En ik heb nog niks van haar
gehoord, terwijl ik haar een kunstwerk van een mail heb gestuurd,
waar ik een uur aan heb gewerkt.

Aan: F.Stevens@A&S-advocaten.eu
Van: R.Sanders@A&S-advocaten.eu
Datum: 15-03-2010, 15:52
Onderwerp: Re: Hoe was ze?

Ai. Nogmaals. Dit vraagt om onmiddellijke decastratie in de vorm
van zuipen, ruzie zoeken in de kroeg en vreemde – doch lekkere –
wijven naaien. Ik kan vanavond. Ben bang dat we geen tijd te
verliezen hebben.
Mocht het al te laat zijn: alleen eten en zuipen kan ook. Dan probeer
ik je nog voor rede vatbaar te maken. 18.30 uur bij jou thuis, of toch
meteen de kroeg?

Aan: F.Stevens@A&S-advocaten.eu
Van: Hannah.Fisher@hotmail.com
Datum: 16-03-2010, 00:42
Onderwerp: Re:

Hoi...
Ik wilde even zeggen dat ik geen woorden heb voor jou en dat dat
de reden is dat ik niet meteen om 09:16 uur geantwoord heb. Ik
heb zo zitten tobben over wat ik terug zou schrijven dat er niets
van kwam. Behalve dit dus, wat niet veel is, dat geef ik toe.
Ik vind dat we voorzichtig moeten zijn en daar moet jij me bij
helpen, want ik sta niet voor mezelf in als ik je weer zie. Dat
stomend hete: dat komt allemaal door jou. Niet te geloven dat ik dit
echt ga verzenden...
Ik ga nu in bed liggen. Aan jou denken.
Kusje,
Hannah

Aan: Hannah.Fisher@hotmail.com
Van: F.Stevens@A&S-advocaten.eu
Datum: 16-03-2010, 01:58
Onderwerp: Re:

Hoe gek ben je als je rond dit tijdstip nog inlogt op het netwerk van
de zaak, in de hoop een berichtje aan te treffen van de vrouw die
je uit je slaap houdt? Al ligt dat laatste ook aan de drank die ik
vanavond met Roy achterovergeslagen heb. Hij is net weg en ik zou
graag naast je in bed liggen.
Ik ben blij dat je dat mailtje verzonden hebt, Hannah. Als je bang
bent... voor dit. Voor ons. Kun je dat dan niet hier bij mij zijn? Ik ben
voor voorzichtigheid, echt waar. Maar... zijn we dat dan niet al? Ik
weet niet hoe ik me nog meer in moet houden. Ik verlang meer naar
je dan ooit en ik hoef niet eens meer van je te krijgen, als ik je maar
meer mag geven. Als je hier was, Hannah, dan zou ik al je twijfels
laten verdwijnen.

'Hé Hannah, met mij,' zeg ik als ik haar heel zachtjes haar naam
hoor murmelen. 'Bel ik te vroeg? Je sliep zeker nog?'
   'Ja... jij klinkt wakker. Hoe laat is het eigenlijk?'

Ik hoor wat gerommel, alsof ze zich omdraait en naar de wekkerradio reikt. En ik weet nu precies hoe het eruitziet als ze dat doet. 'Iets na negenen. Ik moest je dringend vertellen dat ik Anna Lee gisteren gesproken heb en dat ze een afspraak wil met jou erbij.'

'O. Oké,' zegt ze.

'Dat is natuurlijk gewoon een excuus om je even te kunnen bellen.' Ik luister naar haar lach en herinner me haar slapend, waardoor het me meteen spijt dat ik haar gestoord heb. 'Dat had natuurlijk best kunnen wachten. Weet je, je lag niet voor niets nog te slapen, ik zal het je mailen. Slaap maar lekker verder.'

'Wacht, wacht, niet ophangen...' zegt ze vlug. 'Ik vind het fijn dat je belt. Ik word graag wakker met jou.'

'O... dat kan vaker geregeld worden, hoor.'

'Dus je hebt geen spijt?'

'Spijt?' herhaal ik. Maakt ze een grapje?

'Nou, dat kan toch? Soms gebeuren die dingen en kun je je een dag later wel voor je kop slaan dat je zo stom geweest bent. Heb je mijn mailtje al gelezen?'

'Ja. Ik heb je teruggemaild. Afgelopen nacht nog. Ik heb geen spijt, Hannah. Ik heb helemaal geen spijt.'

'O. Dat is mooi. Denk ik.'

'Denk je dat?' vraag ik. Ik wou dat ik bij haar was. Dan kon ik haar zoenen en aanraken en doen wat nodig is om die rare gedachtegangen van haar een halt toe te roepen.

'Het blijft moeilijk,' zegt ze. 'Jouw situatie... ik kan me hier niet instorten zoals ik dat zou doen als je ongebonden was. We moeten beiden weten waar we aan toe zijn, waar we *echt* aan toe zijn, voor we verdergaan. Snap je? Er is ook een kind bij betrokken.'

'Ja,' antwoord ik. Misschien was het stom van me, maar ik had niet verwacht dat Sven opeens een probleem zou vormen.

'Maar dat wist je toch vanaf het begin?'

'Ja. Ja, natuurlijk wist ik dat, maar... begrijp je niet dat ik voor mezelf wat dingen op een rijtje moet zetten voor ik met jou... ik bedoel...' Even valt ze helemaal stil. 'Is dat dan zo raar?'

'Ik had gewoon niet gedacht dat je daar problemen mee had. Ik kan mijn geschiedenis niet meer veranderen, Hannah. Ik kan wel verdergaan. Met jou. Kunnen we ons niet beter op de toekomst richten?'

'Dat wil ik ook. Maar ik wil niet dat jij er zo makkelijk over doet. Kunnen we niet even de tijd nemen om na te denken? Allebei? Wil je er alsjeblieft een paar nachtjes over slapen zodat je het zeker weet?'

'Waarom denk je dat ik het niet nu al zeker weet?'

'Omdat... als jij je ook maar half zo voelt als ik... het onmogelijk is een doordachte beslissing te nemen over wat dan ook.'

Ik zucht. 'Hannah, ik doe alles wat je wilt... maar wil jij dan ook bepalen wat dat precies is? Want soms heb ik het gevoel dat we helemaal op één lijn zitten en het volgende moment lijken we niet eens hetzelfde gesprek te voeren.'

'Zullen we dan afspreken dat we komend weekend alles uitspreken en de tijd ervoor gebruiken om tot onszelf te komen?'

Eigenlijk had ik me heel wat anders voorgesteld van deze week dan eindeloos piekeren over hoe ik Hannah gerust ga stellen.

'Frank,' zegt ze als ik wat langer stil blijf dan normaal is. 'Je weet toch wel waarom ik dit van je vraag? Ik wil niet moeilijk doen. God, als het alleen om mij zou draaien, dan was het allang bekeken. Jij bent echt... je bent... je bent...' Ze onderbreekt zichzelf. 'Jezus, ik ga er gewoon van stotteren.'

'Zeg het maar gewoon,' antwoord ik. 'Dan kan ik daar ook over nadenken voor we elkaar weer zien.'

'Ik vind je geweldig,' zegt ze. 'Vergeet daar niet aan te denken. Ik vind alles aan je even sexy. Seks met jou is echt... nou... ongelooflijk. Knettergoed. Fantastisch. Je bent McDreamy en McSteamy in één persoon. De enige reden dat ik die pauze voorstel, is dat als ik bij je ben, ik niet meer kan denken. Dan kan niets me nog schelen, behalve dus dat ik bij jou ben. Ik wil heel graag bij jou zijn.'

'Hannah, dit wordt verdomme de langste week van mijn leven.'

Zo gebeurt het dus dat ik me de rest van de week op mijn werk stort, in plaats van op Hannah, wat ik eigenlijk zou willen. Ik kan nog steeds niet goed bevatten wat het nut zou moeten zijn van deze afkoelperiode. Het enige waar ik over na kan denken, is wat ik allemaal met haar ga doen als ik haar straks weer zie. Hetgeen ik uitgebreid uit de doeken doe in de mailtjes die ik haar blijf sturen, zodat ze in ieder geval weet waar ik precies over nadenk. Zij stuurt daarop alleen blozende smileys terug, waardoor ik geen idee heb waar zij aan denkt. Of dat nu dat soort van vriendje is, met wie ze geen raad weet, of Sven, of toch nog steeds Jackie... Ik zou het niet weten. Op donderdag stop ik vroeg met werken. Ik haal Sven eerder op van het kinderdagverblijf en maak een omweg met hem door het park voor we naar huis gaan, waar ik spaghetti voor hem maak terwijl hij op de grond zit en zijn brandweerwagen tegen mijn enkels rijdt. Als hij gegeten heeft, wil hij 'zijn muziekje' horen, waarmee hij het laatste album van Coldplay bedoelt, en gelukkig niet Kabouter Plop, zoals de meeste kinderen van zijn leeftijd. Ik doe een acrobatische act met hem, terwijl één nummer een keer of twintig achter elkaar gedraaid wordt, waarna ik hem in bad zet en een uurtje besteed aan het spelen met een enorme boot en het maken van snorren en baarden met badschuim, zowel bij hem als bij mij. Als ik hem afdroog en zijn pyjama aandoe, begint hij al te geeuwen, maar hij mag nog even mee naar beneden, waar hij met een tuitbeker met wat te drinken tegen me aan komt hangen op de bank, terwijl ik het avondnieuws bekijk. Ik zeg expres 'bekijk', omdat ik het nauwelijks kan volgen, aangezien Sven nog even in zijn eigen brabbeltaaltje zijn hele dag met me bespreekt, voor hij echt moe is en het tijd is voor tandenpoetsen, een kort verhaaltje, een grote knuffel en instoppen. Als ik het licht uitdoe, wordt hij eigenlijk iets te enthousiast van de lichtgevende poster, maar na een paar minuutjes krijg ik hem weer rustig en draait hij zich in zijn dekbed, met Hondje onder zijn arm geklemd. Net op tijd voor de oppas komt.

HANNAH

Deb komt aan het voeteneind van Benji zitten, terwijl ik de laatste regels van *Kleine Beer, Grote Beer* voorlees. Zij heeft Nina net op bed gelegd en ik heb het verhaaltje voor mijn rekening genomen. Zo schiet het lekker op. Ik ben bijna de hele dag bij Debbie geweest. We hebben samen de boodschappen gedaan en ik heb haar geholpen met koken. Dat was een goede manier om te voorkomen dat ik Frank mailde, opbelde of bij hem langsging om te zeggen dat we nu voorzichtig genoeg waren geweest. In plaats daarvan heb ik lekker met Benji en Nina getut en me erg nuttig gemaakt in de keuken, waar ik jammer genoeg niets van zal proeven, vanavond. Ik ga naar huis, zodra het avondritueeltje afgesloten is. Kijken of Frank me nog interessante tekstjes gestuurd heeft en opgelucht zijn als dat zo is, omdat het betekent dat hij dan in ieder geval nog niet besloten heeft dat het uiteindelijk een beter idee is om zijn relatie met Jackie op te lappen. Hoewel het natuurlijk nog steeds kan betekenen dat hij het wil houden zoals het is. Haar als *trophy wife* en mij erbij voor de geweldige seks.

Benji protesteert luid als we aanstalten maken om naar beneden te gaan. Hij wil meedoen met de grote mensen en hij is nog lang niet moe en hij vindt het allemaal heel erg oneerlijk. Maar Debbie houdt voet bij stuk. Hij ligt toch al bijna een uur later in bed dan gewoonlijk. Ze laat de deur van zijn slaapkamer op een kiertje, zodat hij het licht van beneden nog kan zien en we horen Tom een verhaal over zijn studietijd opdissen. Ik had weg willen zijn voor het bezoek kwam, maar het liep wat uit met de kinderen en de bel ging toen ik net een boekje met Benji uitgekozen had.

'Wil je mijn jurkje nog even dichtritsen?' vraagt Debbie. Ze is al netjes opgemaakt en heeft haar haren gedaan, maar het is maar goed dat ze haar ochtendjas nog aangehouden heeft, want er zit een spoor van uitgespuugde melk op haar schouder. 'Weet je zeker dat je niet wil blijven?' gaat ze verder als we in haar slaapkamer zijn en ze in haar zwarte jurk stapt.

'Heel zeker.'

'Er is eten genoeg en wie weet hoe leuk die man beneden is. Tom kent hem van zijn studietijd, dus hij heeft in ieder geval the brains... hoef je alleen de looks nog te checken. Je kunt je opties toch openhouden? Het is maar een etentje, het is niet alsof je echt met iemand afgesproken hebt. Noem het toeval.'

'Ik zou het ook niet leuk vinden als Frank nu doodleuk met zijn vrouw zat te dineren, alsof ik niet besta. Ik ga niet met een vreemde man aan tafel zitten, terwijl ik weiger met hem af te spreken. Het zendt verkeerde signalen uit.' Debbie draait haar rug naar me toe en ik rits haar dicht. 'Mooie jurk.'

'Goede ontwerpster,' zegt ze met een knipoog.

'Je ziet er prachtig uit. Nog een argument. Ik ben er niet op gekleed.'

'Jij ziet er altijd geweldig uit,' antwoordt ze met een blik op mijn donkerblauwe jeans en zwarte bloesje. Ik heb niet bepaald uitgepakt vandaag.

'Ik zeg gewoon even gedag en dan ben ik weg. Mocht het nergens op uitlopen met Frank en je denkt echt dat die man beneden voor mij gemaakt is, kun je hem altijd daarna nog mijn nummer geven. Dan heeft hij me tenminste al een keer gezien. Dat is sowieso veel beter dan zo'n etentje uitzitten met het gevoel dat er koppelwerk aan te pas gekomen is.'

'Drink dan op zijn minst even een aperitiefje mee,' houdt Debbie aan, terwijl ze een paar zwarte pumps met een bescheiden hakje aan haar voeten doet.

Ik geef luidruchtig zuchtend toe en volg haar naar beneden. Er klinkt gelach vanuit de huiskamer en Tom zegt: 'Ah, daar zullen we haar hebben.'

Ik blijf een beetje aarzelend onder aan de trap staan, terwijl ik een blik in de huiskamer werp via de halfgeopende deur. De lach die ik hoorde, bezorgde me een beetje kippenvel, op een goede manier. Terwijl Debbie verder loopt, kruipt mijn blik omhoog langs de dure Italiaanse schoenen, de in Armani gestoken lange benen, het smalle middel en de brede schouders. Ik ken dat lichaam: in inches en in centimeters. Ik kan het uittekenen met mijn ogen dicht. Sterker nog: ik héb het uitgetekend, al heel vaak, met honderden verschillende ideeën voor maatpakken, geen van alle goed genoeg.

'Debbie,' zegt hij, Frank, terwijl hij zich omdraait. 'Ik heb een extra grote bos bloemen voor je gekocht, om goed te maken hoe ik hier de eerste keer binnenkwam. Als dat kan tenminste.' Hij neemt de bloemen van de salontafel en geeft ze aan haar, gelijktijdig met drie kussen.

Ze blijft een beetje perplex staan, net als ik.

'Tja, jullie blijken elkaar dus al te kennen,' zegt Tom. 'Grappig.'

'Het was toen niet echt heel grappig,' zegt Frank. 'Ik wist niet dat jij en Tom... Hij heeft je naam nooit genoemd.'

'Nee, de jouwe ook niet,' antwoordt ze met een blik achterom. 'Wat handig van hem.' Ze lacht. 'Nou, tijd voor een nieuwe start dan maar, prachtige bloemen.'

'Nou ja, het is eigenlijk niet genoeg. Ik schrok me rot toen ik het adres van hem kreeg, vandaag. Ik heb meteen ook maar een goede champagne gekocht. Ik weet niet of ik al eens fatsoenlijk mijn excuses heb gemaakt.'

'Ach, dat is allang goed.' Debbie zoekt mij en ik kom wat verder de hal in, tot ik in de deuropening sta.

'Hannah,' zegt Frank verrast.

'Hoi.'

Hij schuifelt langs Debbie heen tot hij tegenover me staat en dan weten we allebei even niet hoe we elkaar moeten begroeten. Na een paar stuntelige impulsen belandt er toch een kusje van hem ergens in de buurt van mijn slaap. 'Ik wist ook niet dat jij er zou zijn.'

'Ik heb even geholpen met de kinderen en... ik zou niet blijven, eigenlijk.' Ik kijk naar Debbie.

'Maar nu blijf je natuurlijk wel!' zegt ze enthousiast. 'Ik dek wel even bij en ik schenk iets lekkers voor je in en dan zet ik meteen deze mooie bloemen in een vaas. Misschien kun jij me even helpen met de amuses, Tom?'

Hij kijkt haar verschrikt aan. 'Je had toch alles al klaar, schatje? Ik denk niet dat ik handig ben met amuses, hoor.'

Ze kijkt terug met een blik die geen tegenspraak duldt en maakt met een hoofdbeweging duidelijk dat hij haar moet vol-

266

gen, wat hij nu ook onmiddellijk doet. Heerlijk, die afgerichte mannen. 'Ga lekker zitten,' zegt Deb glimlachend terwijl ze naar de keuken verdwijnt. Maar Frank en ik blijven gewoon tegenover elkaar staan.

'Hoi,' zeg ik nog maar eens.

Hij glimlacht en ik voel zijn vingers tegen mijn elleboog. 'Heb je dit nu allemaal geënsceneerd om mij wat eerder te kunnen zien?'

'Ik... eh, ik wist niet...' Opeens realiseer ik me dat hij een grapje maakt. 'Ja, tuurlijk, zo zit het precies.' Ik heb werkelijk geen idee hoe het nu zit.

'Je had me ook gewoon kunnen bellen.' Hij zet me een beetje klem tegen de deurstijl, waarop ik langzaam terugwijk en hij nog vluchtig naar de ingang van de keuken kijkt, voor hij me vastpakt en ik me al zoenend door hem de hal in laat duwen, tot het gevoel van de trapleuning in mijn rug me tot stilstand brengt.

'Ik heb je gemist,' zegt hij en zijn hand glijdt onder mijn bloesje.

'Heb je mijn sms'je gelezen?'

Ik schud langzaam mijn hoofd, zonder onze kus te stoppen.

'Ik wilde langskomen vanavond. Bij jou, na het etentje.' Hij kan praten en zoenen tegelijk.

'Nou,' antwoord ik plagerig. 'Ik moet eens kijken of me dat uitkomt.'

'Mama!' hoor ik ondertussen vanaf de bovenverdieping. Benji. Hij hoort ons hier, natuurlijk.

Ik duw Frank iets van me af. 'Ik ben het maar, Benji. Hannah. Ga maar lekker slapen.'

'Ikuhdost,' antwoordt Benji. Wat voor taal is dat nu weer?

'Dorst,' fluistert Frank. 'Hij heeft dorst.'

'O!' Ik kijk recht in de donkerbruine ogen van Frank, die fonkelen van pret, verlangen en algehele onweerstaanbaarheid. 'Het flesje ligt naast je kussen!' Het blijft stil, dus ik neem aan dat hij het gevonden heeft, of in slaap gevallen is. Ik laat mijn hand over de borstkas van Frank naar beneden zakken. Dan hoor ik het gekibbel vanuit de keuken verstommen en ik pak zijn hand vast.

'We moeten terug.' Ik laat hem los als we weer in de woonkamer zijn en ga zitten in een hoekje van de bank. Frank neemt de stoel naast me en kijkt nog steeds naar me alsof hij elk moment op me kan duiken. Dan komen Debbie en Tom weer binnen. Zij met een dienblaadje met drankjes en hij met de amuses. Alsof we nu zouden geloven dat hij daar werkelijk mee geholpen heeft. Nou ja, misschien gelooft Frank het.

We nemen allemaal een lepel met sint-jakobsschelp en limoen en ik heb mijn mond nog vol als Tom begint te praten.

'Frank, ik hoor net van Debbie dat ik me vergist heb over je vrouw. Je had haar natuurlijk mee mogen nemen.'

Debbie geeft hem een niet zo subtiele por met haar elleboog, waarvan hij bijna omvalt en ze kijkt naar hem met een blik van: snap jij nu helemaal niets? Blijkbaar heeft hij geen idee wat er tussen Frank en mij speelt, wat betekent dat Debbie te prijzen is voor haar discretie. Ze mimet 'sorry' naar mij.

'Mijn vrouw?' zegt Frank als hij geslikt heeft, iets wat mij nog niet lukt. 'Wij doen dit soort dingen niet meer samen...'

Debbie knikt begripvol en Tom kijkt stomverbaasd. Het is duidelijk dat ze nog niet echt bijgepraat hebben. Hij is de weg helemaal kwijt.

Dan maakt Frank zijn zin af. '...je weet wel, sinds de scheiding en zo.'

Ik heb mijn mond nog steeds vol sint-jakobsschelp en ik weet dat het dure dingen zijn en dat het zonde is, omdat ze echt voortreffelijk klaargemaakt zijn, maar ik heb nu een servet nodig om het uit te spugen, want ik kan niet slikken en ik krijg geen lucht meer. *Wat* zei hij nu?

'Hannah, gaat het?' vraagt hij bezorgd, met een klopje op mijn rug, waardoor ik plotseling een kauwreflex ontwikkel en het ding doorslik.

'Scheiding?' vraag ik. 'Sinds de *scheiding?*'

Hij ziet er verstoord uit. Alsof hij niet begrijpt waar alle verwarring om draait.

'Zie je? Ik zei toch dat hij gescheiden was?' zegt Tom. 'Je maakt me helemaal in de war, Deb.'

'Natuurlijk ben ik gescheiden.'

Hij is gescheiden. Ik hoor het hem zeggen en ik zie zijn lippen synchroon bewegen aan de woorden die ik hoor, maar ik kan het niet begrijpen. Je kunt niet scheiden binnen een week. En al die tijd hiervoor heeft hij toch echt duidelijk een vrouw gehad. Ik moet even zitten...

'Je bent gescheiden?' vraagt Deb nog maar een keer. Goddank

is zij er om dit soort vragen te stellen, want mijn hersenen voelen als pulp. 'Want wij dachten de hele tijd... tenminste, ik weet toch bijna zeker dat wij dat allebei dachten, hè Hannah... dat jij getrouwd was.'

'Ik heb het zo vaak met Hannah gehad over de scheiding,' zegt hij totaal in de war.

'Over je huwelijk,' zeg ik gelaten vanaf de bank. 'Je hebt het vaak met mij gehad over je *huwelijk.*'

'Ik weet toch redelijk zeker dat ik niet getrouwd meer ben. Heb jij hier ooit een ring gezien?' Hij haalt zijn hand uit zijn zak.

'Nee, maar het is logisch dat je die afdoet als je op de versiertoer gaat.'

'Dacht jij... *denk* jij dat ik nog getrouwd ben met Jackie?' Hij maakt een geluid dat klinkt als een lach, maar zijn gezicht doet niet mee. 'Ik heb je verteld waarom we uit elkaar zijn. Dat we niet meer met elkaar communiceerden, dat we langs elkaar heen leefden. Dat het nooit meer goed komt. Al die dingen... Heb je wel geluisterd naar één woord dat ik gezegd heb?'

'Je hebt verteld waarom je vreemdging...'

'Ik ga niet vreemd.'

'Je gaat niet vreemd...'

'Nee.'

'Want je bent niet getrouwd?'

Hij schudt zijn hoofd. 'Ik zou toch niet met jou... als ik met haar...' Opeens lijkt het kwartje te vallen. 'Daarom doe je dus de hele tijd zo moeilijk. Je denkt dat ik thuis nog een vrouw heb zitten.'

Ik sta op. 'Ik denk dat niet zomaar, hoor! Jij hebt me dat wijsgemaakt.'

'Tom,' zegt Debbie, 'voorgerecht...' Ze sluipen er tussenuit.

'Ik heb nooit gezegd dat ik getrouwd ben,' zegt Frank.

'Je hebt ook nooit gezegd dat het niet zo is.'

'Wat? Moet ik dat standaard toevoegen aan mijn naam als ik me voorstel aan iemand? Als een titel? Mr. Frank Stevens, gescheiden, aangenaam.'

'Nou, het zou wel lekker duidelijk zijn.'

Hij kijkt naar me alsof ik een vreemde ben. Alsof ik degene ben die plots een andere burgerlijke staat uit de doeken doet. 'Ik wist niet dat jij dat dacht. Ik heb nooit, ook maar een moment, gedacht dat jij niet wist hoe het zat. Ik dacht dat het duidelijk was.' Hij ziet eruit alsof hij in gedachten conversaties tussen ons opnieuw afspeelt. 'Je hebt de hele tijd gedacht dat ik getrouwd was,' is zijn conclusie.

'Je hebt mij de hele tijd laten geloven dat je getrouwd was,' verbeter ik hem.

Er verschijnt een schunnig lachje op zijn gezicht. 'Dat zegt wel wat over jou.'

'Wat zeg je nu?'

'Nou... dat jij dus blijkbaar gewoon naar bed gaat met getrouwde mannen.'

Ik voel mijn lenzen uitdrogen op mijn irissen, zo ver sper ik mijn ogen open. 'Jij hebt mij keihard zitten versieren!'

'Ja, nou en? Ik ben toch vrij om dat te doen? Maar jij dacht dat het niet zo was. Dus wie zit hier nu fout?'

Echt, er moet een woord uitgevonden worden voor de overtreffende trap van *de overtreffende trap* van verontwaardiging, want ik kan mijn oren nu simpelweg niet geloven. 'Moet ik me nu schuldig voelen?'

Hij steekt zijn handen verdedigend in de lucht. 'Ik zeg alleen dat je me niet bepaald afgeremd hebt.'

'Ik heb je de hele tijd afgeremd!' schreeuw ik buiten zinnen.

'Jij was niet te houden.'

'Grapje, Hannah.'

Ik kijk hem boos aan, er niet helemaal van overtuigd dat het echt een grapje was.

'Ik hou wel van losbandige vrouwen, zonder moraal en remmingen en fatsoen en zo.'

Ik geef hem een klap op zijn schouder, die bij lange na niet hard genoeg aankomt. Hij knippert niet eens met zijn ogen.

'De vraag is alleen,' gaat hij onverstoorbaar verder, 'of je het nog interessant vindt, nu je me gewoon kunt hebben. Ging het je om mij of om de spanning van het verbodene?'

Pas nu hij het zegt, dringt het tot me door. Dat ik hem kan hebben. Dat hij van mij kan zijn. Dat niets ons in de weg staat. Maar nu mag hij eens heel eventjes gaan afzien.

Eenmaal aan tafel kan ik er nog steeds niet over uit. Er is een gesprek gaande tussen Frank en Tom, voornamelijk over werk en

Deb knikt en glimlacht en brengt af en toe iets in, wat meestal betrekking heeft op of ze iemand nog ergens van kan voorzien. En ik ben de hele tijd bezig met het herkaderen en herplaatsen van alles wat ik denk te weten van Frank. Alles wat hij gezegd heeft, alles wat ik gezien heb, ligt anders dan ik dacht. Hoe moet ik dat nu bevatten?

'Jullie liepen hand in hand in het park,' sis ik als er een stilte van een halve seconde valt omdat Tom om de schaal aardappeltjes met rozemarijn vraagt. Frank kijkt voorzichtig opzij, naar mij. 'Met Sven. Niet met elkaar,' antwoordt hij op fluisterniveau. Daarna richt hij zich weer op Tom, die zijn verhaal hervat.

'Waarom stelde je haar toen niet gewoon voor als je ex?' vraag ik op hetzelfde toontje als daarnet. Alsof we achter in de klas zitten te kletsen en de leraar het niet mag horen. Maar we zitten natuurlijk niet achterin, we zitten met z'n vieren aan tafel en het is nogal moeilijk voor Deb en Tom om niets te horen. Ook al doen ze keurig alsof.

Hij knikt geïnteresseerd naar Tom en zegt dan vluchtig tegen mij: 'Ik heb haar ook nooit mijn vrouw genoemd.' Daarna haakt hij in op de laatste opmerking die Tom maakte en komt hij met een ingewikkelde redenering die ik niet kan volgen. Ik heb wel wat anders aan mijn hoofd. Tom en Debbie schijnen er wel van onder de indruk te zijn, want ze vallen hem bij alsof hij zojuist heeft verteld hoe hij eigenhandig de wereldeconomie uit het slop gaat trekken.

'Het is toch logisch dat ik ervan uitging dat jullie bij elkaar hoorden? Hoe denk je dat het eruitzag?' ga ik verder.

'Goed... ik neem aan dat ik het nooit met zoveel woorden gezegd heb, maar ik dacht dat het duidelijk was,' antwoordt hij.

'Nou, dat is dus niet zo.'

'Dat weet ik nu. En het spijt me. Maar ik heb het niet expres gedaan.' Hij kijkt naar Debbie en ik kan zien dat hij zich opgelaten voelt. 'Het eten is heerlijk.'

'Dank je,' zegt ze.

Hij kijkt weer naar mij. Het is duidelijk dat hij verscheurd wordt door de neiging alles uit te praten met mij én niet onbeleefd te zijn tegen Debbie en Tom. Hij weet niet waar hij zich als eerste op moet richten, wat ik plots heel vertederend vind. Ik weet heus wel dat hij het niet expres gedaan heeft, maar waarom moest hij alles nu zo gecompliceerd maken?

'Die Salomon heeft nogal een reputatie,' gaat Tom verder. 'Heeft die vent niet besloten vóór zijn vijftigste binnen te zijn?'

'Hij is allang binnen,' antwoordt Frank. 'Ik verwacht dat hij de handel binnen nu en twee jaar overdraagt.'

'Aha... dat biedt perspectieven,' zegt Tom met opgetrokken wenkbrauwen.

'Ach...' Frank werpt een vluchtige blik op mij. 'We zullen zien.'

We zullen zien? Wat is er gebeurd met 'partner binnen twee jaar'?

'Ik zou het wel weten,' zegt Tom.

Ik kan mijn verbazing ook niet onderdrukken. 'Ik dacht dat je het al helemaal uitgestippeld had.'

'Dat was ook zo. Misschien heb ik nu andere prioriteiten.' Hij kijkt me zo indringend aan dat ik rode vlekken vanuit mijn hals voel opstijgen. 'Misschien wil ik nu andere dingen.'

'O... tja, nou... prioriteiten kunnen natuurlijk veranderen. Dat is in feite heel goed, om zo nu en dan te bedenken of je nog wilt wat je dacht dat je wilde.' Wat zit ik nu weer uit mijn nek te kletsen? Ik praat echt onzin, en waarom eigenlijk? Hij kan van alles bedoelen.

'Precies,' zegt Deb. 'Er is meer in het leven dan werk. Niet dat het ónbelangrijk is. Maar ik ben nu veel gelukkiger dan toen ik nog op topniveau moest presteren. Ook al had ik net zo goed mijn studie niet af kunnen maken, omdat ik toch de kans niet krijg er ooit nog iets mee te doen, alleen omdat ik ervoor gekozen heb me *niet* alleen op mijn carrière te richten.'

Frank knikt, een beetje van zijn stuk gebracht. Deb klinkt misschien ook niet helemaal zo positief als ze het bedoelde, maar dat komt omdat ze op het moment niet echt blij is met haar baan.

'Je krijgt heus nog kansen genoeg, Debbie,' zeg ik.

Ze glimlacht. 'Ik zie dat de glazen bijna leeg zijn. Ik ga even een nieuwe fles openmaken.' Ze staat op en Tom doet zich te goed aan een tweede portie parelhoen, waardoor het opeens best wel stil is aan tafel. Ik drink het laatste beetje wijn uit mijn glas en zie dat Frank hetzelfde doet. Daarna zet hij zijn glas neer en legt hij zijn hand vlak naast de mijne op tafel. Ik kijk naar hem en hij naar mij. Zijn lippen vormen geluidloos het woord 'sorry' en ik moet glimlachen, ook al wil ik het niet. Ik schud mijn hoofd. 'Ik snapte niets van je.' Zijn hand verschuift een beetje en strijkt langs mijn vingers. Mijn hart klopt in mijn keel. Ik beweeg mijn wijsvinger om het contact in stand te houden. 'Je hebt het zo moeilijk gemaakt...' Ik kijk weer naar hem op en hij lacht naar me. De Frank Stevens Promotie Glimlach. 'Je hebt heel wat goed te maken,' zeg ik stoerder dan ik me voel, waarop zijn lach nog veelzeggender wordt. O god... hij heeft natuurlijk al precies bedacht hoe hij dat gaat doen. Hoe ga ik er nu voor zorgen dat ik me niet meteen gewonnen geef?

Wat kan een etentje veel van je zelfbeheersing vergen: het afruimen van het hoofdgerecht, het dessert en daarna nog koffie met een likeurtje. Ik had het allemaal wel willen overslaan, maar in plaats daarvan heb ik al mijn zelfbeheersing aangewend om het allemaal uit te zitten. Maar dat was niet het moeilijkste. Het moeilijkste was om op het moment dat Frank aangaf naar huis te moeten om de oppas af te lossen, ijskoud te beweren dat ik geen lift van hem nodig had, omdat ik graag nog even wilde blijven. En dat na al die veelbelovende blikken die hij me de hele avond toegezonden heeft. Wat kan die man *kijken*. Echt ongelooflijk. Maar ik heb het allemaal kunnen weerstaan en pas twintig minuten nadat Frank weg is gegaan, stap ik ook op. Zo lang heb ik nodig gehad om Debbie uit te leggen waarom ik niet met hem meegegaan ben. Ze snapt het nog steeds niet, trouwens. En ik eigenlijk ook niet.

Ik trek mijn jasje dichter om me heen en loop de straat uit. Iets verderop gaat een autoportier open en een lange, donkere gestalte stapt uit. Hij heeft gewacht!

'Dat duurde wel erg lang,' zegt Frank. Hij slaat het portier dicht en loopt de stoep op.

'Ik dacht dat je al weg was,' zeg ik. 'Moest jij niet naar de oppas?'

'Ik heb haar gebeld. Ze blijft een halfuurtje langer.' Hij kijkt op zijn horloge. 'Wat betekent dat ik nu nog tien minuten heb om je naar huis te brengen en ondertussen alles uit te leggen.'

'Dat hoeft niet. Ik loop wel.'

'Hannah, ben je nu boos omdat ik níét getrouwd ben?'

'Ik ben niet boos. Ik ben gewoon in de war en ik denk dat alles wat ik hiervoor zei, over voorzichtigheid, nog steeds geldt.'

Hij zucht. 'Wil je alsjeblieft gewoon in die auto stappen?'

'Nee.'

'Nee? Waarom niet?'

'Omdat je me dan ompraat,' antwoord ik.

'Hannah...'

'Zie je... daar ga je al.'

'Hannah,' zegt hij weer, 'als je niks met me wilt, kun je dat ook gewoon zeggen. Ik zou bijna liever hebben dat je dat deed, want dan weet ik tenminste hoe het zit. Hier word ik echt gek van.'

'Ik wil wel wat met je.'

Hij kijkt om zich heen, alsof hij iemand zoekt die kan verifiëren wat hij net gehoord heeft.

'Ik wil álles met je. Maar ik heb de hele tijd gedacht dat ik je niet kon hebben en zo voelt het nog steeds. Ik kan die knop niet zomaar omzetten. Voor mij was je getrouwd. Een paar uur geleden was je nog getrouwd.'

'Dat ben ik al heel lang niet meer.'

'Dat weet ik nu, maar...' Ik ontwijk zijn blik. 'Elke keer dat ik bij jou was, voelde ik me zo... slécht. Weet je wel wat je me aangedaan hebt? Hoe ik heb lopen tobben? Weet je wel hoeveel van mijn eigen grenzen ik overschreden heb voor jou? Als iemand me ooit gezegd had dat ik het met een getrouwde man aan zou leggen, had ik hem voor gek verklaard.'

'Maar ik ben niet...'

'Dat weet ik,' breng ik gefrustreerd uit. 'Maar ik *dacht* dat je het was en het maakte niets uit. Ik bedoel... het maakte wel uit, maar niet genoeg. Ik wilde je toch...'

'We wilden elkaar.' Hij komt wat dichterbij. 'Jij bent niet slecht. Ik ben hier toch de vreemdganger?' Hij lacht. 'Kom op, Hannah, je gaat me toch niet vertellen dat je voor me zwichtte toen ik nog getrouwd was, maar niet nu ik vrij ben? Daar kom ik nooit meer overheen. Denk aan mijn ego.'

'Het kan wel wat minder met jouw ego,' antwoord ik.

Hij is even stil. 'We hebben niets verkeerd gedaan.'

'Waarom voelt het dan wel zo?'

'Vertel me eens wanneer het verkeerd voelde als wij samen waren... ik kan me daar niets bij voorstellen.'

'Juist het feit dat het zo goed voelde, maakte het verkeerd,' zeg ik. 'Ik wilde dat je ging scheiden voor mij. Ik hoopte dat je je gezin zou verlaten en voor mij zou kiezen. Moet ik nu blij zijn dat het al gebeurd is voor het mijn schuld was? Wat zegt dat over mij?'

'Als het andersom geweest was, had ik hetzelfde gedaan. Dat jij een vriendje had, hield mij ook niet tegen.'

'Alex?' vraag ik verbaasd. 'Kom op, zeg, dat was totaal niet geloofwaardig.'

'Dat je hem voor mijn neus mee naar huis sleepte, was best geloofwaardig.'

'Sorry daarvoor,' zeg ik een beetje beschaamd. 'Maar dat had ik nooit gedaan als ik niet had gedacht dat jij een vrouw had. Ik heb niks met hem.'

'Dat weet ik.'

Ik trek mijn wenkbrauwen op. 'Hoe weet je dat?'

'Nou gewoon. Ik weet hoe je eruitziet als je wél op iemand valt.'

'Dat bedoel ik dus met je ego. Niet te geloven...' verzucht ik.

'Dat is niet arrogant. Ik weet gewoon dat we iets bijzonders hebben. En ik ben niet van plan dat te laten schieten.'

'O,' zeg ik. Heel intelligent.

'Maar nu heb ik geen tijd meer om je naar huis te brengen,' zegt hij dan.

'Geeft niet,' zeg ik. Ik wil net zeggen dat ik het niet erg vind om te gaan lopen als hij me in de rede valt.

'Dat betekent dat je mee naar mijn huis moet.' Hij loopt naar zijn auto en trekt het portier aan de passagierskant open. 'Ik meen het. Ik laat je niet meer gaan.'

Ik ben nog nooit met een man mee naar huis gegaan die boven een slapend kind had liggen. Tenminste, niet voor zover ik weet. Het is best een vreemd idee, vind ik, als Frank de deur achter ons sluit. Al die tijd heb ik voor me gezien hoe hij met zijn gezin in een chique buitenwijk woonde en nu blijkt hij gewoon een klein huis vlak bij het centrum te hebben. We staan dicht bij elkaar in het smalle halletje en ik vang een vleugje citrus en ceder op voor hij de deur naar de woonkamer opent.

'Fijne avond gehad?' vraagt de oppas vlak voor ze mij vol verbazing opneemt. 'O... hoi.'

'Hoi,' zeg ik met een halfslachtig zwaaitje. Ze is niet wat ik me voorstelde bij het woord 'oppas'. Ik zag een meisje van een jaar of zeventien voor me, dat een zakcentje bij wil verdienen met een avondje chips eten en tv-kijken op andermans bank. Ze is wel duidelijk wat jonger dan ik, maar niet in die zin dat het positief voor mij uitpakt. Ik schat haar ongeveer even oud als mijn nichtje. Een jaar of drieëntwintig. Ik probeer me voor te houden dat Frank niet op meisjes van drieëntwintig valt, maar ik vraag me eigenlijk af of zulke mannen bestaan, zeker als de meisjes eruitzien zoals deze.

'Hannah, dit is Kim. Ze woont een paar huizen verderop en ze is zo aardig om af en toe op Sven te passen,' zegt Frank.

Ik schud haar de hand, waarvoor Kim opstaat van de bank. Ze is ook nog vijf centimeter langer dan ik en dat terwijl zij ballerina's draagt en ik hakken. Mooi is dat.

'Niks aardig,' antwoordt ze. 'Frank helpt me met mijn studie als ik vastloop. Ik moet nog één jaar en dankzij hem ga ik het misschien nog halen ook. Ik moet toch iets terugdoen?'

'Hij was toch niet lastig?' vraagt Frank.

'Helemaal niet.' Ze schudt haar lange, kastanjebruine haren achterover en pakt een boek van tafel. Ik zie 'sociaal recht' in de titel op het omslag staan. Dit kan niet waar zijn. Een drieëntwintigjarige rechtenstudente... ze raken vast niet uitgepraat. En ik zie duidelijk dat ze op hem valt. Het spat gewoon van haar af. 'Hij is zo lief... hij begon heel eventjes te huilen, maar toen heb ik even bij hem gezeten en een liedje gezongen...' Ze zingt vast ook nog als Whitney Houston... '... en toen viel hij weer in slaap.'

'Mooi zo,' zegt Frank. 'En sorry dat het wat later geworden is.'

'O, dat geeft helemaal niets. Ik heb op het moment niet veel beters te doen.' Ze kijkt mij aan. 'Mijn vriendje zit al vier maanden in Canada voor zijn studie. Ik vind het fijn om soms een avondje hier te zijn. Het kan best wel eenzaam zijn.'

'Ja,' zeg ik. 'Dat snap ik.'

Ze glimlacht en laat het boek in haar schoudertas zakken, die naast de bank staat. 'Nou, ik laat jullie alleen...' Ze loopt naar de deur.

'Wacht even, ik moet nog afrekenen,' zegt Frank terwijl hij naar zijn binnenzak reikt. Kim houdt hem tegen door haar hand op zijn onderarm te leggen.

'Dat zit wel goed. Ik heb nog een paar arbeidsrechtelijke vraagstukken waar ik niet uitkom. Dan staan we weer quitte.' Ze glimlacht naar mij. 'Fijne avond, verder.' En ze vervolgt haar weg naar buiten.

'Jij ook,' antwoord ik.

'Zo,' zegt Frank als hij Kim uitgelaten heeft.

Ik probeer niet te laten merken wat ik nu denk. 'Zo...'

'Ik ga even snel bij Sven kijken... doe je jas uit.' Hij laat mijn sjaal even door zijn hand glijden. 'En dit... doe alles maar uit.'

Ik glimlach en als hij boven is, loop ik een rondje door zijn huiskamer. Hier woont hij dus. Hier was hij de hele tijd dat we niet bij elkaar waren. Net zo alleen als ik. Tenzij hij Kim had om hem gezelschap te houden. Op deze manier ga ik die baan als nanny voor Sven toch serieus overwegen. Ik bedoel: als zij het alternatief is. Het lijkt wel alsof ze speciaal gecast is om mij onzeker te maken. Ik durf te wedden dat ze hier alleen oppast in de hoop dat Frank een move maakt. Waarom heeft hij dat eigenlijk nog niet gedaan? Je ziet zo dat hij maar met zijn vingers hoeft te knippen... Ze kennen elkaar duidelijk al langer en hij is blijkbaar al een eeuwigheid vrijgezel. Opeens schiet me iets te binnen wat nog erger is. Zouden ze het al gedaan hebben?

'Hij slaapt als een blok,' zegt Frank. Hij heeft boven zijn jasje en stropdas uitgedaan. Zijn manchetten en boord zijn losgemaakt. 'Moet je nog ergens naartoe?' vraagt hij als hij ziet dat ik mijn jas nog steeds aanheb.

'Nee,' zeg ik. 'Ik was nog niet zover.'

'Ik hoor die natuurlijk ook fatsoenlijk aan te nemen.' Hij helpt me eruit en gooit de jas en sjaal over een eettafelstoel. 'Wil je iets drinken?'

Ik schud mijn hoofd. Ik zit nog helemaal vol van het etentje. Hij loopt naar me toe. 'Ik heb je gemist...'

Opeens voel ik me stom door alles was ik net gedacht heb over hem en Kim. Is hij nu bij haar? Kijkt hij nu naar haar alsof ze de enige vrouw op de wereld is? 'Ik heb jou ook gemist.'

Hij neemt mijn gezicht tussen zijn handen en ik kijk hem met ingehouden adem in de ogen terwijl hij dichterbij komt. Zijn neus strijkt langs de mijne en zijn pupillen glanzen donker, vlak bij de mijne. Ik heb het gevoel dat ik erin zou kunnen worden gezogen. Dan voel ik eindelijk zijn lippen en het duurt een paar volle seconden voor ik genoeg grip op mezelf heb om hem terug te zoenen. Maar zodra het zover is, doe ik het ook goed. Opeens weet ik weer waarom het geen verschil maakte dat hij getrouwd was. Hij hoort bij mij. Ik voel het aan alles.

Ik begin de knopen van zijn overhemd open te maken, en hij werkt met ongekende snelheid de knoopjes van mijn bloesje af. 'Kom mee naar boven,' fluistert hij ondertussen. Hij pakt mijn hand en leidt me naar de trap, waar ik een beetje aarzelend blijf staan. 'Kom nou.' Hij kust me weer tot al mijn aarzeling verdwijnt en terwijl ik mijn armen om zijn nek klem, tilt hij me op.

'Dat red je nooit helemaal die trap op,' zeg ik, waarna ik een donkere twinkeling in zijn ogen zie.

'Wil je wedden?' Dan zoenen we weer en heb ik amper in de gaten waar we zijn, tot ik zijn matras onder me voel. Ik probeer zijn overhemd uit te trekken, zijn riem en zijn broek los te maken en hij schopt alles van zich af zodra ik mijn werk gedaan heb, terwijl hij ook in gevecht is met mijn beha en spijkerbroek. Gelukkig is hij aan de winnende hand. Ik kus zijn nek en schouders terwijl hij op me komt liggen. Zijn handen strelen mijn blote huid en ik schrik van mezelf als ik verlangend kreun.

'Wat is er?' vraagt hij lachend. Wat is hij toch knap. Vooral als hij lacht. En als hij niet lacht. Hij bukt zich en zijn tong gaat op zoek naar mijn tepel, wat echt héél prettig is, waardoor het me grote moeite kost om hem wat van me af te duwen. 'Wat?' vraagt hij opnieuw, zijn stem klinkt zacht en hij verschuift een beetje, waardoor zijn lichaam plots nog beter aansluit op het mijne.

'Ik weet niet of ik het durf,' geef ik moeizaam toe, 'met Sven zo dichtbij… Wat als hij ons hoort?'

'Hij hoort niets, hij is echt vertrokken. Maak je niet druk.'

'Oké.' Ik probeer het van me af te zetten, wat redelijk lukt als hij me weer zoent. Hij zal het wel weten, toch? Na een paar tellen kost het me moeite überhaupt gedachten te vormen, laat staan me zorgen te maken. Zijn tong is een sensueel spel met die van mij begonnen en zijn vingers strelen langzaam naar beneden, voorbij mijn navel. We raken helemaal met elkaar verstrengeld en ik doe echt mijn best om stil te zijn, maar al na een paar tellen houd ik het niet meer. 'Dat hoorde hij vast,' zeg ik geschrokken, 'dat moet hij gehoord hebben.'

'Hannah,' zegt Frank, 'hij slaapt zo vast... hij hoort jouw schattige geluidjes echt niet. Ontspan je maar.'
'Dat wil ik wel, maar... maakte ik de vorige keer ook zoveel lawaai?'
Hij moet nu echt lachen.
'Ssst,' zeg ik. Ik dek zijn mond af met mijn hand. 'Zo vast slaapt niemand.'
'Wacht...' Hij kust de binnenkant van mijn hand en haalt hem dan daar weg. 'Ik zal het je laten zien... Sven!' zegt hij hardop. Zo hard dat ik zeker weet dat hij het hoort en de kamer in komt en mij naakt aantreft met zijn vader boven op me. 'Sven!' roept hij nog een keer. 'Ik heb hier chips en suikerspinnen en Sinterklaas is net geweest! De hele kamer staat vol cadeautjes en als je nu komt mag je zoveel ijs eten als je wilt en gaan we meteen door naar Disneyland!' Hij kijkt me triomfantelijk aan als het stil blijft. 'Sven... je hebt nog tien seconden! Tien seconden om je cadeautjes te halen... tien... negen... acht...' Hij kijkt om. 'Zie jij hem al?'
'Dat was heel erg riskant,' fluister ik.
'Ik ken mijn kind,' antwoordt hij. 'Maak jij maar zoveel lawaai als je wilt.'
'Hoeveel seconden heeft hij nog?'
'Vier,' antwoordt Frank terwijl hij een condoom uit zijn nachtkastje pakt. 'Drie...' Tegen de tijd dat hij 'één' zegt, zijn we met iets heel anders bezig.

'Papppieee!'
Het is tien over zes als ik wakker word van Svens voetjes die over de hal naar de slaapkamer komen en van zijn opgewekte stem die door het huis galmt. Frank had me hier gisternacht al een beetje op voorbereid, toen hij in het donker op zoek ging naar een shirt voor mij om in te slapen. Ik til mijn hoofd een stukje op en zie Sven een enorme duik nemen in de richting van zijn vader.
'Svennie!' roept Frank, terwijl hij hem opvangt en hem met twee armen weer omhoog de lucht induwt. Sven zweeft als een vliegtuig boven ons, met zijn armen en beentjes uitgespreid en hij giechelt het uit. Frank gooit hem een paar keer op en vangt hem weer, wat ik al zwaar vind om bij een kleintje als Nina te

doen, laat staan bij een jochie van drie. Maar Frank houdt het prima vol. Na een keer of vijf, laat hij hem op zijn borst neerkomen. Dan ziet Sven mij. 'Annah!' roept hij verrast.

Ik zwaai naar hem en glimlach.

'Het is nog heel erg vroeg, Sven,' zegt Frank. Ze hebben hun armen om elkaar heen en Frank kust Sven tussen zijn warrige haartjes, wat echt heel erg schattig is. Ik knipper de slaap uit mijn ogen om het beeld wat scherper te stellen en Frank draait zijn gezicht naar me toe. 'Sorry... dit is misschien een beetje heftig voor jou.'

'Misschien... een beetje...' zeg ik schouderophalend.

'Je mag gerust opstaan en douchen of wat dan ook... Of ik kan hem mee naar beneden nemen als je nog even wilt slapen.'

'Oké, dat is fijn,' antwoord ik, 'maar... misschien wil ik wel liever hier blijven. Met jullie. Mag dat ook?'

'Dat...' zegt Frank terwijl hij zijn arm naar me uitstrekt, '... is nog veel beter.' Ik nestel me tegen hem aan en duw mijn gezicht in het kuiltje tussen zijn nek en schouder. Sven legt zijn handje tegen mijn wang en Frank trekt het dekbed dichter om ons heen.

'Hé, Frank,' zeg ik voorzichtig na een paar minuten. We liggen alle drie weer een beetje weg te doezelen.

'Hmm?'

'Mag ik nog steeds Svens nanny worden?'

FRANK

Aan: R.Sanders@A&S-advocaten.eu
Van: F.Stevens@A&S-advocaten.eu
Datum: 19-03-2010, 09:47
Onderwerp: Who's the man?

Het is dat ik een zitting heb vanochtend, want voor een dagje op kantoor was ik vandaag mijn bed niet uitgekomen. De regel geen seks voor de wedstrijd, gaat gelukkig niet op in de rechtszaal, want ik ben in topvorm en heb vanaf de eerste minuut de touwtjes strak in handen. Als ik daarna fluitend weer naar buiten loop, kom ik Jackie tegen op het bordes aan de voorkant van het gebouw. 'Hé!' roep ik als ze me voorbijloopt. Ze kijkt om en blijft bovenaan staan. 'Ik had je niet gezien. Zitting gehad?'

Ik knik. 'Gewonnen.'

'Gefeliciteerd. Dat ga ik ook doen.'

'Nu?' Ik kijk op mijn horloge. Ik heb vlak na de middag nog wat afspraken, maar dat red ik makkelijk. 'Of heb je nog even?'

Ze trekt een wenkbrauw op en kijkt me aan alsof ik op mijn achterhoofd ben gevallen. Moeilijk voor te stellen dat dit een vrouw is die zich ooit vrij gemakkelijk door mij heeft laten versieren. 'Ik ben aan de vroege kant, maar...'

'Misschien kunnen we even koffie halen of zo.'

'Nou, zoveel tijd heb ik nu ook weer niet,' antwoordt ze.

Er komen mensen aan en ik pak haar elleboog vast om haar het trapje af te dirigeren en de weg vrij te maken. 'Ik wil iets met je bespreken. Het duurt niet lang.'

'Schiet op dan.' Ze zet haar koffertje op het muurtje dat de beplanting aan de voorkant van het gebouw omheint.

'Gaat het goed met je?'

'Prima. Is het noodzakelijk dat we dit soort beleefdheden uitwisselen? Zeg gewoon wat je te zeggen hebt.'

'Oké, dan doen we dat. Het gaat om Hannah.'

'Hannah?' Zoals ze dat zegt, zou ik haast denken dat ze die naam nooit eerder gehoord heeft. 'Wat is daarmee?'

'Ik heb haar toch gevraagd af en toe op Sven te passen?'

'En gelukkig vond zij dat net zo'n stom idee als ik... Waar gaat dit heen?' vraagt ze.

'Ze vindt het geen stom idee meer. Luister Jackie, dit is echt een briljante oplossing.'

'Het is belachelijk. Je weet hoe ik erover denk, zeg maar dat het niet doorgaat.' Ze probeert langs me heen te lopen, maar ik versper haar de weg.

'Ik weet dat je gewend bent alles te bepalen... maar nu regel ik eens iets. We hebben het hier al over gehad.'

'Frank, ik heb nu echt geen tijd om die discussie opnieuw aan te gaan. Laat me er eens door, ik moet verder.'

'Nog één ding,' zeg ik.

'Wat?' vraagt ze ongeduldig.

'Ik wilde je ook nog vertellen dat Hannah en ik iets hebben samen.'

Ze kijkt me verbouwereerd aan. 'Goh... veel plezier ermee. Voor zolang het duurt.'

'Het is serieus. Ik wil dat je dat weet.'

'Kom op, Frank, ik weet heus wel wat dit is. Je probeert me gewoon te stangen. Wil je mijn concentratie soms verstoren zodat ik de zitting verlies? Denk maar niet dat ik dat laat gebeuren.'

'Alsjeblieft zeg,' antwoord ik. 'Dit gaat niet om jou.'

'O, ze is je grote liefde?' zegt ze spottend. 'Je kent haar amper. Voor ik het weet heb je haar weer ingewisseld voor je volgende verovering. Als ik me daar allemaal druk om moet gaan maken...'

'Het is anders nu, met Hannah. Blijvend. Ik ga er iets van maken.'

'O ja? Dat is nieuw...' De manier waarop ze me nu aankijkt, gaat ver voorbij 'spottend'. 'Je zou niet eens weten hoe dat moet, al hing je leven ervan af.'

'Hoezo?' vraag ik. 'Omdat het met jou niet gelukt is? Ben ik soms degene die de stekker eruit trok en van de ene op de andere dag dikke mik met Smallenberg was?'

'Hou toch op! Alsof je daarvan wakker gelegen hebt. Ik had het onder je neus kunnen doen en dan had je nog niet opgekeken!' 'Misschien was dat anders geweest als je eens een greintje warmte en gevoel had weten op te brengen!' Er zijn nog honderdduizend andere dingen die ik haar zou willen verwijten en ik sta op het punt om ze allemaal voor haar voeten te gooien, maar plotseling heb ik mijn kalmte terug. Het is niet belangrijk meer. Ik kan alleen maar blij zijn dat zij er een einde aan gemaakt heeft, want ik weet nu dat ik me nooit zo alleen gevoeld heb, als toen ik nog samen was met haar. En dat ben ik niet meer, nu. Ik hoef geen gelijk van haar te krijgen. Ik hoef geen begrip. Ik heb niets meer van haar nodig, behalve dat ze samen met mij ervoor zorgt dat Sven gelukkig is. 'Wil jij liever bezig blijven met alles wat er misgegaan is tussen ons?' vraag ik zo rustig mogelijk. 'Of wil je verder? Want ik doe liever dat laatste en ik kan je vertellen dat dat bijzonder goed voelt. Kunnen we elkaar dat niet gewoon gunnen? Ik weet dat het allemaal niet zo lekker loopt tussen ons, maar het is toch niet zo moeilijk om op zijn minst wat respect voor elkaar op te brengen?'

'Mooi gesproken,' antwoordt ze afgemeten, 'maar respect moet je verdienen.' Ze pakt haar koffertje vast en loopt de treden op. Ik laat haar gaan, omdat dat nu eenmaal het beste is dat Jackie en ik voor elkaar kunnen doen.

HANNAH

'Schatje, dat kost ongeveer vijfentwintigduizend euro. Als je het sloopt, moet papa heel veel centjes betalen.' Micky gebruikt haar kindvriendelijkste stemgeluid, wat ook op mij eerlijk gezegd een beetje eng overkomt. Sven neemt met een bedrukt gezichtje afstand van de sculptuur die hij het afgelopen kwartier vol fascinatie onderzocht heeft. Niet zo gek, want hoewel de titel 'Het Oog van de naald' is, heeft het ding nergens een opening waar een draadje doorheen zou kunnen. Ik krijg er ook een onrustig gevoel bij. Sven heeft eigenlijk meer met schilderkunst en drentelt naar de muur waar de abstracte schilderijen hangen. Misschien doet hij nieuwe inspiratie op om de muren bij zijn oma te decoreren. Ik laat hem maar even. Als 'nanny' moet ik hem ook in zijn ontwikkeling stimuleren.

'Dus...' zeg ik tegen Micky. 'Er is geen vuiltje meer aan de lucht. Ik ben gisteren met hem mee naar huis gegaan en het was zó geweldig. Echt, ik kan niet zeggen hoe goed hij is...' Ik kijk even achterom naar Sven die zo te zien helemaal niet bezig is met wat wij zeggen. Hij staat op zijn tenen en probeert een van de schilderijen aan te raken. Hij kan er net niet bij.

'Laat me raden,' zegt Mick. 'Er zijn veren gesprongen?'

Ik knik heftig. 'Weet je, het klinkt misschien raar, maar ik heb voor het eerst in mijn leven het gevoel dat het helemaal goed zit. Hij is zo anders dan al mijn vorige vriendjes. Wie had dat gedacht? Dat Frank Stevens de ideale man voor mij zou zijn? Maar het is gewoon zo. Het is perfect. Er staat niets meer tussen ons in. Ik ben zó gelukkig... Waarom kijk je nou zo?'

'Wat? Hoe bedoel je?' vraagt Micky terwijl de bezorgde uitdrukking die ik dacht te zien, als sneeuw voor de zon verdwijnt. 'Ik ben hartstikke blij voor je. Ik wil niets liever dan dat jij gelukkig bent. Jij met Frank, ik met Rick. Alles is nu zoals het hoort.'

'Nu alleen Jess nog. Volgens mij gaat het niet zo lekker met haar. Ik heb nog geprobeerd haar te bellen, maar ik krijg de hele tijd haar voicemail. Zij is de enige die nog van niets weet. Ik wil haar zo graag vertellen dat Frank helemaal niet getrouwd is. Dan heeft ze ook geen reden meer om negatief over hem te denken.'

'Zal ik haar vanavond eens bellen?' vraagt Micky. 'Dan zal ik haar vertellen dat jij en Frank voor elkaar gemaakt zijn en dat wij geen enkel recht hebben om daar zwartgallig over te doen. Verliefdheid is het mooiste wat er is en natuurlijk: niemand is perfect. Frank heeft een kind en een ex-vrouw en hij mag zich dan een beetje uitgeleefd hebben na de scheiding, maar wie heeft geen verleden? Toch?'

Ik knik een beetje aarzelend. Ergens heb ik het gevoel dat Micky anders dan normaal doet, maar ik weet niet precies waarom. Het is juist lief dat ze zo voor Frank en mij gestreden is.

'Hij is dol op je, daar gaat het om,' concludeert ze. 'En laat niemand je wat anders wijsmaken.'

'Bedankt, Mick. Je bent een superlieve vriendin.' Ze wuift met haar hand, alsof ze er niets van wil horen, maar ik vind echt dat ik het moet zeggen. 'Serieus, je hebt me de hele tijd gesteund. Ook toen het er allemaal heel anders uitzag tussen Frank en mij.'

'Ja, nou ja...' Ze haalt haar schouders op. 'Zo doe je dat, hè?'

'O! Doe niet zo bescheiden, dat past voor geen meter bij je.' Ik zet een stapje naar voren en sla mijn arm om haar heen. 'Je bent de beste.'

Ik hoor een lachje uit haar keel ontsnappen. 'Nou, echt de bovenste beste...'

'Luister, ik moet gaan. Misschien zie ik je vanavond nog?'

'Ja, ja... alsof jij van plan bent thuis te komen.'

'Heus wel. Ik heb alleen geen idee hoe laat.'

Als ik later op de middag, met Sven aan één hand en een boodschappentas bungelend aan de andere, de voordeur van het huis van Frank openmaak, schrik ik als de deur al na een halve slag van de sleutel open floept. Ik weet namelijk honderd procent zeker dat ik hem goed op slot gedraaid heb. Behoedzaam zet ik de tas met boodschappen in het halletje en ik neem Sven op mijn arm, terwijl ik heel voorzichtig de deur naar de huiskamer open.

Het zal toch niet zo zijn dat ik op mijn eerste dag als kindermeisje meteen een inbreker betrap? Gelukkig ziet alles er normaal uit. Zou Frank misschien in de tussentijd even thuis geweest zijn en vergeten zijn de deur op slot te draaien? Misschien moet ik hem voor de zekerheid bellen? Ik ben op zoek naar mijn mobieltje als Sven vrolijk 'mama' roept. En ik weet dat we het goed kunnen vinden samen, maar het is wel erg vroeg voor hem om zo'n vergissinkje te maken. Hij wijst met zijn handje naar de eettafel waar een héél dure handtas staat.

'Mama?' herhaal ik en op dat moment klinkt het geluid van hakken op de trap. Opeens staat ze voor me, met de telefoon aan haar oor, bezig iemand uit te kafferen. 'Laat maar, de situatie is al helemaal opgehelderd!' besluit ze haar tirade.

'Jackie,' zeg ik als ze ophangt. Sven strekt zijn armpjes naar haar uit.

'Waarom is hij bij jou?' vraagt ze nijdig. 'Ongelooflijk! Kom maar bij mama, schatje.'

'O, heeft Frank niet...' begin ik onhandig terwijl ik Sven aan haar overdraag. 'Ik dacht... ehm... hij heeft me gevraagd op Sven te passen. Hij zei dat jullie het overlegd hadden.'

'Tja, hij kan zoveel zeggen, hè?' Ze negeert Sven die in zijn eigen brabbeltaaltje heel enthousiast tegen haar aan het praten is en hobbelt hem alleen een beetje op haar heup heen en weer terwijl ze boos naar mij kijkt. 'Als je denkt dat ik het goedvind dat mijn zoon de hele dag onder de hoede is van een van de scharrels van mijn man...'

'Ex-man,' onderbreek ik haar, want dit is dus waarom misverstanden ontstaan. Mensen kunnen zo in hun eigen wereldje leven. 'En ik ben de enige scharrel. Denk ik.'

'Ik pik dit niet,' zegt ze. 'We hebben afspraken en ik wil ervan op aan kunnen dat die worden nageleefd, ook als ik er niet ben. Zeg dat maar tegen Frank. En zeg ook maar dat Sven bij mij blijft tot hij mij kan verzekeren dat de dingen gaan zoals het hoort.'

'Ho, wacht eens even,' roep ik als ze mij voorbij beent richting de voordeur. Tot mijn verbazing staat ze nog stil ook. 'Zo werkt het niet. Ik ben geen doorgeefluik tussen jullie. Ik dacht dat dit geregeld was en het spijt me voor jou als dat niet zo is, maar voor je naar buiten stormt en Sven meeneemt, wil ik eerst Frank bellen. Aangezien hij duidelijk gezegd heeft dat Sven vanavond hier zou blijven.' Ondertussen heb ik zijn nummer al gekozen. 'Wat heb jij daarmee te maken?' antwoordt ze verontwaardigd. 'Jij bent toch zo voor afspraken?' Nou dan.' De telefoon gaat een paar keer over. Ik vind het een wonder dat Jackie nog steeds staat te wachten. Ik wist niet dat ik zo veel overwicht had. 'Als hij niet opneemt, ben ik weg,' dreigt Jackie. 'En aangezien hij nooit opneemt als je hem nodig hebt...' 'Hé, schattie,' zegt hij dan opeens. 'Hoe is het? Is Sven een beetje lief voor je?' 'Dat wel, maar ik heb een kleine aanvaring met je ex-vrouw...' 'Hoe bedoel je?' vraagt hij. 'Ze is hier en ze wil Sven mee naar huis nemen. Ik denk dat jullie even moeten praten.' 'Dat zal ik zeker even doen, geef haar maar meteen,' zegt hij opgefokt. Ik houd Jackie mijn gsm voor. 'Hij wil je even spreken.' Met ogen die vuur schieten, neemt ze het telefoontje aan. 'Screen jij je telefoontjes, tegenwoordig, of zo?' foetert ze. 'Hoezo "waarom zou je?" Omdat ik je twee minuten geleden gebeld heb en ik alleen je ellendige voicemail kreeg, maar ik merk dat je voor anderen wel tijd hebt...' Ze werpt weer een woedende blik op mij en ik zie Svens gezichtje betrekken. Ondertussen is Franks stem ook duidelijk hoorbaar. 'Luister even heel goed: het feit dat jij zégt dat iets moet gebeuren, betekent niet automatisch dat het ook daadwerkelijk gebeurt,' tiert Jackie verder. '... omdat ik er verdomme ook nog ben!'

Oké, zo is het wel mooi geweest. Ik moet Sven verlossen van deze aanslag op zijn kinderzieltje, maar Jackie trekt hem van me weg als ik hem van haar probeer over te nemen. 'Wat denk jij dat je aan het doen bent?' vraagt ze.

'Dit is iets tussen jou en Frank. Wil je hem er niet liever buiten laten?'

Ze rolt met haar ogen, maar staakt wel haar verzet. Ik neem Sven mee naar boven en hij kiest zijn brandweerkazerne om mee te spelen terwijl de discussie tussen zijn ouders voorlopig nog wel even doorgaat. Ik vraag me af of het niet gemakkelijker was toen ik dacht dat Frank nog gewoon getrouwd was.

Ruim een uur later hebben we ook Svens garage, zijn kasteel

met ridders en zijn hele duplo-collectie gehad. Frank is thuisgekomen, waarna het eerst nóg heftiger ruzie werd, maar dat lijkt sinds een kwartiertje wat geluwd te zijn. Dan hoor ik voetstappen op de trap, gelukkig maar, want ik raak door mijn mogelijkheden heen om dit kind bezig te houden.

Sven veert op en rent naar de overloop. 'Hé maatje, ben je lekker met Hannah aan het spelen?' hoor ik Frank zeggen en Sven gilt en giechelt. Ik sta op om wat speelgoed op te ruimen en zie dat Sven ondersteboven in de armen van Frank hangt. Jackie verschijnt achter hen en tovert een glimlach op haar gezicht. 'Papa en mama zijn niet boos op elkaar, hoor Sven,' zegt ze. 'Zie je wel?' Hij heeft het te druk met zijn vader als klimtoestel gebruiken om echt antwoord te geven, maar zijn lach klinkt niet bepaald getraumatiseerd. 'Vind je het leuk om bij papa te blijven, vandaag?'

'Jaaaaaa!' zegt hij blij.

Ik ruim extra langzaam op, terwijl Jackie zich in allerlei bochten wringt om te doen alsof er geen vuiltje aan de lucht is. Ze geeft Sven kusjes en neemt overdreven vrolijk afscheid. Daarna zet ze een stapje over de drempel van zijn slaapkamer. 'Bedankt dat je op hem gepast hebt. Tot ziens,' zegt ze tegen mij.

Ik ben bijna te verbaasd om antwoord te geven, maar kan nog net 'dag' uitbrengen.

Het is een beetje raar om vlak daarna rustig met Frank te gaan koken, terwijl Sven een dvd'tje kijkt. 'Nou,' zeg ik, 'dat was nogal wat voor een eerste werkdag.'

'Inderdaad, ja. Blijkbaar hebben Jackie en ik andere opvattingen over wanneer iets "geregeld" is.'

'Blijkbaar.'

'Maar nu niet meer, hoor. Nu is het echt geregeld.'

'Dat weet je heel zeker?'

'Ja. Tenzij jij je bedacht hebt, waar je het volste recht toe zou hebben.'

'Ik heb me niet bedacht.'

'Niet?' vraagt hij opgelucht.

'Nee. Ik kan dit niet eeuwig blijven doen, maar voor nu komt het ons allebei goed uit. Sven is vaker thuis, wat belangrijk is voor jou, en tussendoor heb ik tijd om me op die studie te richten.'

'Precies. We helpen elkaar.'

'Juist,' antwoord ik. 'Zolang ik er maar niet steeds tussen zit als jij en Jackie samen iets uit te vechten hebben.'

'Sorry dat dat gebeurde. Dat was echt het laatste wat ik wilde. Je moet het juist naar je zin hebben hier. Met mij. Met Sven. Vanmiddag was niet bepaald leuk.'

Ik haal mijn schouders op. 'Ach, het viel wel mee. Dat is het voordeel als je voor Anna Lee gewerkt hebt. Ik kan wel tegen een stootje. Maak je er maar niet druk over.'

'Als je maar weet dat ik je erg dankbaar ben. Jackie tegenhouden als ze eenmaal iets in haar hoofd heeft, lukt maar weinig mensen. Ik ben best een beetje trots op je.'

Ik glimlach. 'Fijn dat u tevreden bent, baas.'

'Tevreden is wel erg zwakjes uitgedrukt, juffrouw Fisher. Ik ben heel, heel, heel erg onder de indruk van uw kwaliteiten.' Bij dat laatste woord laat hij zijn blik keurend over mijn lichaam glijden. 'Weet je dat ik nog nooit verliefd ben geweest op iemand die voor me werkt?'

'Goh, als dat maar goed gaat.'

Hij buigt zich wat naar me toe. 'Ik zorg ervoor dat het goed gaat.'

Ik druk een kus op zijn mond. 'Ik ook.'

Dit is in alle opzichten heel anders dan alles wat ik ooit hiervoor met welke man dan ook gehad heb. We eten met z'n drieën en ruimen samen alles op, we doen Sven in bad en maken er een heel waterballet van, hij krijgt nog een klein beetje drinken en we lezen een verhaaltje voor. Hij slaapt zodra zijn hoofd het kussen raakt en Frank en ik gaan naar beneden.

Als we op de bank belanden en kussend en knuffelend in elkaar opgaan, besef ik dat dit het echte werk is. Maar hoewel ik het misschien, diep vanbinnen, een heel klein beetje eng vind dat het allemaal al meteen zo serieus is, voelt het ook behoorlijk goed. Zo goed dat ik écht denk dat dit voor altijd is. Ik heb me voorgenomen vanavond naar huis te gaan, maar hij maakt het niet makkelijk voor me om weg te gaan.

'Ik moet zo naar huis,' mompel ik uiteindelijk tegen zijn warme, verleidelijke lippen.

'Je hoeft niet te gaan,' zegt hij onmiddellijk. 'Je kunt ook hier blijven, eigenlijk vind ik dat een veel beter plan.'

Ik vind het ook een goed plan. Zo goed dat ik minutenlang alleen maar antwoord met lange, intense zoenen. 'Ik kan dit de hele avond blijven doen.'

'Mooi. Ik ook.'

'Maar ik moet echt naar huis.'

'Waarom?' vraagt hij zacht. 'Van wie moet dat?'

'Van mezelf. Ik wil niets liever dan de hele tijd bij je zijn, maar het is niet goed als ik vanaf nu elk moment van de dag hier ben. Sven heeft je soms ook voor zichzelf nodig.'

'En hoe zit het dan met wat ik nodig heb... en jij?'

'Ik denk...' zeg ik terwijl ik weer een heerlijke kus met hem uitwissel, '...dat we daar heus wel genoeg aandacht aan besteden.'

'Genoeg? Denk je nu echt...' Zijn lippen dwalen af naar een plekje in mijn nek dat gemáákt is om door hem gekust te worden. '... dat ik ooit genoeg van jou kan krijgen?'

'Oké, je krijgt nog vijf minuten van me. Maak er wat van.'

De vijf minuten lopen al snel uit op drie kwartier voor ik eindelijk sterk genoeg ben om me van hem los te maken en zowaar – uiteindelijk – de voordeur te bereiken. Daar kost het me opnieuw tien minuten voor hij me echt laat gaan.

'Bel me als je thuis bent,' zegt hij. Hij weigert mijn hand los te laten, terwijl ik naar buiten loop. 'Ik vind het niks dat je zo laat alleen over straat gaat.'

Ik lach. 'Ik ben niet anders gewend.'

'Dat weet ik... maar nu je mijn meisje bent, heb ik het recht me daar zorgen over te maken.'

Ik glimlach. Hij kan zo schattig zijn. 'Ik ga nu echt.'

'Je gaat toch niet weg om wat er vanmiddag met Jackie gebeurde?'

'Nee,' antwoord ik verbaasd, 'natuurlijk niet, dat is allang vergeten.'

'Ja? Dus het zit goed tussen ons?'

'Nee,' zeg ik aarzelend, maar ik heb daar meteen spijt van als ik zijn gezicht zie betrekken. 'Frank... het is verdomme *fantastisch* tussen ons.' En opeens ben ik weer in zijn armen. Ik kom nooit meer bij hem weg. Als ik dat al zou willen.

Ik loop op wolkjes de hele weg naar huis. Ik huppel bijna de trappen op naar mijn flat en besluit nog een verdieping hoger te klimmen om te kijken of Mick nog wakker is. Ik zit zo vol van mijn nieuwe, volwassen liefdesleven dat ik toch nog niet kan slapen. Gelukkig is Micky ook nog op en ze laat me binnen voor een uitgebreide evaluatie van onze lovers. Ik vertel haar ook alles over Jackies verrassingsbezoekje en ze bewijst meteen weer wat voor geweldige vriendin ze is door niet te zeuren dat 'ik daar maar aan moet wennen omdat ze nu eenmaal een belangrijke factor in het leven van Frank zal blijven en dat er helemaal niets is wat ik daar ooit aan zal kunnen doen'. Ze weet namelijk dat ik me daar heus zelf al van bewust ben. Dat vind ik zo heerlijk aan Micky. Ze zal nooit oordelen. Niet dat ik niet van Deb en Jess hou, maar... 'O! Heb jij Jess al gesproken?' schiet me opeens te binnen. 'Je zou haar toch bellen?'

'Ik heb haar niet meer te pakken gekregen.'

'Jeetje, wat is dat toch?' vraag ik me hardop af. 'Is het normaal dat ze zo lang niets van zich laat horen? Moeten we niet even langsgaan of zo? Kijken of alles goed is?'

'Volgens mij heeft ze het gewoon druk. Ik heb haar vanmiddag wel gemaild om te vragen wanneer we weer afspreken, maar toen antwoordde ze alleen dat ze weer moest overwerken en dat we volgende week wel iets van haar horen.'

'We moeten gewoon zelf een datum prikken, anders komt het er niet van.' Ik graai in mijn tas en kijk in mijn agenda. 'Dit weekend?'

'Heb ik met Rick volgepland,' zegt Micky. 'En Debbie had ook al iets. Anders hadden we jouw feestje wel dit weekend gevierd, hè?'

'Gewoon lunchen dan? Doordeweeks? Ik kan alle dagen als ik Sven mee mag nemen.'

'Dat mag niet. Debbie neemt de kinderen toch ook niet mee? Hoe kun je je nu gezellig op je vriendinnen concentreren met jengelende kinderen aan tafel? Dat kan echt niet, hoor.'

'Sven is een schatje. En het is voor Debbie ook veel fijner als ze geen oppas hoeft te regelen.'

Micky trekt een gezicht. 'Volgens mij is Deb allang blij als ze een keertje alleen op stap mag.'

'Nou, hoe dan ook, ik ga een paar data rond mailen.' Ik zie dat Micky's laptop aanstaat. 'Zal ik het meteen even doen? Mag ik je computer even lenen?'

'Tuurlijk.' Ze leunt voorover en strekt haar arm om het apparaat van haar salontafel te kunnen pakken. 'Hier, ga je gang. Ik ben nog ingelogd, trouwens.'

'Mag ik vanuit jouw account mailen?' vraag ik netjes, hoewel ik al weet dat wij geen geheimen voor elkaar hebben.

'Doe je best,' zegt Micky terwijl ze opstaat. 'Wil je nog een rustgevend kamilletheetje voor het slapengaan?'

'Lekker, dank je.' Ondertussen zit ik enthousiast mijn berichtje te typen. 'Al vraag ik me af of ik zal kunnen slapen, want ik kan alleen maar denken: Frank, Frank, Frank, Frank. Het is echt erg, maar ik denk dat ik niet eens in staat ben een gedachte te vormen die niet met hem samenhangt.'

'Je hebt het zwaar te pakken.'

'Ik denk niet dat ik ooit zó verliefd geweest ben. Zo deed ik toch niet over... eh, dinges... je weet wel, die... hoe heet ie?'

'Alex?'

'Ja, Alex bedoel ik. Zie je nou? Dat is toch niet normaal? Frank, Frank, Frank. Alles is Frank.'

Micky leunt tegen de deurpost van haar keukentje terwijl de thee staat te trekken. 'Dit is tamelijk zorgwekkend, inderdaad.'

'En het wordt nog erger...' geef ik schoorvoetend toe, 'want ik wil net mijn mail verzenden en in plaats van Jessica, toets ik al automatisch zijn naam in... huh?' Opeens val ik stil, midden in mijn zin. Hoe kan dat nu? Ik zit op Micky's account en als ik de F intoets, krijg ik meteen... Ik probeer het nog eens, omdat ik het gewoon niet snap.

'Wat wilde je nou zeggen?' vraagt Micky.

Maar dat weet ik al niet meer. 'Mick, hoe kan dit nou?' vraag ik. 'Waarom staat het e-mailadres van Frank in het geheugen van jouw mailaccount?'

'Wat?' Ze staat met haar rug naar me toe de theezakjes uit de kommen te halen.

'Hier, kijk dan. Als ik de F intyp, kan ik kiezen tussen "Falco@ziggo.nl" en "Frank.Stevens@gmail.com". Wanneer heb jij Frank gemaild, dan? Op zijn privémail?'

Micky blijft met de mokken thee halverwege het keukentje en de bank waarop ik zit staan.

'Wat is dit?' vraag ik.

'Niks.'

'Niks? Ik mail toch ook niet met jouw vriendje, of wel?'
'Hannah, kom op...' Ze zet de kommen neer en gaat naast me
zitten. 'Wat denk je nou?'
'Weet ik niet, ik ben te verbaasd om iets te denken.'
'Nou, het is anders heel simpel. Je hebt een kerel die al wekenlang niets anders doet dan manieren bedenken om jou voor
zich te winnen én je bent bijna jarig... hoe moeilijk kan het zijn?'
Ze pakt haar mok, blaast en zet hem dan weer neer. 'Toen we
jouw verjaardag vierden in La Sala, vroeg hij mij hoe hij jou
kon verrassen. Ik moest erover nadenken, dus heb ik hem mijn
e-mailadres gegeven op het moment dat jij bij Debbie aan tafel
zat. Ben je nu tevreden, nieuwsgierig aagje, of wil je ook weten
wat we voor je bedacht hebben? Dan moet je even bij "verwijderde berichten" zoeken.'
'O.'
'Ja... zie nu maar eens oprecht verrast te reageren...'
'Sorry hoor, maar hoe kan ik nou weten dat het om mijn verjaardag gaat?'
'Ja, maar wat dacht je dan, eigenlijk?' vraagt Micky een beetje
verontwaardigd.
'Niks, helemaal niks. Ik was gewoon... Ik kon het niet plaatsen, dat is alles. Ik ben het alweer vergeten. Ik heb niets gezien.'
Ik verstuur het berichtje naar Jess, Deb en mezelf en overhandig Micky haar laptop. 'En ik zal voortaan mijn eigen account
openen.'
We kijken samen nog wat tv en dan ga ik terug naar mijn
eigen flatje. Ik zoek meteen naar mijn mobiel zodat ik Frank kan
bellen. Ik heb hem bij Micky ge-sms't dat ik nog even bij haar
op bezoek ging. Ik wil nog wel naar zijn stem luisteren voor ik
in slaap val. O, wacht, ik had ook nog een voicemailbericht. Dat
zag ik ook pas toen ik bij Micky zat, maar we zaten zo te klep-
pen dat ik het toch niet kon verstaan. Ik bel mijn voicemail en
eerst herken ik de stem niet en weet ik niet waar ik naar luister.
Dan besef ik dat het gebroken Engels is en vang ik opeens de
naam op van mijn contactpersoon van het atelier in Italië waar
ik geen gehoor kreeg toen ik stof wilde bestellen. Hij zegt dat hij
pas net mijn bericht heeft doorgekregen en dat hij blij is dat iemand eindelijk eens tegen Anna Lee gezegd heeft waar het op
staat. En de stof die ik wilde, is al onderweg! En ik dacht de hele

tijd dat hij me gewoon afgescheept had via zijn assistent omdat hij me nooit meer wilde spreken.

Ik kijk naar het model op de paspop en de tekeningen die over mijn tafel verspreid liggen. Dan spring ik een gat in de lucht. Ik weet niet wat Franks verrassing voor mij is, maar ik weet wel wat ik voor hem ga doen. Het leven is mooi!

FRANK

Aan: Frank.Stevens@gmail.com
Van: Micky_Micky@hotmail.com
Datum: 19-03-2010, 23:28
Onderwerp: Groot alarm

Frank,
Even over onze laatste mailwisseling: ik ben van gedachten veranderd. Ik weet wat we afgesproken hadden, maar ik heb me bedacht. Hannah mag het NOOIT te weten komen. Je moet je maar over je schuldgevoel heen zetten, want ik weet nu 100% zeker dat ze het niet trekt als ze erachter komt hoe goed wij elkaar eigenlijk kennen.
Ik weet dat je eerlijk wilt zijn, maar daar maak je in dit geval alleen maar dingen mee kapot. Laten we alsjeblieft gewoon vergeten dat het ooit gebeurd is.
En voor ik het vergeet: Hannah verwacht nu een extreem geweldige verjaardagsverrassing, want ze heeft ontdekt dat wij met elkaar gemaild hebben. Ik moest iets verzinnen, toch? Doe je best!
Grt,
Micky

Aan: Micky_Micky@hotmail.com
Van: Frank.Stevens@gmail.com
Datum: 20-03-2010, 8:45
Onderwerp: Re: Groot alarm

Hey Micky,
Wat is dit nu ineens? De laatste keer dat we dit besproken hebben, had jij nog net zoveel moeite met liegen als ik. Ben je opeens je gewetensbezwaren kwijt? Ik namelijk niet. Ik vind dat ze het moet

295

weten en ik ga het echt vertellen. Het zou misschien anders liggen als we dit onder ons tweeën hadden kunnen houden, maar je lijkt vergeten te zijn dat Roy en Jessica er ook bij betrokken zijn. Gaat dit een groot complot worden, waarbij iedereen alles weet behalve Hannah? Ik denk het niet. Ik vertel het haar. Ze begrijpt toch zeker wel dat dit gebeurd is voor ik haar kende? Misschien zal ze het even moeilijk hebben, maar uiteindelijk zal ze het heus wel in perspectief zien. Ik wil alleen haar. En ik wil dit goed doen. Sorry, Micky, maar we moeten het vertellen.
En hoe weet ze in hemelsnaam dat wij gemaild hebben? We zouden toch alles deleten?
Frank

Aan: Frank.Stevens@gmail.com
Van: Micky_Micky@hotmail.com
Datum: 20-03-2010, 9:10
Onderwerp: Re: Groot alarm

Natuurlijk heb ik alles gedeletet, maar ik heb er geen rekening mee gehouden dat jouw e-mailadres nu automatisch verschijnt als je de 'F' intoetst. En aangezien Hannah gisteravond even bij mij achter mijn laptop ging zitten om Jessica te mailen én ze nogal bezeten is van jou, typte ze zonder nadenken jouw naam in de adresbalk. Ik kreeg haast een hartverzakking. Serieus, Frank, als je gezien had hoe ze keek, zou je er niet over piekeren haar ook maar iets te vertellen. Volgens mij dacht ze niet eens zozeer dat er iets tussen ons is, maar alleen al het feit dat ik iets met jou zou hebben waar zij niets van weet, was te veel voor haar. Dat zag ik gewoon. We moeten echt een manier vinden om hier zelf mee om te gaan. Wat voor nut heeft het om haar zich ellendig te laten voelen over iets wat geen moer voorstelde? Wat nou als ze zich straks de hele tijd afvraagt of er nog een vonkje is tussen ons?
En wat Roy en Jessica betreft: ik heb haar onder controle, dus als jij zorgt dat jouw vriend zijn klep houdt, hebben we geen probleem.

Aan: Micky_Micky@hotmail.com
Van: Frank.Stevens@gmail.com
Datum: 20-03-2010, 9:15
Onderwerp: Re: Groot alarm

Ik zou het niet bepaald 'onder controle' willen noemen als je vriendin niet meer met je wilt praten. Dat gaat vroeger of later echt wel opvallen. Hannah is ook niet gek. En zou jij het niet willen weten als je vriend seks zou hebben gehad met Hannah?

Aan: Frank.Stevens@gmail.com
Van: Micky_Micky@hotmail.com
Datum: 20-03-2010, 9:25
Onderwerp: Re: Groot alarm

Ik zou dat zeker willen weten, maar alleen omdat ik ook met die informatie om kan gaan. Ik ben zo'n vrouw die seks los kan zien van liefde (zeker, ze bestaan, je hebt er vast wel eens over gelezen). Maar Hannah kan dat niet!
Ik ga straks bij Jessica langs en dan overtuig ik haar ervan dat ze haar mond moet houden. En Frank, echt waar, als jij een woord zegt, dan doe ik je wat. Je krijgt je ballen als lunch. Dat meen ik echt. Ik hou van Hannah en degene die haar kwetst, moet eerst langs mij!

Aan: Micky_Micky@hotmail.com
Van: Frank.Stevens@gmail.com
Datum: 20-03-2010, 9:32
Onderwerp: Re: Groot alarm

Ik heb mijn ballen nog nodig, Micky, dus ik zal het even laten bezinken, maar ik kom hier zeker op terug. Laat nog even weten wat je met Jessica weet te bereiken. En even voor de goede orde: ik ben wel de laatste die Hannah wil kwetsen, maar we schijnen momenteel van mening te verschillen over wat haar het meeste pijn zal doen.
Je moet begrijpen dat de rest van je leven een behoorlijk lange tijd is om iets te verzwijgen voor iemand. En aangezien ik me nog nooit zo goed bij iemand heb gevoeld als nu bij Hannah, ga ik er alles aan doen om haar zo lang bij me te houden. Ook al moet ik daar eerst flink voor door het stof.

En what the fuck moet ik nu verzinnen voor haar verjaardag?

Een ballonvaart misschien? Ik vind het zelf nogal afgezaagd, maar als het in elke romantische film werkt, waarom zou het dan in het echte leven ook niet een schot in de roos zijn? Aangezien het al donderdag is, begint de tijd te dringen. Zoiets moet toch nog te regelen zijn? Een picknickmandje en een fles champagne aan boord en het plaatje is compleet. Ik kijk even naar Hannah, die op haar knieën midden in mijn huiskamer met Sven op de vloer zit. Ze heeft kranten uitgespreid ter bescherming van de vloer en helpt hem een groot vel tekenpapier helemaal vol te kliederen. Er liggen stiften en krijtjes, maar het leukst vindt hij de vingerverf, die ondertussen overal zit, behalve op zijn kunstwerk. Ik kijk naar haar, naar hoe ze met mijn kind omgaat. Ze heeft lol met hem en tegelijk heeft ze hem helemaal onder de duim. Sven doet precies wat ze zegt, puur omdat hij haar zo leuk vindt. Als hij erachter komt dat ik iets met haar heb, wordt hij heel erg boos, denk ik zo.

'Kom eens, Sven. Ik weet iets leuks.' Ze pakt zijn handje en begint er een dikke laag verf op te kwasten. Hij heeft de grootste pret als hij daarna het hele blad vol mag stempelen.

'Wat wil je voor je verjaardag?' vraag ik. Er moet echt iets beters te bedenken zijn dan een ballonvaart.

Ze kijkt op. 'Ik dacht dat we mijn verjaardag al redelijk uitbundig gevierd hadden.'

'Dat wel... maar ik heb je nog geen cadeautje gegeven.'

'Niet?' vraagt ze. 'Je bent toch met me mee naar huis gegaan.'

'Annah ook doen,' zegt Sven terwijl hij met zijn mollige vingertjes haar handpalm blauw schildert.

'Was dat een cadeautje voor jou of voor mezelf?' vraag ik.

'Kom op, denk eens na, is er niets dat je graag zou willen?'

Ze drukt haar hand op het papier. 'Nou, eigenlijk heb ik op dit moment niet veel te wensen over.' Ze pakt nu het potje gele verf en wisselt een blik met Sven.

Hij staat op en waggelt naar mij. 'Papa ook!'

'Wacht, wacht, wacht,' zeg ik terwijl ik snel de mouw van mijn overhemd oprol. 'Oké, nu mag het.' Ik steek mijn hand uit en Hannah geeft Sven een schoongespoelde kwast. Hij begint ijverig mijn handpalm geel te verven.

'Je weet toch dat ik naar mijn ouders ga voor mijn verjaardag?' vraagt Hannah.

Ik knik. 'Het hele weekend?'

'Ja, zo vaak zie ik ze niet, dus als ik er ben, heb ik wat goed te maken.'

Sven verliest zijn geduld met de kwast en begint met zijn vingers de rest van mijn hand te besmeuren, waardoor de helft geel en de andere helft oranje wordt. Hij laat een hele klodder op de muis van mijn hand achter, die Hannah langzaam met haar vingertoppen in de richting van mijn wijsvinger uitsmeert. Daarna gaat ze weer even langzaam de andere kant op en ik kriebel zachtjes terug tegen haar hand.

'Papa, jij moet stilhouden,' zegt Sven bazig.

Hannah lacht en maakt nu kleine cirkelvormige bewegingen die groen aftekenen in de gele verf onder mijn duim. Ze kijkt me even aan, alsof ze iets wil zeggen, maar wendt dan haar blik weer af.

'Wat is er?' vraag ik.

'Niets.'

'Zeg op,' commandeer ik terwijl ik weer oogcontact probeer te krijgen.

Ze slaat haar ogen naar me op. 'Het is niets speciaals. Ik dacht gewoon dat je misschien dit weekend, als ik naar mijn ouders ga...' Ze zucht zachtjes en begint opnieuw. 'Het is geen gewoonte van me om vriendjes mee te nemen als ik naar huis ga.'

'Dat weet ik.'

'Ik krijg altijd commentaar en iedereen bemoeit zich ermee en als het dan uit is moet ik dat weer aan heel de familie uitleggen. Verschrikkelijk irritant is dat.'

'Lijkt me ook, inderdaad,' antwoord ik. Ik heb een vermoeden waar ze mee bezig is, maar ik laat haar maar even haar ding doen. Vooral omdat ik haar heel charmant vind als ze zo omslachtig bezig is.

'Maar nu met jou lijkt het me toch... kijk, ik word natuurlijk dertig. Dat is niet zomaar iets. En bovendien denk ik ook dat het tussen ons niet plotsklaps voorbij zal zijn. Dus dacht ik, maar misschien heb je het wel veel te druk, wat ook helemaal niet erg is...'

'Klaar!' roept Sven, terwijl hij mijn hand naar het vel papier duwt.

'Toevallig heb ik dit weekend echt helemaal niets omhanden. Sven is bij Jackie.'

'Papa!' roept hij nog een keer als ik niet genoeg meewerk. 'Doe nou!'

Ik leg mijn hand op het papier en Sven zet met beide handen wat extra kracht. 'Dus misschien kan ik wel met je meegaan,' ga ik verder. 'Als jij dat goedvindt, tenminste.'

Ze glimlacht. 'Dat wilde ik inderdaad vragen.'

Ik moet ook lachen. 'Dat dacht ik al. En ik wil heel graag met je meegaan.'

'Ja, echt? Het hoeft niet als je er geen zin in hebt, hoor.'

'Als jij het niet voorgesteld had, had ik dat zelf gedaan.'

'Klaar, papa!' zegt Sven.

'Mooi, hè, Sven?' zegt Hannah. 'Kijk eens wat je gemaakt hebt...' Ze houdt het vel op en Sven kijkt er trots naar. Mijn handafdruk staat er ook goed op: half oranje van Sven, half groen van Hannah en een beetje geel van mezelf.

'Nog een keer,' zegt Sven, terwijl hij nog wat verft pakt. Hij smeert nu allebei zijn handen in en Hannah legt het papier weer voor hem neer.

Hij gaat verder met zijn handafdrukken en ik leun een beetje naar Hannah toe. Ik druk een voorzichtig kusje op haar wang. 'Blijf je vannacht wel hier?'

'Kijk!' hoor ik Sven zeggen. 'Kijk dan, papa!'

En dat doe ik ook. Ik kijk naar Hannah en zij kijkt naar mij. En dan schudden twee kleine verfhandjes ongeduldig aan de mouw van mijn kraakheldere, peperdure overhemd.

'Sven!' roep ik, terwijl ik opveer. 'Kijk jij eens een beetje uit, klein monstertje!' Ik pak hem vast en trek hem met één arm in de houdgreep, terwijl ik hem met mijn verfhand de kieteldood geef. Hij ligt gillend en spartelend in mijn armen en hij probeert zich los te wurmen. Als ik hem een halve minuut later laat gaan, kruipt hij meteen naar Hannah toe om giechelend bescherming in haar armen te zoeken. Het zou me niks verbazen als hij dat overhemd met opzet verkloot heeft, omdat hij in de gaten heeft wat er speelt tussen Hannah en mij.

Zo vrolijk als Sven 's middags is, zo vervelend wordt hij die avond aan tafel. Hij is hangerig en wil niet eten. Hij heeft ook opeens een hoestje dat er vanmiddag nog niet was en hij huilt bij alles wat ik tegen hem zeg. Normaal is hij niet zo'n huilebalk, dus dat is meestal een teken dat hij niet helemaal lekker in zijn vel zit. Hij wil zelfs zijn toetje niet en gaat lusteloos op de bank hangen.

Hij wordt helemaal kriegel als ik probeer te meten of hij koorts heeft, terwijl dat met dat ding in zijn oortje toch echt zo gepiept is. Gelukkig is zijn verhoging niet alarmerend. Ik gok erop dat het een verkoudheid is, aangezien zijn neus ook verstopt begint te raken. Na zijn bad smeer ik hem in met inhalatiezalf en stop ik hem in bed. Maar dat hij lekker gaat slapen, kan ik dus mooi vergeten. Net als de gedachte dat ik iets van romantiek kan beleven met Hannah. Hij komt namelijk om de tien minuten huilend zijn bed uit. Hij wil wat drinken, hij moet plassen, hij heeft keelpijn, hij moet hoesten, hij heeft buikpijn, hij is niet moe, hij is juist wel moe, hij wil niet slapen, hij wil naar beneden, hij is Hondje kwijt, Hondje ligt in de weg, hij heeft het te warm, hij heeft het te koud, hij wil naar mama... en dat laatste wil je echt niet horen als je gescheiden bent. En terwijl ik de hele avond bezig ben om meneer in zijn behoeften te voorzien en hem te troosten en opnieuw in te stoppen en weet ik veel wat ik allemaal kan verzinnen om hem tevreden te houden, zit Hannah in haar eentje beneden. Ik weet haast zeker dat dit de reden wordt dat ze bij me weggaat, in plaats van het feit dat ik één keertje seks gehad heb met haar beste vriendin. Ik laat het niet aan Sven merken, maar ik begin zwaar gefrustreerd te raken.

En dan besef ik ook hoe erg de relatie tussen Jackie en mij al bekoeld was toen Sven geboren werd. Hij heeft haar en mij ook heus wel eens op ongelegen momenten gestoord, maar ik denk niet dat ik het daar ooit zo moeilijk mee had als nu met Hannah. Want alles in mijn lichaam wil naar haar toe. Ik denk dat ik zojuist de titel 'slechtste vader ooit' meer dan verdiend heb.

'Je bent er nog,' zeg ik als ik na nog eens twintig loodzware minuten het slaapkamertje van mijn zoon uitgeslopen ben en de huiskamer in kom. Ik sluit de deur zo zachtjes mogelijk.

'Nog steeds,' antwoordt ze.

Ik buig me over haar heen. 'Sorry.' En ik kus haar. 'Sorry... sorry... sorry.'

'Hou je mond en kom hier,' zegt ze terwijl ze haar armen om mijn nek slaat.

Dat hoeft ze geen twee keer te zeggen. Ik ga naast haar zitten en duw haar achterover, terwijl zij haar benen over de mijne slin-

gert en zich tegen me aan nestelt. Ik leg mijn hand op de buiten-
kant van haar dij. 'Nu is het eens even tijd voor jou.'
Ze aait door mijn haar en glimlacht. 'Ik begrijp heus wel dat
een ziek kind veel aandacht nodig heeft. Gaat het nu een beetje
met hem?'
Ik knik. 'En hoe gaat het met jou?'
Ze laat haar vingers langs de boord van mijn overhemd glijden
en maakt langzaam de bovenste knoopjes los. 'Het gaat wel...
En met jou?'
'Steeds beter.'
'Gelukkig maar. Zal ik het nog beter maken?'
'Ik hou je niet tegen.'
'Dat doe je nooit,' antwoordt ze lachend, waarop ik haar
begin te zoenen. Langzaam en uitgebreid. Ik wil er alle tijd voor
nemen, maar ondertussen zijn mijn handen al een aantal stappen
verder. Ik wil niets overhaasten, maar ik heb inmiddels zo'n zin
in haar dat ik toch vrij vlot doorschakel van 'langzaam en uitgebreid' naar 'naakt, zweterig en wild'. Bijna naakt, moet ik
eigenlijk zeggen, want vlak voor ik dat stadium bereik, zet Sven
het boven op een krijsen. Het is niet het soort krijsen dat een ge-
leidelijke afbouw mogelijk maakt. Eerder een ijskoude douche.
'Niet te geloven!' breng ik uit terwijl ik me van haar losmaak
en mijn best doe om van seksmachine terug in mijn vaderrol te
komen. Iets wat niet meevalt als ik Hannah half uitgekleed onder me heb liggen. Ik kan Sven zo niet eens onder ogen komen.
Helaas heb ik weinig keus, aangezien het brullen alleen maar
erger wordt en hij nu ook paniekerig 'Papa! Papa!' roept. 'Ik
moet weer even...'
'Tuurlijk,' zegt Hannah, terwijl ze overeind komt. 'Het is niet
erg.'
Daar denk ik anders over, maar desondanks probeer ik mijn
broek weer dicht te krijgen en strompel ik de trap op, terwijl
het tot me doordringt dat het een onmogelijke taak is in deze
toestand.
Uiteindelijk is het gehuil van mijn kind net ontnuchterend genoeg om – vlak voor ik bij zijn kamer ben – de boel te laten slin-
ken. En anders had de aanblik van wat ik daar aantref het werk
wel gedaan. Jezus, hij heeft echt alles ondergekotst. Echt *alles*.
De lakens, zijn kussen, de vloer en zichzelf van top tot teen. Als

ik het niet met eigen ogen zou zien, zou ik niet geloven dat dit uit zo'n klein ventje kan komen. Hij staat al halverwege de kamer, met zijn armen naar me uitgestrekt en zijn mond één groot gapend gat waaruit een langgerekte weeklaag voortkomt. Ik voel me meteen verschrikkelijk schuldig dat ik niet meteen bij de eerste kik naast hem stond en pak hem zo snel als ik kan op. Ik neem hem mee naar de badkamer en probeer hem te troosten, wat natuurlijk geen enkel effect heeft.

Ik laat warm water over een washand stromen en maak zijn gezicht ermee schoon en daarna zijn nek, wat hem enigszins kalmeert. Dan trek ik zijn pyjama uit en zie ik dat het braaksel ook in zijn haar zit en dat het via zijn shirt helemaal naar zijn buik gelopen is. Hij staat bibberend en snikkend voor me op het badmatje en ik heb zielsmedelijden met hem. Hij is echt ziek en ik kan alleen aan seks denken.

Ik til hem weer op en aai over zijn rug terwijl ik wat warm water in de badkuip laat lopen. Ik kan hem zo niet terug in bed stoppen. De scherpte is inmiddels van Svens gehuil af en ik kijk hem aan. Hij ziet er gelukkig wel alert uit. 'Gaat het weer, Svennie?' vraag ik, terwijl ik hem in het bad laat zakken. Ik kniel bij hem neer en spoel de troep van hem af.

Ondertussen hoor ik gestommel beneden en volgens mij was dat net het slot van de voordeur. Ik kan het Hannah niet kwalijk nemen dat ze liever naar huis gaat. Ik weet niet wat ik zou doen als de rollen omgedraaid waren. Hoewel... dat weet ik eigenlijk best. Ik zou heel hard wegwezen! Dit is niet waar je op zit te wachten als je nog maar net bij elkaar bent. Als ik Hannah was, zou ik niet naar de voordeur lopen. Ik zou rennen.

'Is het zo beter?' vraag ik terwijl ik hem zo snel als ik kan afdroog, terwijl hij in de badkuip staat.

'Geen buikpijn meer!' antwoordt hij heel erg opgewekt voor iemand in zijn situatie.

'Heb je geen buikpijn meer? Goed zo, jongen. Die heb je helemaal uitgespuugd, hè?' Terwijl ik hem weer een luierbroekje en een schone pyjama aantrek, komt Hannah naar boven.

'Heb je hulp nodig?' vraagt ze.

Ik kijk haar aan, eigenlijk stomverbaasd dat ze er überhaupt nog is.

'Of heb je liever dat ik ga? Je hebt je handen vol en ik wil je

niet in de weg lopen. Ik kan gewoon thuis gaan slapen als je dat wilt. Dan heb jij de rust om...'
'Dat wil ik helemaal niet... wil jij dat? Ik snap het volkomen, als je dat liever wilt. Het is waarschijnlijk beter dan hier blijven met een ziek kind en een vent die geen tijd voor je heeft...' Ik til Sven weer op en hij legt zijn hoofd op mijn schouder. Hij is doodmoe.
'Oké, luister goed,' zegt ze. 'Als ik naar huis wil, dan zeg ik dat eerlijk. Nu vraag ik je of ik je ergens mee kan helpen.'
'Misschien kun je heel even op hem letten, terwijl ik opruim... Hij kan zo niet terug zijn bed in.'
'Niet bedje in,' jengelt Sven zielig, zonder zijn hoofdje op te tillen.
Ik aai over zijn rug en druk een paar kusjes op zijn wang. 'Wil je even in het grote bed liggen?' Hij is al in slaap aan het vallen en maakt een geluidje dat van alles kan betekenen. 'Ga je even met Hannah mee?' vraag ik, zodat hij het niet op een krijsen zet als ik hem aan haar overhandig. En gelukkig doet hij dat niet. Hij vindt het prima dat ze hem van me overneemt en naar de slaapkamer draagt. Ik hoor haar tegen hem babbelen, terwijl ik de troep in zijn kamer opruim. Als ik terugkom, ligt Sven onder de dekens te slapen en zit Hannah naast hem door zijn haartjes te kriebelen.
'Ik denk dat hij bijna slaapt,' zegt ze.
'Ik zal hem zo terug naar zijn bedje brengen.'
'Dan wordt hij misschien weer wakker.'
Ik ga aan de andere kant van Sven zitten, waarop hij een heel klein beetje beweegt. 'Ik wacht nog wel even...'
'Als je hem liever hier laat liggen, vind ik dat ook goed, hoor,' zegt ze. 'Dan kun je hem de hele nacht in de gaten houden. En nu slaapt hij tenminste.'
Echt, ik blijf me verbazen. Je zou verwachten dat er grenzen zijn aan hoeveel begrip iemand op kan brengen. 'Vind jij dat goed? Als hij de hele nacht tussen ons in ligt?'
'Nou, het is misschien niet ideaal, maar...' Ze denkt even na. 'Als ik er niet was, zou je hem toch ook hier laten liggen?'
'Waarschijnlijk zou ik dat doen, maar jij bent er wel... en dat wil ik graag zo houden.'
Ze staat op en loopt naar de badkamer. 'Ik ga nergens heen.'

Even later liggen we ieder aan een rand van het bed, terwijl Sven languit in het midden ligt, met zijn armen gespreid. Ik kan haar niet aanraken zonder Sven te pletten. Het enige contact dat ik met haar kan maken is van haar knieën naar beneden. Afgezien van het alom ondergewaardeerde oogcontact. En ik moet zeggen dat we er nog best wat van weten te maken. Hannah kan heel wat met haar ogen. Het zou onzinnig zijn om te beweren dat ik niet meer wil doen dan alleen naar haar kijken, maar ik moet toegeven dat dit op zichzelf ook de moeite waard is.

'Ik dacht even dat je wegging, toen ik de voordeur op slot hoorde gaan,' zeg ik na minutenlang blikken wisselen in het donker.

'Ik heb hem wel eerder op deze manier meegemaakt, hoor. Of was je dat soms vergeten?'

'Nee, ik moet de factuur nog ergens hebben liggen.'

'Hé Frank,' fluistert ze. 'Ik wist dit van tevoren. Ik heb je eerder met Sven gezien. Ik kende deze kant van je al. En het is een van de redenen dat ik verliefd op je werd.' Ze beweegt haar onderbeen langzaam langs dat van mij omhoog.

Ik wil veel dichter bij haar komen en leg Svens armpje over zijn borst, zodat ik iets op kan schuiven in haar richting. 'Als je maar weet...' zeg ik terwijl ik mijn arm strek, boven Svens hoofd langs. Ik strijk een plukje haar weg van haar voorhoofd. '... dat ik niet van jou verwacht dat je hetzelfde geduld voor hem weet op te brengen als ik. Ik vind het fantastisch van je dat je dat kunt, maar je bent het niet verplicht. Dus als het je te veel wordt...'

Ze legt haar hand op mijn arm, sluit haar vingers om mijn pols en drukt haar lippen tegen mijn handpalm. 'Weet je nog dat we bij Debbie aan het oppassen waren? Jij zei dat het anders voelt bij je eigen kind...'

Ik knik. 'Dat is echt zo.'

'Nou, ik dacht net ineens,' fluistert ze, alsof ze bang is dat iemand het hoort, inclusief ik. 'Ik dacht: misschien geldt dat ook wel een beetje voor het kind... van de man van wie je houdt.'

Ik denk dat ik nooit eerder zoiets moois gehoord heb, maar de manier waarop ze me aankijkt terwijl ze die woorden uitspreekt, doet zo mogelijk nog meer met me. Ik wil iets terugzeggen, maar op dit moment kan ik alleen maar sprakeloos naar haar kijken.

Ze glimlacht. 'Ik wil niet dat jij de enige bent die het veel te vroeg gezegd heeft.'

'Misschien was het te vroeg,' antwoord ik, een spraakdoorbraak forcerend. Ik hoop maar dat ze niet doorheeft wat ze met me doet. 'Maar ik heb het nooit eerder zo gemeend.' Er breekt weer een lach op haar gezicht door. Ze is zo mooi dat het pijn doet.

'Als ik had geweten dat ik jou zou vinden, dan had ik gewacht... en dan had ik Sven met jou gemaakt.'

'Dat moet je niet zeggen,' antwoordt ze.

'Waarom niet?'

'Omdat hij dan niet dezelfde Sven geweest zou zijn. En omdat hij al een moeder heeft.'

'Dat weet ik, maar...' Ik ben even stil. 'Jackie is een goede moeder. Maar het is met haar nooit geweest zoals met jou nu. Ze is niet iemand die makkelijk haar gevoelige kant laat zien. En ik wist niet eens dat ik dat miste, tot ik jou tegenkwam. Als ik nu zie hoe snel Sven jou toelaat en hoe graag hij bij jou is, dan denk ik dat hij ook iets gemist heeft. Snap je wat ik wil zeggen?'

Ze knikt langzaam. 'Ik denk het wel.'

'Je hoort gewoon bij ons.'

Dan zijn we allebei stil. Haar ogen glanzen in het donker en ik wil van alles tegen haar zeggen. Tegelijkertijd weet ik zeker dat ik nooit kan verwoorden wat ik nu voor haar voel. Ik zou er geen recht aan doen. Maar ik weet ook niet wat ik dan aan moet met dit moment, nu er zoveel tussen ons is waar ik geen uiting aan kan geven. Dus doe ik het enige wat ik kan. 'Het is toch niet te geloven...'

Ze kijkt me vragend aan.

'... dat ik een twintiger bij me in bed heb liggen en er helemaal niets mee kan doen.'

HANNAH

De huiskamer van mijn ouders zit vol met familie, oude bekenden en vrienden die in een ander leven thuishoren. Het is niet dat
ik niet meer om ze geef, maar ze lijken van een andere Hannah
te houden dan ík denk dat ik ben. Wie het nu bij het verkeerde
eind heeft, weet ik niet precies. Misschien zien zij mij wel zoals
ik werkelijk ben en heb ik zelf geen idee, maar hoe ik het ook
wend of keer: steeds als ik hier ben, met al die mensen die ik al
mijn hele leven ken, voel ik me eenzamer dan ooit. Het voelt
alsof ik schoenen aanheb die twee maten te klein zijn. Hoe geweldig ze ook zijn, het past gewoon niet meer.
    Ik zit bij mijn vriendinnen van vroeger, die ik al ken vanaf de
basisschool. Ze zijn inmiddels allemaal getrouwd met de jongens met wie we toen ook al omgingen. Sommigen van hen hebben kinderen en anderen zijn zwanger of van plan het snel te
worden. De enige van dit clubje die carrière gemaakt heeft, is
Susanne. Zij heeft de plaatselijke delicatessenzaak van haar
ouders overgenomen en aangezien we er daar maar één van
hebben in het dorp, loopt het altijd storm. Vanavond is ze er
dan ook niet bij, wegens een grote cateringopdracht buiten het
dorp, wat door de andere meiden sterk veroordeeld wordt.
Voor hen is werk overduidelijk iets wat ze er bij doen omdat de
hypotheek nu eenmaal hoog is of ze 'ook wel eens onder de
mensen willen zijn'.
    'Het is toch triest dat Susanne haar enige voldoening uit die
zaak haalt,' zegt Sandra uiteindelijk, terwijl ze haar oudste in
één adem door verbiedt nog meer chips te eten.
    Ik zou kunnen zeggen dat ik het triest vind dat Sandra haar
enige voldoening uit haar drie kinderen haalt, maar ik houd me
in. Ik vind het namelijk niet echt triest. Ik kan begrijpen dat het
zo is, maar niet dat ze iemand op een andere keuze afrekent.

'We hebben al een paar jaar amper nog contact,' antwoord ik uiteindelijk. 'Ik vind het al heel wat dat ze eraan gedacht heeft een verjaardagskaart te sturen.'

'Jij komt nog steeds elk jaar thuis om je verjaardag te vieren, Hannah. Het is een kwestie van prioriteiten stellen,' vindt Sandra. Ze hijst haar jongste dochter van de ene op de andere schouder en pakt zelf een hand chips, wat haar oudste meteen nadoet. 'En hoe is het eigenlijk met jouw baan? Heb je het nog steeds zo druk?'

'Ik zit even tussen twee dingen in,' zeg ik. 'Ik ben weg bij Anna Lee en ik denk er nu over toch weer te proberen om op de modeopleiding te komen.'

'Dat je het jezelf aan blijft doen...' verzucht Yvette, die sowieso nog nooit in haar leven een risico genomen heeft.

'Het is wat ik echt wil,' leg ik uit. 'Anders moet ik mijn hele leven rottige baantjes blijven doen, waar ik ongelukkig van word.'

'Denk je er wel eens aan terug te verhuizen?' vraagt Sandra. 'Zeker nu je *werkloos* bent.' Ik weet niet hoe je erin kunt slagen carrièrevrouwen af te kraken en tegelijk met zo'n afkeer het woord 'werkloos' kunt uitspreken, maar Sandra draait er haar hand niet voor om. 'Hier ben je tenminste thuis en heb je mensen om je heen die van je houden.'

'O, maar ik ben heel gelukkig, hoor,' zeg ik. 'Ik heb genoeg vrienden en ik ben heel druk bezig met mijn ontwerpen...'

Yvette en Sandra kijken me vol medelijden aan.

'En ik heb een vriend,' flap ik er opeens uit. Ik weet niet waarom ik dat zeg. Alsof je alleen écht gelukkig kunt zijn als er een man in je leven is. Ik haat mezelf dat ik dat zo breng, maar tegelijkertijd weet ik dat dit de enige taal is die deze meiden, mijn oudste vriendinnen, begrijpen. 'Hij is knap, succesvol... advocaat. Hij is druk bezig om partner te worden. Hij is tweeëndertig jaar en hij is zo leuk. Hij komt vanavond ook.'

'O!' brengt Yvette verheugd uit. 'We krijgen hem te zien! Wat leuk... maar waarom is hij er nog niet? Het is al negen uur geweest.'

'Hij heeft een moeilijke klus op het werk.' Mijn klus, eigenlijk. Hij heeft me nog gebeld. Omdat hij met het advocatenteam van Anna Lee in de clinch lag en niet van plan was een duimbreed te wijken, wist hij al dat het aan de late kant zou worden vandaag.

Hij is van plan de deal nu rond te krijgen. 'En hij heeft een zoontje dat gisteren een beetje ziek is geworden. Hij wilde eerst nog even bij hem langs voor hij het weekend weggaat.'

Op dat moment gaat het mis. Al het ontzag verdwijnt van hun gezichten.

'Een man met een kind? Is hij dan gescheiden of zo?' vraagt Sandra, alsof het gaat om een veroordeelde serieverkrachter die op zijn eerste verlof gaat.

Ik zucht en sta op. 'Ik ga de chips even bijvullen.'

Mijn moeder is samen met een paar tantes van me druk bezig om stokbroodjes met allerlei lekkers klaar te maken. Er is iemand voor vis, voor vlees en voor salades. Ondertussen wordt er gekletst en geroddeld over alles en iedereen. Je kunt hier niets voor jezelf houden. Als je vandaag iets vertelt tegen willekeurig wie op dit feestje, dan weet morgen heel de buurt het. Het is *Gillmore Girls* in het groot.

Ik zet de halfflege chipsschaal op het aanrecht, zonder de bedoeling te hebben ook maar iets bij te vullen. Ik schenk mezelf een glas wijn in en plof op een keukenstoel.

'Hannah, waar blijft je vriendje toch?' vraagt mijn moeder terwijl ze plakjes gerookte zalm op schijfjes stokbrood drapeert. 'We zijn zo benieuwd. We hebben het er al de hele avond over. Je weet toch wel zeker dat hij komt?'

'Hij komt heus wel, mam,' antwoord ik kriegelig. Ik zet mijn glas neer tussen de schaal met zelfgedraaide gehaktballetjes en de kaasplankjes.

'Mooi zo. We hebben er lang genoeg op moeten wachten. De vorige kregen we niet eens te zien,' zegt de tante met de filet americain.

Ik glimlach, hoewel ik verre van geamuseerd ben.

'Het gaat toch wel goed tussen jullie?' gaat mam verder.

'Ja, mam!'

'Nou zeg, het is maar een vraag. Tegenwoordig gaat dat allemaal zo snel met die relaties. Aan en uit… soms weet ik het niet meer, hoor. De vorige keer beweerde je nog dat hij gewoon een vriend was, je weet wel, toen hij je belde op de bruiloft van Cindy. Ik zei het nog tegen jou, hè Tina, dat een man niet zomaar belt…' Ze kijkt me aan. 'Maar jij bleef ontkennen dat er meer aan de hand was. Als dat allemaal zo snel verandert, kan ik het toch ook niet meer bijhouden? Zeker als je ons niets vertelt.'

'Ik vertel jullie te veel,' mompel ik.

'Het is geen schande om een keertje ruzie te hebben, hoor, liefje. Ome André en ik hebben elke tien minuten ruzie, maar ik zou hem niet kunnen missen,' zegt Tina.

'We hebben geen ruzie.'

'Hoe komt het dan dat hij er nog niet is?' vraagt mijn moeder weer. 'Weet je zeker dat je hem uitgenodigd hebt? Heeft hij het juiste adres wel? Je hebt je altijd een beetje voor ons geschaamd, dus het zou me niks verbazen...'

'Mama!' roep ik uit. 'Ik schaam me niet voor jullie, ik wil alleen niet altijd elk detail van mijn leven meteen met het hele dorp delen. En wat Frank betreft: hij zal er heus wel zo zijn, anders had hij me wel gebeld. Hij is heel attent in die dingen... Kunnen jullie me nu even met rust laten? Ik heb het al moeilijk genoeg met die meiden daarbinnen, zonder dat mijn eigen familie er een schepje bovenop doet.'

De tante met de eiersalade kijkt me aan alsof ze water ziet branden en ik neem me voor om hen de rest van mijn leven zo te blijven aanduiden. Tante filet americain, tante eiersalade en tante paté. Zo worden voortaan alle feestjes draaglijker: ik moet er bijna om lachen. Ik kan niet wachten om Frank aan hen voor te stellen.

Ik leun achterover en drink tevreden van mijn wijntje. Ik heb toch maar mooi mijn zegje gedaan. Mijn nichtje Cindy, de pasgetrouwde, verschijnt in de keuken en loopt mijn kant op. Eindelijk iemand met wie ik een normaal gesprek kan voeren. Helaas denkt zij daar anders over. 'Hannah, wat hoor ik nu? Heb jij iets met een gescheiden man?'

De vier vrouwen aan het aanrecht draaien zich als een goedgetraind synchroonzwemteam naar me om en staren me aan met ogen als schoteltjes.

Mijn nichtje zoekt oogcontact met haar moeder. 'En hij heeft ook een kind...'

Kan iemand me gewoon even precies hard genoeg slaan om bewusteloos te raken en pas weer wakker te worden als ik thuis ben, in mijn eigen flatje, met mijn eigen vriendinnetjes en met

Frank, want hij laat me verdomme ook gewoon maar aan mijn lot over, hier. Snapt hij dan niet dat ik hem niet voor niets gevraagd heb te komen? Ik heb hem nodig om hier uit te komen met mijn geestelijke gezondheid intact. Wat een verschrikking. Ik heb zojuist een drie kwartier durend keukenoverleg overleefd. Mijn moeder deed de deur dicht en tante paté ging er daadwerkelijk voor staan, zodat er geen stoorzenders binnen konden komen. En toen gingen ze met zijn vijven op me inpraten. Sinds Cindy getrouwd is, is ze blijkbaar een autoriteit op het gebied van relaties, want ze bleef maar komen met goedbedoelde adviezen. Samen met mijn moeder die helemaal wit weggetrokken was.

Besef ik wel wat ik me allemaal op de hals haal? Snap ik wel welk een verantwoordelijkheid het is om voor een kind te zorgen, laat staan voor dat van een ander? Is het in me opgekomen dat ik nooit voor Frank op de eerste plaats zal komen? En die ex-vrouw? Kan ik er wel tegen dat zij altijd een stoorzender in onze relatie zal zijn? En realiseer ik me wel dat een man die zijn vrouw en kind verlaten heeft, niet te vertrouwen is in welke relatie dan ook? Hij heeft overduidelijk geen enkel plichtsbesef of verantwoordelijkheidsgevoel en hij zal mij zeker dumpen zodra er ook maar iets is wat hem niet zint. Niet te geloven dat ik zo naïef ben om hier in te trappen.

Natuurlijk heb ik geprobeerd om deze stortvloed van waarschuwingen en negativiteit te onderbreken, maar daar was geen beginnen aan in mijn eentje tegen vijf vrouwen uit mijn familie. Sowieso is redelijkheid niet bepaald aan hen besteed op momenten als dit, dus uiteindelijk hield ik maar op met het verdedigen van Frank en wachtte ik tot iedereen zich murw gewaarschuwd had. Daarna kon ik vrij gemakkelijk tante paté uit de weg duwen en de keuken uit lopen.

Nu sta ik buiten, op de oprit, af te koelen en te bedenken wat ik tegen Frank moet zeggen als hij er is. *Als* hij überhaupt nog komt, want het is intussen halfelf en ik heb nog niks van hem gehoord, wat natuurlijk het argument over verantwoordelijkheidsgevoel prima onderstreepte. Ik ga weer naar binnen en haal mijn telefoon uit mijn tas, die gelukkig in het halletje is blijven staan, waardoor ik niemand onder ogen hoef te komen. Wie weet in wat voor vreselijke conversatie ik dan weer verzeild raak.

Ik trek mijn leren jackje aan en loop de oprit af. Ik wandel het laantje af waaraan ons huis gelegen is. Mijn ouders vinden het doodeng dat ik in de grote stad woon, terwijl ik het er vanaf de eerste dag heerlijk vond. Hier in het dorp was het eng, wanneer ik voor dag en dauw op mijn fiets de hele beboste laan uit moest rijden om naar school te gaan. Of 's nachts, als ik uitgegaan was en ik het laatste stukje alleen moest afleggen, omdat mijn vriendinnen allemaal eerder op de route woonden.

Als ik op het schermpje van mijn telefoon kijk, zie ik dat ik drie gemiste oproepen heb, allemaal van Frank. Ik wil terugbellen, maar mijn telefoon gaat opnieuw over, voor ik zijn nummer kan kiezen. 'Hé schatje, daar ben je,' zegt Frank opgewekt als ik opneem.

'Inderdaad,' zeg ik, 'maar waar ben jij?'

'Nou, volgens mijn navigatie ben ik er al een kwartier,' antwoordt Frank, 'maar als ik op mijn eigen oordeel afga, zie ik hier geen woonhuizen en als dit al een huis is, dan is er zeker geen feestje aan de gang.'

'Nou, het feestje is hier ook ver te zoeken,' zeg ik. 'Maar misschien kan ik je hier naartoe leiden. Wat zie je daar?'

'Schatje, ik zie al minutenlang niets anders dan bomen... en er staat ook geen straatnaambord. Maar volgens mijn systeem zou ik nu in jullie straat moeten staan.'

'Ben je al langs het grote huis met de blauwe luiken gekomen? Waar het busje van de slager op de oprit staat...'

'Het busje van de slager...' herhaalt hij. 'Weet je, volgens mij zijn alle huizen hier groot en alles heeft luiken.'

'Blauwe luiken,' verduidelijk ik nog eens.

'Hannah, het is pikkedonker... Ik rijd wel een stukje terug... Dit is echt the middle of nowhere.'

'Vertel mij wat, ik ben niet voor niets gevlucht zodra ik de kans had.'

'Ik zie nu wat huizen in de verte.'

'Zie je ook blauwe luiken?' vraag ik. 'Of het busje van de slager...'

Hij begint te lachen. 'Jij zou een goede navigatiestem zijn. "Sla linksaf bij het busje van de slager." Wat heb ik daar nou aan? Is het wel eens in je opgekomen dat die man met dat busje onderweg kan zijn?'

'Nee, want het is vrijdagavond en dan is de slager altijd thuis politieseries aan het kijken.'

'Mooi, een nieuwe hint. Let op het huis waar een politieserie op tv is.'

'Frank!' zeg ik. 'Let nou maar goed op, anders kom je nooit hier. Zie je al wat?'

'Er hangen wel luiken...'

'Ben je kleurenblind of zo?'

'Hé, ik zie ook een busje!'

'Hè hè... Dan stond je dus aan de achterkant van de huizen... Er ligt nog een sloot en een veld achter onze tuinen en die hele straat daarachter heeft dezelfde naam. Je moet links na het laatste huis en dan de hele weg uitrijden. Er staan alleen maar bomen... Uiteindelijk kun je dan alleen weer naar links en dan rijd je onze straat in. Het zijn zes huizen, je moet het laatste hebben. Maar ik sta je al buiten op te wachten.'

'Dat is een fijn vooruitzicht,' antwoordt hij. 'Ben je trouwens niet benieuwd naar wat ik met Anna Lee geregeld heb?'

'Ze hebben me hier zo beziggehouden dat ik dat gewoon vergeten ben. Hoe was het? Je hebt er wel de tijd voor genomen.'

'Dat was ook wel nodig. Ze bleven onderhandelen en overleggen... puur tijdrekken, maar ik heb alle tijd van de wereld op zo'n moment. Ik ga het beëindigingsvoorstel maandag opsturen. Ik stel het zelf op, zodat ik alles zo kan draaien als ik wil... en dan hoeft Anna Lee alleen haar krabbeltje te zetten...'

'En dan ben ik van haar af?'

'Dan ben je per 1 april van haar af,' zegt hij met die professionele klank in zijn stem die ik zo sexy vind. 'En dat niet alleen. Ze schrapt het concurrentie- en relatiebeding, ze geeft je een positief getuigschrift, ze draait op voor de juridische kosten en ze betaalt een klein afkoopsommetje...'

'Heb je dat allemaal voor elkaar gekregen?'

'Wil je nog weten op welk bedrag we uitgekomen zijn?'

'Nou, ik ken Anna Lee... Die vijf nullen waar jij het over had lijken me iets te hoog ingezet.'

'Schatje...' zegt Frank, alsof ik hem ernstig onderschat. 'Dan ken je mij nog niet.'

'Dat meen je toch niet? Een ton? Heb je een ton van haar losgekregen?'

'Nee.' Hij blijft gruwelijk lang stil. 'Tweeënhalve ton...'

'Tweeënhalve ton?' roep ik stomverbaasd. 'Twee en een half?' 'Tja, er moet nog wat belasting vanaf en zo en ik wil wel dat je een fatsoenlijk bedrag overhoudt, dus ik heb wat hoger ingezet. Op vijf ton. Daarna klonk tweeënhalf ineens heel redelijk, natuurlijk.'

'Tweehonderdvijftigduizend euro...' stamel ik. 'Maar wacht eens, 1 april... dat is een grapje, zeker? Ze heeft nog niet getekend, toch? Zit jij me voor de gek te houden?'

'Hannah, de deal is rond. Ze gaat tekenen, echt waar. Ik maak niet zulke dure grapjes.' Zijn koplampen verschijnen aan het eind van de laan en ik zet het op een rennen zijn kant op. Hij stopt en ontgrendelt de portieren, waarna ik aan de bijrijderskant in stap. 'Ben je blij?' vraagt hij.

Ik neem niet eens de tijd om te antwoorden. Ik neem zijn gezicht tussen mijn handen, druk mijn lippen op de zijne en smoor hem met kussen. Hij kust me even enthousiast terug en ik leun zo ver als ik kan naar hem toe. Hij trekt me nog iets verder tegen zich aan, waardoor ik op zijn schoot terechtkom en met mijn knie achter de versnellingspook blijf hangen. Ik heb meer ruimte nodig en zoek naar de hendel aan de zijkant van de stoel. Als ik die gevonden heb en omhoog haal, klapt de leuning met een rotgang naar achteren. Frank laat een moment de rem los en ik heb blijkbaar de versnelling in de achteruit gezet, want opeens beginnen we te rijden, achteruit, richting een stevige beukenboom. Gelukkig trekt Frank net op tijd de handrem aan en stoppen we, half van de weg geraakt. Hij zet de motor uit en ik haal mijn been achter de pook vandaan. 'Dat zit beter,' zeg ik als ik schrijlings op zijn schoot neerkom, terwijl hij achterover ligt.

Hij laat zijn handen even over mijn heupen glijden. 'Daar ging al bijna een ton, voor een nieuwe auto.'

'Nou en... dat kan me niets schelen.' Ik buig me over hem heen en ik lik zachtjes langs zijn lippen tot zijn tong me tegemoetkomt. Ik wil heel lang zo blijven zoenen, maar hij onderbreekt het al snel.

'Wat vinden je ouders ervan als ze ons zo zien?'

'Dat kan me ook niets schelen... en ze zien ons niet vanaf hier.'

'Toch vind ik het een beetje ongemakkelijk om ze voor het eerst onder ogen te komen met jou op mijn schoot... Zeker omdat het me op deze manier niet heel lang gaat lukken om van je af te blijven.'

Ik moet lachen. 'Ik wist niet dat jij zo'n braaf jongetje bent.'

'Ik bén het niet, ik gedraag me nu alleen zo, maar als jij vastbesloten bent om me uit te lokken...'

'Oké...' Ik zwiep mijn been van hem af en laat me op de andere stoel vallen. 'Laten we dan maar even ergens anders heen rijden.'

Hij zet zijn stoel terug in de normale positie. 'Moeten we dan niet eerst even naar binnen? Straks denken ze...'

'Ik heb echt even genoeg van wat ze denken. Ik wil gewoon een stukje gaan rijden met jou en dan zien we daarna wel.'

Hij kijkt me met opgetrokken wenkbrauwen aan. 'Gaat het wel?'

Ik knik. 'Nu wel.'

'Crazy rich chick,' mompelt hij.

Ik geef Frank de grand tour door het hele dorp. Hij wil elke plek zien die in mijn jeugd een rol gespeeld heeft. Ik heb geen idee waarom hij dat allemaal zo interessant vindt, maar het is wel heel apart om met hem op al die bekende plekken te zijn. Dus wandelen we in een uurtje tijd van het winkelplein naar mijn oude basisschool, de sportvereniging, het zwembad en ons enige echte feestcafé, waar we even een drankje drinken.

'Zo, dat uitgaansleven valt niet tegen voor zo'n klein plaatsje,' zegt Frank na afloop. Hij pakt mijn hand vast en we slenteren verder richting de middelbare school, waar mijn rondleiding ophoudt.

'Dat was jarenlang vaste prik op zaterdagavond,' antwoord ik. 'Wie er niet was, hoorde er niet bij. We hadden tot de woensdag nodig om te evalueren wat er allemaal gebeurd was de zaterdag ervoor. En vanaf donderdag ging het dan weer over wie de zaterdag erop zou gaan, wat we aan zouden trekken, wie met wie verkering zou krijgen. Als ik een keertje niet mocht van mijn ouders, zat ik er de hele week voor spek en bonen bij op school.'

'Was je ook zo'n meisje met een permanentje en een getoupeerde kuif?' vraagt hij lachend.

'Ik ga nu "nee" zeggen en hopen dat je de foto's nooit onder ogen krijgt. Nee, dus... En jij? Gabber?'

'Skater.'
'Jij? Ga weg, welke skater wordt nu een hotshot-advocaat?'
'Nou, ik dus. En doe maar niet zo verbaasd, want wie had nu kunnen denken dat "het meisje met kuif" een eigen stijl zou ontwikkelen?'
'Ik had je eerder als kakker ingeschat.'
'Wat? Waarom?'
'Nou, gewoon,' antwoord ik, 'hoe kom je anders zo arrogant?'
'Ik ben niet arrogant,' zegt hij beslist.
'Wel een beetje. En soms heel erg.' Ik moet lachen om zijn verbaasde gezicht. 'Je zou cursussen arrogantie kunnen geven. Kijk! Ik ben Frank Stevens, ik regel zo even tweeënhalve ton, ik weet beter dan jijzelf of je me leuk vindt, ik ben Gods geschenk aan vrouwen. En als ik zeg dat je mijn kind ontvoerd hebt, dan is dat zo, ook al heb je me alleen een enorme dienst bewezen. O! En als ik je als mijn nanny wil, dan zal ik je als mijn nanny krijgen.'
'Jij hebt mij gevraagd of dat nog steeds mocht,' zegt hij zwaar verontwaardigd.
'Hmm, ja klopt. Maar dat was wel na enige manipulatie van jouw kant.'
'O ja?' vraagt hij onschuldig. 'Daar weet ik anders niets van.'
Ik durf te wedden dat hij precies weet waar ik het over heb. 'Je hebt gewoon geluk dat ik blijkbaar heel erg op arrogante kerels val.'
'Die arrogantie waar jij het over hebt,' zegt hij, terwijl hij zijn pas inhoudt en me aankijkt, 'is maar een heel dun laagje, wat ik mezelf heb aangeleerd om kerels die tien keer mijn ervaring én salaris hebben, onder tafel te lullen. En wat ik soms bij jou gebruik, heel soms, omdat ik me anders de hele tijd moet gaan zitten afvragen wat je in godsnaam in me ziet.'
Ik sla mijn armen om zijn nek. 'Kijk, dat is dus je redding. Dat je op het juiste moment dit soort dingen weet te zeggen.'
Hij trekt me tegen zich aan en plant zachte kusjes onder mijn oor, terwijl we elkaar omhelzen.
'Frank,' zeg ik dan, 'dat zelfingenomen lachje waarvan ik gewoon weet dat je dat nu op je gezicht hebt, is weer wel arrogant.'
'Welk lachje?' vraagt hij terwijl hij me aankijkt. Hij weet het goed te brengen.
Ik pak zijn hand weer vast. 'Kom, we zijn er bijna.'

'Het hek was er vroeger niet,' zeg ik als we voor het gebouw staan waar ik mijn middelbare school doorlopen heb. 'Het lijkt kleiner dan in mijn herinnering... Ik zat altijd daar met mijn vriendinnen op het schoolplein. Dat was ons bankje. Als iemand anders er zat, stuurden we ze weg.'

'Wat arrogant van je,' antwoordt hij.

Ik mep hem tegen zijn bovenarm. 'Goed, nu heb je alles gezien... zullen we terug naar de auto gaan?'

'Wacht, wacht... ik wil op jouw bankje zitten.'

'Dat kan niet, Frank. Niemand mag op mijn bankje zitten. En er staat een hek voor, dus helaas.'

'Nou, dat hek lijkt me niet bepaald onneembaar.'

'Niet?'

Hij schudt zijn hoofd. 'Het is eerder provocerend dan afschrikwekkend. Ik heb jou er zo overheen.'

'Weet je dat zeker?' Ik kan wel zien dat hij heel erg enthousiast over zijn plan is.

'Ja, kom dan...'

'Ik weet niet, hoor. Dat hek staat er niet voor niks. Laten we nu gewoon gaan.'

'Wie is hier nu braaf, Hannah?' Hij kijkt me uitdagend aan en het is bijna alsof we echt een jaar of zestien zijn en aan elkaar willen bewijzen hoe stoer we zijn.

'Het is mijn school,' antwoord ik. 'Ik heb nooit iets stouts gedaan op school.'

'Nou, dan wordt het eens tijd.' Hij maakt een kommetje van zijn handen, waar ik op kan stappen. 'Schiet op, voor iemand ons ziet.'

Ik doe wat hij zegt en voor ik het weet, sta ik aan de overkant. Ik wist niet dat het zo gemakkelijk was. Ik dacht dat ik er nooit overheen zou komen, maar met een zetje van hem, was het zo gebeurd. Het is misschien kinderachtig, maar ik vind dit echt een spannende actie. 'Nu jij nog!'

Hij neemt een aanloopje en gooit zichzelf zo'n beetje tegen het hek aan. Hij kan zich aan de bovenkant vastgrijpen en gebruikt zijn armspieren om zich op te trekken. Heel indrukwekkend.

'Hij ziet eruit als een gewone advocaat...' zeg ik alsof ik een filmtrailer inspreek.

Frank lacht erom en slingert zijn benen over het hek. Met een

gedurfde sprong is hij weer beneden. Hij klopt zijn handen af.
'Welk bankje was het nou?'

'Hier, deze.' Ik loop er op een drafje naartoe en Frank volgt me.
We ploffen neer en kijken elkaar breed grijnzend aan. Geen idee
waar we nu zo uitgelaten om zijn, maar ik moet ervan giechelen.

Hij pakt mijn handen vast. 'Vertel eens: hoeveel harten heb je
hier gebroken?'

'Geen één... De jongens hier waren afgrijselijk. Toen ik veertien was, was ik verliefd op Simon en op een dag had ik al mijn
moed verzameld om hem verkering te vragen. En hij zei botweg
nee en vroeg in één adem of ik aan mijn vriendin Sandra wilde
vragen of zij met hem wilde gaan.'

'En toen heeft zij hem keihard afgewezen?'

'Nee.' Ik moet lachen. 'Ik had niemand iets over mijn verliefdheid verteld, omdat ik bang was af te gaan. Dus Sandra wist van
niets en ik bracht keurig de vraag over. Zij vond Simon blijkbaar
ook leuk, want ze zei meteen ja.'

'Serieus?'

Ik knik. 'En je raadt het nooit... Ze zijn nog steeds samen.'

Hij kijkt me met grote ogen aan. 'Vanaf hun veertiende?'

'Ja, drie kinderen, allemaal dankzij mij. Maar het lullige is dat
Simon me elke keer weer aankijkt alsof hij denkt dat ik nog
steeds naar hem smacht. En hij is ongeveer twintig kilo aange-
komen en kaal op zijn kruin.'

'En Sandra? Je hebt het haar nooit verteld?'

'Nee! Straks denkt zij ook nog dat ik op haar vent uit ben.
Maar misschien weet ze het inmiddels via hem. Ik weet het niet.
We hebben het er nooit meer over gehad.'

'Nou, dat is nogal een verhaal,' zegt hij alsof hij er diep over
na moet denken.

'Zomaar een stomme anekdote uit mijn jeugd.'

'Je hebt koude handen,' zegt hij terwijl hij ze tussen de zijne
warm wrijft. Ik schuif naar hem toe, tot mijn knie de zijne raakt,
wat me nog steeds onrustig maakt. 'Ik ben wel blij dat die Simon
zo'n stomkop was. Anders had jij nu misschien met drie kinderen en een kalende dikzak bij je ouders gezeten en wat had ik
dan gemoeten?"

'Er zijn vrouwen genoeg voor jou.'

'Niet zoals jij.' Hij drukt zijn lippen op mijn vingertoppen. 'Ik

318

heb tweeëndertig jaar moeten worden om als een verliefde puber op een bankje op het schoolplein te zitten.'

'En ik dertig op een paar uur na.' Ik voel me opeens helemaal rillerig en schuif nog wat naar hem toe.

'Heb je het nu ineens zo koud?' vraagt hij terwijl hij zijn arm om me heen slaat. Ik nestel me in zijn armen, dicht tegen hem aan. 'Dit?' Ik probeer mijn handen stil te houden, maar ze blijven trillen. 'Dit zou best wel eens door jou kunnen komen.'

Hij kust me en trekt ondertussen zijn jas uit, om hem bij mij over mijn schouders te leggen.

'Dat hoeft niet, hoor. Het is gewoon... ik weet niet precies, maar jij hoeft er niet voor te bevriezen.'

'Dat doe ik niet, ik krijg het hartstikke warm van jou.' Hij glimlacht. 'Laat me nou maar, dit is ook iets wat ik nooit eerder gedaan heb.'

'Frank,' zeg ik fluisterend. 'Als we straks naar mijn ouders gaan en ze doen een beetje raar, dan moet je daar niet over in zitten. Goed?'

'Oké,' zegt hij aarzelend. 'Is het hun gewoonte om raar te doen?'

'Nou, ik heb ze per ongeluk verteld over Sven en toen raadden ze natuurlijk ook dat je al een keer getrouwd bent geweest. Ze zijn niet heel ruimdenkend wat dat betreft, blijkt nu.'

'Hmm. Nou ja,' antwoordt hij zacht, 'misschien is dat wel begrijpelijk vanuit hen bezien.'

Ik kijk ervan op dat hij dat zegt. 'Ze weten niets over je.'

'Daarom juist. Ze weten niet hoe gek ik op je ben. En hoe belangrijk je voor mij bent. Ze weten alleen dat ik het al een keer eerder verknald heb...'

'Dat is niet eerlijk. Het zegt niet noodzakelijkerwijs iets over jou dat je gescheiden bent.'

'Ik wil het met jou niet verknallen,' zegt hij. 'Weet je dat?' Ik streel zijn wang. 'Ik denk niet dat je dat zult doen.'

'Hoe belangrijk is het voor jou wat er in het verleden gebeurd is?'

'Met Jackie, bedoel je?' vraag ik.

Hij is even stil. 'Bijvoorbeeld. Vind jij het belangrijk om alles van elkaar te weten? Van dingen die gebeurd zijn voor ik jou kende. Til je daar zwaar aan?'

'Ik denk dat ik gewoon alles wil weten wat jij me wilt vertellen,' antwoord ik. Ik leg mijn hand op zijn knie en zijn ogen flitsen over mijn gezicht, alsof ze daar antwoorden zoeken op een vraag die ik niet begrepen heb.

'Oké...' zegt hij, alsof hij het antwoord plotseling gevonden heeft.

'Ik denk heus niet dat het misgaat tussen ons, omdat het niet werkte tussen jou en haar, als je dat bedoelt. Misschien is de reden dat het toen niet ging, wel precies de reden waarom het met ons wel lukt.'

'Hannah...' Hij kijkt langs me heen en ik volg zijn blik naar de klok op de gevel van het hoofdgebouw. 'Het is twaalf uur geweest. Je bent jarig.'

Ik zucht. 'Dan is het nu officieel...'

Hij buigt voorover en kust mijn beide wangen en daarna een stuk langduriger mijn mond. 'Gefeliciteerd.'

'Dankjewel.'

'Mijn cadeautjes liggen nog in de auto.'

'Je hebt mijn avond gered, een beter cadeau had ik niet kunnen krijgen.' Nu zoen ik hem weer en als ik stop, zoent hij mij. Zo gaan we een tijdlang door. Tot ik weer begin te praten. 'Hé Frank... toen ik het over officieel had... eigenlijk ben ik pas halverwege de ochtend geboren. Dus dat zou betekenen dat je nog één nacht met een twintiger in bed kunt liggen. Ook al is het dan bij haar ouders thuis. Wat denk je daarvan?'

'Ik denk... dat ik niet weet hoe snel ik dat hek weer over moet.'

Jouw familie
voelt als een warm
bad.

Ik ontvang dat sms'je van Frank om halftwee die nacht, vanuit de logeerkamer, aangezien mijn ouders plotseling de puriteinse gedachte hebben opgevat dat twee mensen niet in hetzelfde bed mogen slapen, tenzij ze getrouwd zijn. Echt belachelijk! En dat heb ik hun duidelijk gemaakt ook. Ik heb zelfs gezegd dat ik dan wel met Frank in de auto ging slapen, maar om een of andere reden vond hij dat te ver gaan en accepteerde hij hun nieuw bedachte, achterlijke regel. Hij blijkt heel goed om te kunnen gaan met moeilijke ouders. Hij blééf maar aardig. Zelfs nadat ik mijn moeder toesnauwde dat ik al ontelbare keren seks met hem gehad heb (hoewel dat niet waar is, ik weet nog precies hoe vaak...) en dat ik niet van plan ben om *ooit* te trouwen. Ze flipte helemaal na die opmerking, beweerde dat ik zoiets alleen zei om haar te kwetsen en begon Frank toen uit te horen. En daar kan hij dus mee omgaan. Ik moet hem eens vragen hoe hij dat doet. Ik heb namelijk geen idee en ik ben nog steeds zo pissig dat ik er niet van kan slapen.

```
Als je wat warmte
zoekt… je weet waar
ik ben.
```

Misschien kan ik wel slapen als ik stiekem, tegen alle regels van mijn ouders in, seks met hem heb in mijn oude tienerkamer. En dat zou dan de elfde keer zijn.

```
Ik mag de
logeerkamer niet
verlaten van je
moeder.
```

O, kom op, Frank. Ze slapen. Hoe eng kan het zijn?

```
Wil je mij
blij maken
of haar?
```

Ik sla de dekens terug en sta op. Als het moet, ga ik wel naar hem toe. Dan liggen we maar de hele nacht in een eenpersoonsbed. Ik loop naar de deur van mijn slaapkamer en zodra ik mijn hand op de klink leg, gaat hij open en daar staat hij.

Hij heeft alleen zijn spijkerbroek aan, wat er echt heel goed uitziet, en hij sluit de deur achter zich. 'Jou.'

'Ik ben zo blij dat jij alleen maar doet alsof je braaf bent.' Ik trek hem aan de rand van zijn jeans naar me toe en we zoenen. Ik maak de knoop los en duw de stof naar beneden. Hij stapt poedelnaakt mijn bed in.

'Wil je echt nooit trouwen?' vraagt hij.

'Nee, ik wil gewoon altijd verliefd blijven. Zoals nu.'

'Wil je dan wel een paar dagen met me weg? Alleen wij tweeën?' Zijn hand glijdt onder mijn shirt en bevoelt de ronding van mijn bil. 'Dat had ik als verjaardagscadeautje in gedachten. Wat dacht je van New York?'

'Ik dacht dat dit mijn cadeautje was...' antwoord ik, terwijl ik mijn vingers langs de ketting laat gaan die ik in de auto van hem gekregen heb. Hij hoort bij de armband die ik van mijn vriendinnen gekregen heb, wat het overleg met Micky zeker waard is geweest.

'Ik wil je gewoon een tijdje voor mezelf.' Hij rolt half op me. 'Zonder afleiding... alleen jij en ik. Een mooie stad. En heel veel hiervan.' Zijn lippen dalen af langs mijn nek en kussen mijn borsten, eerst door de stof van mijn shirt heen en zodra hij het kledingstuk weggewerkt heeft, op mijn naakte huid.

Ik trek mijn been op, langs het zijne en volg de spieren in zijn rug met mijn vingers. 'Ik kan niet wachten.'

FRANK

Het voordeel van dit weekend is dat ik me vanaf nu geen zorgen meer hoef te maken over wat Hannah van mijn familie zal denken. Mijn bemoeizuchtige zus lijkt totaal onverschillig vergeleken met de tantes van Hannah, die allemaal naar een ander broodbeleg vernoemd zijn. Ik heb twee van hen ontmoet, aangezien ze aanschoven bij de brunch op zaterdagochtend. Paté en Eiersalade waren nog best aardig, eigenlijk.

In de middag heb ik ook nog kennisgemaakt met de beroemde Sandra en Simon en hun drie hyperactieve kinderen, waaruit maar weer eens blijkt hoe goed die van mij opgevoed is. En Hannah had gelijk over die blik van Simon. Hij zit haar de hele tijd aan te staren, al denk ik dat het smachten eerder van zijn kant komt. Het werd echt een beetje irritant, maar de beschrijving van zijn uiterlijk zoals Hannah die op het schoolplein had gegeven, was eigenlijk nog erg flatteus voor hem, dus de kans dat ik iets van hem te vrezen heb, is niet erg groot.

Halverwege de middag besloot Hannah dat het mooi geweest was, hoewel haar ouders volgens mij nog plannen voor het avondeten met ons hadden. Ze waren niet echt blij dat zij voet bij stuk hield om te vertrekken, maar ik denk niet dat Hannah het nog veel langer had volgehouden.

Op het moment dat we haar flat binnenlopen, lijkt ze weer helemaal opgeladen. 'Sorry, dat ik je dat aangedaan heb,' zegt ze terwijl ze zich op een paspop stort en die met geweld in een gangkast duwt. Ze gooit er nog wat spullen achteraan en sluit de deur.

Ik trek mijn jas uit en hang die over een kruk bij het keukentje. 'Je hoeft dat voor mij niet op te ruimen, hoor.'

Ze maakt een achteloos gebaar. 'Het is nog maar een halfbakken idee. Nog niet echt toonbaar voor publiek.'

'Oké…' Ik ga in het hoekje van de bank zitten. 'Volgens mij warmden je ouders best een beetje op, ten opzichte van mij, nadat je ze van die twee ton verteld hebt.'

'Tja, ze draaiden wel bij op het laatst… Al denken ze nu waarschijnlijk dat je achter mijn geld aanzit. Op dit moment werken ze vast al aan een nieuwe preek.' Ze leunt met één been tegen de rugleuning van de bank en kijkt me aan. 'Maak je geen zorgen, voorlopig zitten ze weer op veilige afstand. Dus… wat zullen we nu eens doen?'

'Moeilijke vraag,' antwoord ik terwijl ik haar vastpak en over de leuning van de bank bij me op schoot trek. Met een gilletje belandt ze boven op me.

'Ik dacht dat we uit eten konden gaan,' zegt ze lachend.

'Dat kan…' Ik leg mijn hand op haar buik en streel langzaam naar boven. 'We kunnen ook binnenblijven.'

'Hmm, ja, dat kan ook. Dan zullen we iets moeten bestellen.' Haar vingers kriebelen in mijn nek en ze kijkt me uitdagend aan. Dan gaat de bel en krijgt haar gezicht een verbaasde uitdrukking. 'Goh, dat is wel een heel snelle pizzakoerier…'

'Ik wil geen pizza, ik wil jou. Laat maar lekker staan.' De bel gaat opnieuw.

Ze lacht en slingert haar benen van me af. 'Ik handel het wel even af.' Ze geeft me een kusje en staat op. Ik probeer haar tegen te houden, zolang ik kan, maar ze zet door en loopt naar de voordeur, waar ze op de intercom drukt. 'Hallo?'

'Hoi, ik ben het, Jess. Mag ik even naar boven komen?' Geweldig, hoor. Precies wie ik nu wil zien. De vriendin die me haat.

Hannah laat het knopje van de intercom even los. 'Het is Jessica. Ik heb haar al een eeuwigheid niet gezien. Ik laat haar even binnen, goed? Ze blijft vast niet lang…'

'Denk je?' vraag ik.

'Ik zeg wel dat we plannen hebben.' Hannah drukt weer op de knop. 'Jess… kom maar boven.' Een paar seconden later, waarin ik hoop dat Jessica in ieder geval beleefd tegen me zal doen, klinkt er een klopje op de voordeur en doet Hannah open. 'Hé, Jess, hoe is het?'

'Wel goed. Met jou?' Ze geven elkaar een kus op de wang en Jessica komt verder. 'O,' mompelt ze als ze mij ziet.

Hannah heeft de bedompte reactie niet in de gaten. 'Met mij

gaat het super. Ik ben net met Frank bij mijn ouders geweest voor mijn verjaardag en hij is niet gillend weggerend. En hij heeft een superregeling bij Anna Lee voor me getroffen...'

'O, nou, gefeliciteerd dan maar.'

'Ja, en nu gaan we er nog een gezellige avond van maken, want Sven is bij zijn moeder, dus we hebben lekker tijd voor ons samen.' Ze kijkt me even aan, trots op haar subtiele hint.

Jessica knikt. 'Eigenlijk wilde ik even met je praten... Onder vier ogen.'

'O,' zegt Hannah. 'Nou, ik denk dat het wel even kan. We kunnen even naar de slaapkamer gaan.'

'Nou, eigenlijk...' Jessica kijkt van Hannah naar mij. 'Misschien is het wel goed dat hij erbij is. Misschien wil jij beginnen met praten, Frank?'

Ja hoor, nu zullen we het krijgen! 'Waarover bedoel je, precies?'

'Je weet best waarover.' Haar ogen worden net zo zwart als haar haren en ik verwacht bijna dat er rook opstijgt vanaf haar voeten en dat een zwarte kraai door het raam gevlogen komt om op haar schouder te gaan zitten. 'En we kunnen Micky er net zo goed ook even bij halen.'

'Jessica, ik begrijp wat je probeert te doen,' zeg ik, 'maar ik vind dit niet de beste manier. Het is Hannahs verjaardag en eigenlijk had ik plannen om met haar...'

'Ik denk dat ik heel goed weet wat jouw plannen met haar zijn,' snauwt ze.

Hannah kijkt haar geschokt aan. 'Waar heb je het over? Waarom doe je zo raar?'

'Hannah, het spijt me echt dat ik zo kom binnenvallen en het is me ontschoten dat je vandaag jarig bent omdat we het al gevierd hebben. Ik vind het echt niet leuk om dit nu te doen, maar ik moet met je praten. Ik lig er al wekenlang van wakker.'

Ik sta op. 'Vind je dat niet een klein beetje overdreven?'

Jessica kijkt me vernietigend aan. 'Nee! En ga jij het haar nu vertellen of laat je mij je vuile klusjes opknappen?'

'Jess, ik weet niet wat er precies aan de hand is, maar het lijkt me duidelijk dat er een of ander misverstand is. Ik weet dat je het niet makkelijk hebt gehad de afgelopen tijd en misschien zijn we allemaal te veel met onszelf bezig geweest, maar wat het ook is: Frank kan daar niets aan doen. Laten we even apart gaan zitten en dan praten we, goed?' Hannah legt bezorgd haar arm om Jessica heen, maar Jessica trekt zich terug.

'Dit heeft niets met mij te maken, Hannah, je snapt het niet. Het gaat juist om hém.' Ze kijkt me gebiedend aan. 'Zeg het haar! Zeg het nu, of ik doe het!'

Ik zou er zo'n beetje alles voor overhebben om nu met Hannah alleen te zijn en haar te vertellen waar dit allemaal over gaat, maar onder de ogen van die zwarte feeks kan ik er gewoon de woorden niet voor vinden. En dan is het opeens te laat voor mij om het op een normale manier aan Hannah over te brengen, want Jessica heeft het gezegd. Hoewel 'zeggen' eigenlijk niet het juiste woord is voor de manier waarop ze die zin tussen mij en Hannah in flikkert, als een soort allesverwoestende, stinkende, rottende heksenspreuk.

'Hij heeft het met Micky gedaan!'

Er heerst complete stilte voor ongeveer vijf seconden. Dan vraagt Hannah heel naïef, alsof er honderden dingen zijn die ik met Micky gedaan zou kunnen hebben, behalve dat ene: 'Wat heeft hij met Micky gedaan?' Ze pakt mijn hand vast, vastbesloten om niet slecht over mij te denken, wat ik zó lief van haar vind, dat ik terug de tijd in wil om niet met Micky mee naar huis te gaan en ervoor te zorgen dat dit moment Hannah bespaard zou zijn gebleven. Het moment waarop ze beseft wat ik met Micky gedaan zou hebben.

'Waarom zeg je dat?' vraagt ze geschokt. 'Dat is echt... het belachelijkste wat ik ooit gehoord heb.'

'Het is de waarheid.'

'Wil je weggaan, Jessica?' vraag ik.

'Ja,' zegt Hannah. 'Ik denk dat je dat maar moet doen. Je kunt niet dit soort dingen beweren en...'

Jessica onderbreekt haar. 'Heb je het hem al horen ontkennen? Heeft hij gezegd dat het belachelijk is?'

Hannah kijkt me aan en mijn hart breekt. 'Het is niet waar... Toch?'

'Kom op, Frank...' zegt Jessica. 'Kun je net zo goed liegen als dingen achterhouden?'

Ik weet niet waarom ze daar nog staat. Waarom ze niet gewoon weggaat en mij alleen laat met Hannah om te redden wat er te redden valt. Is ze pas tevreden als ze precies weet hoe groot de schade is? Als ze zeker weet dat het helemaal kapot is?

'Hannah,' zeg ik met een stem die uit een andere dimensie lijkt te komen. 'Ik kende jou toen nog niet.'

Haar vingers verliezen hun grip op de mijne, maar nu ben ik het die haar hand vastgrijpt. Ze voelt als een lappenpop. Ze staart me wezenloos aan.

'Het was voor wij verliefd werden. Ik wist niet dat ze jouw vriendin was. Ik kende haar niet. Ze was gewoon een vreemde in een bar. Het had niets te betekenen.'

Opeens keert haar kracht terug. Ze trekt haar hand los, stormt de deur uit en de trap op naar een verdieping hoger waarna ik een totaal verwilderde uitvoering van het Hannah-Micky klopje door het gebouw hoor galmen. De kans bestaat dat ze dwars door de deur heen loopt, als Micky niet snel opendoet.

'Ik hoop dat je tevreden bent,' zeg ik tegen Jessica. Ze loopt naar de voordeur. 'Dit is jouw schuld, niet de mijne.'

Daarna verdwijnt ze de hal in en ik laat me terug op de bank zakken, met mijn hoofd in mijn handen, in de hoop mijn verstand terug te krijgen voor Hannah weer naar beneden komt. Ondertussen hoor ik op de verdieping hierboven het spraakvolume oplopen. En ik zou best naar boven willen om de boel te sussen, maar als ik hoor welke benamingen Hannah voor haar vriendin weet te verzinnen, wil ik niet weten wat ze mij te zeggen heeft.

Op het moment dat ik opsta om naar boven te lopen, klinken er voetstappen op de trap en komt Hannah terug de flat in.

'Hannah,' zeg ik.

'Hoe kan dit?' Ze smijt de deur achter zich dicht. 'Net was er niets aan de hand en nu...'

'Er is niets veranderd. Ik ben nog steeds dezelfde en ik hou van je. En dat met Micky, dat was echt eenmalig. Er kwam geen gevoel bij kijken. Ik wou dat het nooit gebeurd was en ik wou dat ik het je zelf verteld had. Dat ik het meteen verteld had...'

'Er is wel iets veranderd,' zegt ze alsof dat het enige is dat ze gehoord heeft.

'Nee. Niet echt. Niets belangrijks.'

'Je hebt de veren uit haar matras laten springen. Dat was jij...'

'Hoe...' Ik denk dat ik nu even wezenloos kijk als zij. 'Ik weet niet wat je daarmee bedoelt.'

'Dat zei ze na die onenightstand. Je moet me niet vertellen dat het niets voorstelde, want ik weet precies wat jullie gedaan hebben en ik weet niet hoe *ik* een relatie kan hebben met dezelfde man die *haar* veren laat springen... dat is gewoon... dat *kan* niet.'

'Hannah, als ik zeg dat het niets voorstelde, dan bedoel ik dat in vergelijking met wat wij hebben. Het is niet hetzelfde. Ik wilde haar niet, ik wilde iemand.'

'Het was een spel...'

'Ja, precies. Dat was het. Niets meer.'

'Zoiets als hoe je daarna achter mij aan zat...'

Godver, dit ga ik niet winnen. 'Nee, Hannah! Het was in niets zoals het tussen jou en mij is, want het betekende niets. En alles wat ik met jou gedaan heb, betekende iets. Alles. Elke keer, elk gesprek, elk mailtje, elke ruzie... het betekende allemaal... alles. Het betekende alles en dat doet het nog steeds. En de enige reden dat ik het je niet verteld heb, is dat ik bang was dat jij niet zou snappen hoe groot het verschil is.'

Er klinkt gekibbel vanaf de hal en daarna volgt Micky's klopje op de deur.

'Rot op!' roept Hannah boos.

'Nee!' antwoordt Micky. 'Doe maar gerust open, want ik doe mijn zegje ook met die deur ertussen. Je weet best dat dit volslagen krankzinnig is.'

Ze trekt de deur zo hard open dat ik me erover verbaas dat de scharnieren nog vastzitten. 'Jij...' zegt ze tegen Micky, 'bent een huichelachtige, schijnheilige nepvriendin! Ik word misselijk van je! En jij!' Ze keert zich tegen Jessica. 'Jij bent een verbitterd kreng dat al vanaf het eerste moment tegen mij en Frank was. Je kunt het gewoon niet uitstaan dat iemand anders gelukkig is omdat je zelf een keertje pech in de liefde gehad hebt. Misschien zou je eens zelf een leven moeten nemen, in plaats van dat van anderen te verzieken! Ik wil jullie niet meer zien. Geen van beiden! En dat meen ik serieus.'

Ik heb Micky nog nooit om woorden verlegen zien zitten, maar dat is precies wat nu gebeurt. Ik denk zelfs dat ze gaat huilen. En ik heb geen idee wat er in Jessica omgaat, maar ook zij is sprakeloos. Hannah gooit de deur in hun gezicht dicht en draait zich naar mij om. Haar handen in haar zij, buiten adem,

klaar voor de strijd. Waarschijnlijk krijg ik nu een lading over me heen waar de uitbarsting van net timide bij afsteekt. Ze haalt diep adem. 'Jij kunt ook maar beter gaan,' zegt ze dan zacht. 'Hannah... alsjeblieft. Ik wil niet weggaan.'
'Op dit moment interesseert het me helemaal niks wat jij wilt.'
'Oké, prima. Maar hoe zit het met wat jij wilt? Is dit wat *jij* wilt? Je vriendinnen uitschelden en mij wegsturen? En dan in je eentje je verjaardag vieren?'
'Wat ik wil is een vriend die *niet* mijn beste vriendin geneukt heeft. Kun je me daaraan helpen, Frank?'
'Is dat wat je wilt?'
'Ja, natuurlijk is dat godverdomme wat ik wil!'
'Nou als dat zo is, dan zijn er genoeg kerels daarbuiten die allemaal niet met Micky naar bed zijn geweest. Dan neem je er daar een van, als dat de enige eis is die je stelt. Als dát het enige is wat telt, van alles wat er tussen ons gegroeid is, dan moet je dat vooral doen.'
'Prima, doe ik dat!' antwoordt ze. 'En dan kun jij weer lekker twintigers gaan neuken, aangezien dat je grootste hobby blijkt te zijn. Je hebt met Micky nog twee jaar de tijd.'
Ik zet een stap in haar richting en pak met beide handen haar bovenarmen vast. Iets te hardhandig, ik zie haar schrikken. 'Het was voor ik verliefd werd op jou. Ik heb daarna nooit meer aan haar gedacht. Aan niemand. Alleen aan jou. Snap het dan... het was... Het was zoals met jou en Simon.'
Ze rukt zich los. 'O, dat komt je nu geweldig uit, hè, dat ik je dat verhaal verteld heb. Toevallig heb ik geen *seks* gehad met Simon.'
'Oké, mocht je dat nog willen: hij heeft het niet met Micky gedaan en afgaand op de hoeveelheid kwijl die zijn kraag in loopt als hij naar je kijkt, maak je misschien nog wel een kansje.'
'Ga weg.' Ze geeft me een duw en zet de deur voor me open.
'Hannah... het spijt me. Ik snap het dat je boos bent, maar... ik kan toch hier blijven terwijl je dat bent?' Waarom kan ze me niet gewoon doodzwijgen en seks weigeren? Dat is toch wat vrouwen gewoonlijk doen? 'Ik kan niet terugdraaien wat er gebeurd is. Ik zou het doen als het kon, maar... je snapt toch zeker wel dat ik je geen pijn wilde doen?'
'Ga nou maar gewoon weg.'

'Hannah...' Ik laat me over de drempel duwen en buitensluiten. Verdomme! Ik sla met mijn hand tegen de deur. 'Hannah, ik hou van jou! Ik hou alleen van jou!' Ik hoop dat ze nog aan de andere kant van de deur staat en zich bedenkt. 'Hannah?'
Aan het eind van de hal rammelen de sloten.
'Hannah?' roep ik nog een keer. Ik sta zwaar voor schut als iemand me zo ziet, maar dat is dan jammer. Ik ben liever een sukkel met Hannah bij me dan een stoere jongen in mijn eentje. 'Hannah!'
Opeens gaat de deur open, gelijktijdig met de deur aan het eind van de hal. Hannah zet een stap naar buiten. 'Sorry, meneer Oss...' Ik kijk om en zie een oude vent met alleen een onderbroek en sokken aan. Die heeft het vast ook niet met Micky gedaan.
'Alweer een andere,' mompelt hij, terwijl hij terug naar binnen stiefelt. 'Vrouwen, mannen, het maakt allemaal niet meer uit tegenwoordig...'
Ik kijk Hannah aan, op zoek naar een blik van verstandhouding of een glimlachje op zijn minst. Maar ze duwt zonder oogcontact te maken mijn jas in mijn handen. 'Deze was je vergeten.'

Aan: Hannah.Fisher@hotmail.com
Van: Frank.Stevens@gmail.com
Datum: 27-03-2010, 22:17
Onderwerp: Spijt

Hannah, schatje, alsjeblieft... Laat me het nu goedmaken met je. Ik zou misschien (na negenentwintig onbeantwoorde voicemailberichten) door moeten hebben dat je me niet wilt spreken, maar ik weet dat jij je nu net zo ellendig voelt als ik.

```
Date: 28-03-2010, 00:31
From: Frank


Ik hou van je.
Kan niet slapen
zonder jou.
```

Aan: Hannah.Fisher@hotmail.com
Van: Frank.Stevens@gmail.com
Datum: 28-03-2010, 03:38
Onderwerp: Veel spijt

Ik wilde even zeggen dat ik het verschrikkelijk vind dat je verjaardag zo verpest is. Ik had het eerder moeten zeggen. Ik wilde dat ook. Maar ik dacht dat ik geen kans meer bij jou zou maken als je wist wat er tussen mij en Micky gebeurd was. Ik kan het niet goedpraten dat ik het verzwegen heb, maar toen het serieus werd tussen ons was ik echt van plan het te zeggen. Ik wilde alleen de juiste manier en het juiste moment vinden. En nu is het dus op de slechtste manier gebeurd. Ik wil niet dat je je rot voelt, Hannah. Laat mij het nou beter maken… Misschien verdien ik jouw vergeving niet, maar jij verdient het zeker niet om verdrietig te zijn. Dus als ik daar iets aan kan doen, bel me dan. X

Aan: Hannah.Fisher@hotmail.com
Van: Frank.Stevens@gmail.com
Datum: 28-03-2010, 05:56
Onderwerp: Heel veel spijt

Oké, waarschijnlijk was dat laatste arrogant. Dat ik denk dat ik ervoor kan zorgen dat je niet meer verdrietig bent. Het spijt me dat ik arrogant ben. Dat ik seks gehad heb met Micky (met jou is het veel en veel lekkerder). En dat ik het niet verteld heb. Het spijt me dat ik zo'n klootzak ben. Maar ik hou wel van je.

Aan: Hannah.Fisher@hotmail.com
Van: Frank.Stevens@gmail.com
Datum: 28-03-2010, 12:12
Onderwerp: Meer spijt dan ik in woorden kan vatten

Hannah, jij bent de liefde van mijn leven. Ik laat je echt niet zomaar gaan omdat ik toevallig, per ongeluk, dronken seks met een vriendin van je gehad heb. Ik kom naar je toe en dan praten we het uit.

Aan: Hannah.Fisher@hotmail.com
Van: Frank.Stevens@gmail.com
Datum: 28-03-2010, 15:19
Onderwerp: Veel meer spijt dan ik in woorden kan vatten

Wat kun jij lang een beltoon negeren… of had je dat ding onklaar gemaakt? Ik zou jou nooit een uur buiten aan de deur laten staan als je met me wilde praten, al had je iedereen die ik ken genaaid. Maar als jij je beter voelt door mij te negeren, dan moet je dat lekker doen. Als je maar weet dat ik me niet laat ontmoedigen door een beetje tegenslag. Wij horen bij elkaar en ik zal doen wat nodig is om je terug te krijgen. Dus als jij me kunt vertellen wat dat precies is…

Aan: Hannah.Fisher@hotmail.com
Van: Frank.Stevens@gmail.com
Datum: 28-03-2010, 17:59
Onderwerp: Heel veel meer spijt dan ik in woorden kan vatten

Je kunt het natuurlijk ook niet vertellen en mij een beetje laten aanmodderen tot ik eindelijk de juiste snaar weet te raken, maar waarschijnlijk heb je dan veel meer last van me dan wanneer we er samen even voor gaan zitten.

Aan: Hannah.Fisher@hotmail.com
Van: Frank.Stevens@gmail.com
Datum: 28-03-2010, 19:12
Onderwerp: Enorm veel meer spijt dan ik in woorden kan vatten

Of we lossen het liggend op… had ik al gezegd hoeveel beter jij bent dan Micky? Of wie dan ook met wie ik ooit het bed gedeeld heb. Jij bent zoveel beter dat ik eigenlijk ben vergeten hoe de rest was. Ik herinner me er niets meer van. Ik weet alleen nog dat het niets voorstelde.

Aan: Hannah.Fisher@hotmail.com
Van: Frank.Stevens@gmail.com
Datum: 28-03-2010, 21:42
Onderwerp: Zo enorm veel meer spijt dan ik in woorden kan vatten

Als we in New York zijn, ga ik zonder morren mee naar elke fashionshow die je maar wilt bezoeken. En we winkelen net zo lang tot jij het beu bent. Ik zal al je tassen dragen en ik vind het niet erg als je op het laatst terug wilt naar de eerste winkel om te kopen wat je daar gepast hebt. Ik zal niet als een zoutzak op een krukje gaan zitten wachten. Ik vind het niet erg als je minutenlang twijfelt of je iets wel of niet zal kopen en ik zal ook niet onverschillig 'staat je leuk, liefje' mompelen bij alles wat je aantrekt.

Aan: Hannah.Fisher@hotmail.com
Van: Frank.Stevens@gmail.com
Datum: 28-03-2010, 21:59
Onderwerp: Echt zo enorm veel meer spijt dan ik in woorden kan vatten

Ik kook voortaan elke dag een driegangen Michelinsterrenmenu voor je, met steeds een ander toetje met chocolade.

Aan: Hannah.Fisher@hotmail.com
Van: Frank.Stevens@gmail.com
Datum: 28-03-2010, 22:30
Onderwerp: Ik kan bijna niet meer verzinnen hoe ik kan omschrijven hoeveel spijt ik heb

En dan kijken we zoveel romantische flutfilms als je maar wilt. Of hele dvd-boxen *Grey's Anatomy*, waarmee ik niet wil beweren dat dat een flutserie is.

Aan: Hannah.Fisher@hotmail.com
Van: Frank.Stevens@gmail.com
Datum: 28-03-2010, 23:14
Onderwerp: Hoe moet ik je nu uitleggen hoeveel spijt ik heb?

En in bed heb jij het voor het zeggen: wat je maar wilt, wanneer je wilt, hoe lang je wilt. En als je vindt dat ik geen seks verdien, dan doen we alleen dingen waar jij plezier aan beleeft (hoewel ik dat misschien ook wel weer opwindend vind).

Aan: Hannah.Fisher@hotmail.com
Van: Frank.Stevens@gmail.com
Datum: 28-03-2010, 23:42
Onderwerp: Snap je nu hoeveel spijt ik heb?

Als we een feestje hebben of uitgaan, dan zal ik voortaan de BOB zijn. En we gaan zo vaak bij je ouders op bezoek als je maar wilt.

Aan: Hannah.Fisher@hotmail.com
Van: Frank.Stevens@gmail.com
Datum: 28-03-2010, 23:51
Onderwerp: Snap je nu eindelijk hoeveel spijt ik heb?

Mocht er nu voetbal op tv zijn, terwijl jij een home make-over programma wilt zien, of *Project Runway*, of *Grey's Anatomy*, dan kijk ik natuurlijk veel liever samen met jou naar die programma's dan naar voetbal. En dan ben ik zelfs niet een heel klein beetje chagrijnig.

Aan: Hannah.Fisher@hotmail.com
Van: Frank.Stevens@gmail.com
Datum: 29-03-2010, 00:57
Onderwerp: Hannah, het spijt me!!!

Ik beloof je een leven lang vol met:
Etentjes met je vriendinnen, dansen bij La Sala, mannen die salsa kunnen dansen (1 man in ieder geval: ik), de zon zien opkomen na creatieve (of erotische) uitspattingen die de hele nacht geduurd hebben, daarna uit kunnen slapen (ik zorg wel voor de kinderen), jouw moodboards (mijn muren zijn jouw muren), een leven zonder Anna Lee (op de zeldzame momenten na dat ze weer genoeg moed heeft verzameld om je om je deskundige mening te vragen), vrijdagavonden (elke week een nieuwe), soep van je moeder en de hond uitlaten met je vader (aangezien we toch zo vaak gaan als jij maar wilt), *Grey's Anatomy* (zoals al eerder beloofd), thuiskomen (het eten staat klaar, zoals je weet), schoenen met hakken (Manolo Blahnik en Christian Louboutin wachten al op ons), seizoenen (overal nieuwe collectie!) (toegegeven: die komen ook zonder mijn hulp), mannen die weten wanneer ze een vrouw voor moeten laten gaan... (heb ik je ooit teleurgesteld?) en cacao op je cappuccino.

Aan: Hannah.Fisher@hotmail.com
Van: F.Stevens@A&S-advocaten.eu
Datum: 29-03-2010, 14:49
Onderwerp: Beëindigingsvoorstel

Ik hoop niet dat je teleurgesteld bent als je merkt dat de onderwerpregel niet op ons slaat. Ik heb het beëindigingsvoorstel bijgevoegd zoals dat aan het eind van de dag per aangetekende post naar Anna Lee verzonden zal worden. Mocht er nog iets zijn waar je op- of aanmerkingen over hebt, laat het me dan even weten, want dan kan ik het nog aanpassen. Ik zou je willen vragen je akkoord te geven als dit voorstel wat jou betreft in orde is. Pas daarna laat ik het definitief opmaken. Oké, dat was het. Ik zal je verder even met rust laten. Ik heb gisteren alles al gezegd.

Aan: Micky_Micky@hotmail.com
Van: F.Stevens@A&S-advocaten.eu
Datum: 29-03-2010, 14:52
Onderwerp: Hannah

Micky,
Alles goed met je? Ik was benieuwd of je nog iets van Hannah gehoord hebt. Ik zit midden in een stilteoffensief. Krijg op geen enkele wijze contact met haar. Hebben jullie elkaar al gesproken?
Groet,
Frank

Aan: F.Stevens@A&S-advocaten.eu
Van: Hannah.Fisher@hotmail.com
Datum: 29-03-2010, 15:04
Onderwerp: Re: Beëindigingsvoorstel

Het voorstel is oké. Stuur maar weg.

Aan: F.Stevens@A&S-advocaten.eu
Van: Micky_Micky@hotmail.com
Datum: 30-03-2010, 08:22
Onderwerp: Re: Hannah

Frank,
Ze wil me niet spreken. Ik zal er niet van staan te kijken als het nooit meer goed komt. En met Rick is alles ook één grote puinhoop, want hij was bij mij op bezoek toen Hannah binnenviel en me ervan beschuldigde het oudste beroep ter wereld uit te oefenen. Dan heb je wel iets uit te leggen, natuurlijk. Alles is dus niet goed. En ik heb liever dat je me niet meer mailt, aangezien dit hele probleem niet zou bestaan als wij geen 'contact' met elkaar gelegd hadden. Ik hoop dat jij en Hannah eruit komen.
Micky

Aan: Hannah.Fisher@hotmail.com
Van: F.Stevens@A&S-advocaten.eu
Datum: 31-03-2010, 10:01
Onderwerp: Beëindigingsvoorstel

Lieve Hannah,
In bijlage stuur ik je de ondertekende overeenkomst die ik vandaag van Anna Lee ontvangen heb. Het is gelukt. Je kunt nu alles doen wat je wilt. De toekomst wacht op je.
Ik stuur het voorstel vandaag, in tweevoud, ter ondertekening naar je huisadres. Graag ontvang ik weer één exemplaar getekend retour.
Als er ook maar iets is wat ik nog voor je kan doen, laat het dan weten. En mocht je niet op mijn hulp zitten wachten, neem dan contact op met mijn collega Roy Sanders. Hij is van het hele dossier op de hoogte.
Dan nog één ding: bel me, mail me, praat met me, vergeef me. En als ik dat niet waard ben, dan ben ik zéker niet waard dat je om mij je beste vriendin verliest. Dus vergeef dan in ieder geval haar.
Ik hou van je en blijf van je houden,
Frank

HANNAH

'Hoe is het met je?' vraagt Debbie. Benji is ziek vandaag, waardoor ze weer een vrije dag heeft moeten opnemen en woorden kreeg met haar baas, die er natuurlijk geen rekening mee kan houden dat zijn werknemers mensen van vlees en bloed zijn met een privéleven.

'Nog steeds rijk,' antwoord ik. 'Maar ik heb nog maar één vriendin over en mijn hart voelt alsof het geïmplodeerd is.'

'Je hebt wel lef gehad om een man buiten te zetten die de macht heeft over jouw fortuin. Wat als hij die deal nu expres had laten schieten?'

'Zoiets zou hij nooit doen.'

'O, dus je vertrouwt hem nog wel?'

'Dat deed ik altijd al, maar... weet je Deb, laten we het ergens anders over hebben. Ik wil liever niet over Frank praten. Het is zo al moeilijk genoeg. Hij stuurt me de hele tijd berichten. Lieve mailtjes, grappige mailtjes. Ik moet soms op mijn handen gaan zitten om niet te antwoorden.'

'Als je dat zo graag wilt, kun je dat toch gewoon doen?' zegt Debbie, terwijl ze Benji op de tweezitsbank met een eenpersoonsdekbed toedekt. 'Wie denk je nu te straffen?'

'Het gaat me er niet om hem te straffen. Ik voel me gewoon bedonderd. Door hem en door Micky. Ik kan het niet geloven, twee van de belangrijkste mensen in mijn leven.'

Debbie komt naast me zitten. 'Maar zonder hen ben je ook niet gelukkig.'

'Nee, dat weet ik. Maar ik ben zó boos. Ik kan ze wel vermoorden. Hoe hebben ze nou zo stom kunnen zijn?'

'Waar ben je precies zo boos om. Om de s-e-k-s?' Dat krijg je als je bij Debbie thuis afspreekt, kleine potjes hebben grote oren.

'Ik kan niet zeggen dat ik daar blij mee ben, inderdaad,' ant-

337

woord ik. 'Mijn god, Deb, ik zie het de hele tijd voor me. Het is niet bepaald goed voor mijn gemoedstoestand dat Micky me alle details heeft verteld.'

'Nou als je alles weet...' zegt ze voorzichtig, 'dan weet je ook dat ze niet verliefd op hem was of is.'

'Sta je nu aan haar kant of zo?'

'Ik probeer alleen te helpen.'

'Dat van de s-e-k-s is niet leuk,' concludeer ik dan. 'Het is k-l-o-t-e, maar het ergste is het spelletje dat ze gespeeld hebben. Alsof ze elkaar nog nooit gezien hadden. Ze hebben zich vast rotgelachen.'

'Denk je dat? Die man die al die mailtjes aan jou stuurt... denk je dat hij zich heeft rotgelachen omdat hij seks met je vriendin gehad heeft? Zou hij dat grappig hebben gevonden om geheim te houden, of moeilijk?'

'Deb, alsjeblieft...'

'En Micky, je beste vriendin, zou zij gelachen hebben toen zij erachter kwam dat jij verliefd was geworden op dezelfde man, van wie zij uitvoerig zijn bedprestaties met je had besproken? Of zou ze geschrokken zijn? Zouden ze misschien gewoon niet hebben geweten wat ze ermee aan moesten? Hoe hadden ze het dan aan moeten pakken?'

'Ik weet het niet. In alle opzichten zou het klote geweest zijn.' Ik ben zo onrustig dat ik vergeet te spellen, maar Benji lijkt half van de wereld, dus ik hoop maar dat hij het niet gehoord heeft. Ik kijk even naar hoe hij ligt te slapen en word overspoeld door een intens triest gevoel. 'Sven had dit ook vorige week. Misschien heeft hij Benji aangestoken.' Opeens voel ik tranen opkomen en ik sla mijn handen voor mijn ogen om ze terug te drukken. 'Ik mis hem zo.'

'Sven?' vraagt Debbie meelevend.

Ik knik. 'Ja.' Dan barst ik helemaal in snikken uit. 'En Frank...'

'O, meisje toch, kom maar eens hier...' Debbie slaat haar armen om me heen en wrijft moederlijk tussen mijn schouderbladen. 'Huil maar even lekker uit.'

'Ik wil hem niet missen,' snik ik, 'ik wil hem haten en ik wou dat hij niet altijd precies wist wat hij moet zeggen om me te raken. Waarom zegt hij altijd precies die dingen die me laten voelen wat hij wil dat ik voel? Ik wil gewoon een hekel aan hem hebben. Ik wil niet dat hij me laat lachen en ervoor zorgt dat ik voor hem smelt. Dat wil ik niet.'

'Ik weet dat je dat niet wilt, maar het punt is dat het nu eenmaal zo werkt in de liefde. Als je van iemand houdt en je openstelt, word je kwetsbaar. Maar als je het niet doet, komt er nooit iemand dicht bij je ware ik en dan weet je ook niet hoe mooi het kan zijn. En Hannah... jij bent veel te mooi vanbinnen om je af te sluiten.'

'Nou,' zeg ik nasniffend. 'Sorry dat ik mezelf niet meer in de hand had.' Ik buig voorover om mijn kom thee, die nog onaangeroerd is, van tafel te pakken. 'Daar kwam ik eigenlijk helemaal niet voor. Ik wilde vragen hoe het met jou gaat.'

'Met mij?' Debbie volgt mijn voorbeeld en begint van haar eigen thee te drinken. 'Dat is al jaren hetzelfde liedje, toch? Proberen vijf werkdagen in drie te proppen en accepteren dat ik niet meer serieus genomen word op mijn werk, omdat er altijd mensen zijn zonder kinderen, die meer uren kunnen maken of beter kunnen slijmen bij de leidinggevende.'

'Je zou ander werk moeten zoeken.'

'Tja, alsof ik de banen voor het uitkiezen heb.'

'Je hoeft ze niet voor het uitkiezen te hebben. Uiteindelijk heb je maar één baan nodig. Als het maar de juiste is.'

'Ik houd me aanbevolen, als je iets weet.'

Ha! Daar was ik naartoe aan het werken. 'Ik weet iets. Het is een beginnend bedrijf, dus het is best een gewaagde keuze om te maken. Maar je zou het gehele managementgedeelte van een nieuwe kledinglijn op je kunnen nemen. Je kunt voor vijftig procent mede-eigenaar worden en ik denk niet dat er moeilijk gedaan zou worden over thuiswerken, extra vrije dagen of wat dan ook. Al wordt het aan de andere kant wel hard werken.'

'Hannah, bedoel je...'

'We moeten nog wel even een bedrijfsnaam bedenken. "Fisher-Meyers" is dat wat?'

'Ga je voor jezelf beginnen?'

Ik haal mijn schouders op. 'Ik moet iets met al dat geld, vind je niet? Ik ga eerst de deeltijdopleiding volgen en ondertussen kunnen we samen aan een bedrijfsplan werken, de financiering rond krijgen en ik kan alvast beginnen met wat ontwerpen. Maar ik kan het niet alleen, Deb. Doe je mee?'

Ze zit bedrukt voor zich uit te kijken.

'Kom op... je haat je baan, je haat je baas. Nu heb je een reden om ze allemaal te laten stikken. Je weet niet half hoe lekker het is om dat te doen. Echt, Deb, toen ik bij Anna Lee wegging...'

'Was je een psychisch wrak.'

'Oké. Misschien.' Ik moet denken aan de huilbui in het kantoor van Frank en de kus die daarop volgde. 'Maar daarna voelde het heel goed. Denk erover na.'

Ze knikt. 'Ja, dat ga ik doen. En ik moet met Tom overleggen.'

Er breekt een lach op haar gezicht door. 'Ik vind dat we het gewoon "Hannah Fisher" moeten noemen.'

Als ik thuiskom, is het halverwege de middag en heb ik de door Anna Lee getekende ontbindingsovereenkomst in mijn brievenbus zitten. Ik scheur de envelop open en krijg buikpijn als ik naar het standaard begeleidend schrijven kijk.

Geachte mevrouw Fisher, beste Hannah,

Hierbij doen wij u in tweevoud de beëindigingsovereenkomst toekomen tussen u en uw werkgever Anna Lee B.V.

Graag ontvangen wij één getekend exemplaar van u retour. Het andere exemplaar is voor uw eigen administratie bestemd.

Vertrouwende u hiermede voldoende van dienst te zijn geweest, verblijf ik,

met vriendelijke groet,

A&S-Advocaten

mr. F.M. Stevens

Ik laat mijn hand over zijn nonchalant gezette handtekening glijden. Er ontbreken een paar bogen die er wel staan als hij er de tijd voor neemt. Hij heeft het vast met een achteloos gebaar ondertekend, samen met al zijn andere post. Hup, weg ermee, vertrouwend u hiermede voldoende van dienst te zijn geweest. Nou, toevallig is hij me helemaal niet *voldoende* van dienst geweest. Bij lange na niet.

Er wordt op de deur geklopt en ik leg de brief neer. Als ik opendoe, staat de buurvrouw voor me met een grote doos aan haar voeten. 'Dit heb ik voor je aangenomen. Ik hoorde je zojuist thuiskomen en het neemt nogal veel ruimte in beslag, dus...'

Ik sleep de doos naar binnen, bedank de buurvrouw en doe de deur weer achter haar dicht. Blijkbaar komen al mijn belangrijke pakketjes tegelijk. Ik trek het plakband van de bovenkant en til de deksel van de doos. Ik haal het vloeipapier weg en laat mijn hand even over de mooie stof glijden die beschermd in het midden ligt. Ik til de rol op. Het lijkt wel twee keer zoveel als ik besteld heb... Ik leg de stof op tafel en haal de paspop met het ontwerp voor het maatpak uit de gangkast. Ik kijk van het model naar de stof en voel de emoties weer opstijgen vanuit mijn maag, naar mijn keel, waar ze een schrijnende bal vormen. Ik zou fluitend aan het werk moeten gaan om iets moois te maken voor de man op wie ik stapelgek ben. Ik zou me moeten verheugen op zijn reactie, maar in plaats daarvan moet ik al huilen als ik naar het pasmodel kijk. Dit is niet hoe ik me zou moeten voelen... waarom moet alles nou zo ellendig zijn! Ik geef de pop een duw en terwijl hij langzaam achteroverkukelt, trek ik met een ruk de rol stof en wat patroontekeningen van tafel. Ik schop er nog een paar keer tegenaan en stamp op de schetsen, maar het geeft totaal geen voldoening. Helemaal niets. Ik loop woedend terug naar het keukentje waar ik de brief van Frank op de bar heb laten liggen. Ik moet nog tekenen. Waar is een pen? Ik trek wat lades open en vind er uiteindelijk een op het aanrecht.

De overeenkomsten liggen ondertekend en wel voor me. Op elk blad een paraafje van mevrouw Anna Lee zelf. Op de laatste bladzijde haar vinnige handtekening. Heel anders dan de uitbundige bogen van Frank.

Frank, Frank, Frank. Ik mag dan elk contact met hem vermijden, maar hij is nog steeds vervlochten met elk detail van mijn leven. Ik kan niet eens blij zijn met het torenhoge bedrag waar Anna Lee voor getekend heeft, omdat ik ook dat aan hem te danken heb. Het is nog steeds te bizar voor woorden dat ze hiermee akkoord gaat... Ook al vermoedde ik altijd al een beetje dat ze niet helemaal spoorde. Ik zet mijn eigen handtekening op beide exemplaren en loop naar de koelkast om iets te drinken in te schenken. Ik zet het glas neer na een paar flinke slokken. Ik heb nu al dat geld en ik ga die studie doen, dankzij Frank. Ik kan een eigen bedrijf opstarten dankzij hem. Op mijn paspop zit een ontwerp dat ik voor hem gemaakt heb en ik kan niet naar boven om mijn beste vriendin te spreken, vanwege hem. Ik haat het dat hij overal is en tegelijkertijd heb ik niet genoeg van hem. Ik loop naar mijn pc en laat hem opstarten. Geen berichten. Ik sta op en struikel bijna over de stof die op de vloer uitgespreid ligt. Ik zucht diep, raap de rol dan op en leg hem zorgvuldig op tafel. Ik verzamel mijn schetsen, til de paspop weer overeind, haal mijn spullen uit de gangkast tevoorschijn. En dan ga ik aan het werk.

Aan: Hannah.Fisher@hotmail.com
Van: Frank.Stevens@gmail.com
Datum: 05-04-2010, 19:37
Onderwerp: Sven

Hannah,
Ik wilde even met je afstemmen hoe laat je morgen hier bent om op Sven te passen. Ik heb je een weekje met rust gelaten vanwege de omstandigheden, maar ik hoop dat je het met me eens bent dat Sven niet de dupe mag worden van wat er tussen ons gaande is. Ik respecteer het dat je niet met mij wilt praten, maar Sven begint je te missen en hij vond het vorige week helemaal niet leuk dat hij bij de kabouters moest spelen, in plaats van met 'Annah' zoals hij dat zo lief kan zeggen. Ik ga er dus van uit dat je om kwart voor acht bij mij bent. Je zult verder geen last van me hebben. Ik ga meteen weg en jij kunt vertrekken zodra ik thuiskom, wat tussen halfzes en zes uur zal zijn. Mocht je willen praten, dan sta ik daar nog steeds voor open.
Frank

'Goedemorgen,' zegt Frank, knapper dan ooit, als ik de volgende morgen bij hem aan de deur sta. Ik hoop dat hij denkt dat mijn ogen dik zijn van de slaap, in plaats van het huilen omdat ik er zo tegenop zag vandaag te komen opdagen.

Ik wilde niet komen, maar ik wil me ook niet laten kennen en dat laatste heeft blijkbaar de overhand gehad, want ik sta hier nu tegen wil en dank. Franks stropdas zit scheef, wat hij vast expres gedaan heeft omdat hij weet dat ik daar niet tegen kan. Maar ditmaal laat ik hem gewoon zo naar buiten lopen. Ik doe net alsof ik het niet gezien heb.

Ik loop door naar binnen. 'Waar is Sven?'

'Dat weet ik niet,' antwoordt Frank. 'Ik denk dat hij weggelopen is. Je zult hem moeten zoeken.'

Ik hoor een giecheltje vanachter de bank komen. Normaal zou dit een heel gezellig momentje kunnen worden, maar ik heb geen zin in gezelligheid samen met Frank.

'Hoe gaat het met je?' vraagt hij terwijl hij achter me komt staan. 'Gewoon.' Ik loop bij hem weg. 'Waar is Sven toch?' Hij begint wat harder te lachen. 'Volgens mij hoor ik hem.'

'Je ziet er goed uit,' zegt Frank. Hij liegt. Ik zie er vreselijk uit. 'Jouw stropdas zit scheef.' Ik loop naar de bank. 'En de kleur staat je niet.' Ik lieg ook. Aubergine staat hem fantastisch. Net als elke andere kleur. 'Sven?'

'Hier ben ik!' roept hij, alsof dat een enorme verrassing is, en hij springt achter de leuning van de bank vandaan.

'O!' Ik doe natuurlijk alsof ik enorm verrast ben en steek mijn armen naar hem uit. 'Wat goed dat ik je gevonden heb, want je moet papa uitzwaaien. Zeg maar: "Dag papa!"'

'Dag Papa!' zegt hij vrolijk terwijl hij zijn armen en beentjes om me heen slaat en zich op laat tillen.

'Tot straks, Sven,' zegt Frank terwijl hij zich naar me toebuigt om Sven een kusje te geven. Hij kijkt naar me, terwijl hij dichterbij komt. Alsof hij mij gaat zoenen. Ik zie dat hij zijn das herschikt heeft. Nog schever dan eerst.

'Het zit nu nog lelijker,' zeg ik nukkig.

'Het zit prima.'

'Het zit niet prima! Je kunt zo niet...' Opeens besef ik wat zijn bedoeling is. 'Oké, ga maar. Wat maakt mij het ook uit. Draag lekker lelijke, scheve stropdassen.'

Hij glimlacht. 'Het maakt je wel uit.'

Natuurlijk maakt het me uit als iemand die er zo goed uit kan zien, op deze manier de straat opgaat! 'Het maakt me niets uit.'

Hij gaat voor de spiegel in de hal staan en fatsoeneert de boel, wat mij opeens de haast onbedwingbare impuls oplevert om de nu perfect zittende das los te trekken, de knoopjes van zijn overhemd open te maken, hem helemaal uit te kleden... In tegenstelling tot wat ik in gedachten met hem doe, trekt hij zijn jasje aan. 'Ik ga. Ik zie je vanavond. Dag, Svennie.'

'Da-haag!' antwoordt hij.

Al na één werkdag weet ik dat dit geen werkbare situatie is. Ik zit de hele dag met kriebels in mijn buik te wachten tot hij een keer belt om te vragen hoe het met Sven is. En tegen de tijd dat hij thuiskomt, ben ik een zenuwachtig wrak. Ik vind het leuk om bij Sven te zijn, maar op deze manier kom ik nooit van Frank los. En ik zal iets los moeten laten. Mijn boosheid vanwege hem en Micky, of Frank zelf. En aangezien het eerste me nog steeds niet gelukt is, zal het de tweede optie moeten worden.

Al helpt het ook niet erg dat ik elke minuut die ik overheb, besteed aan het maken van zijn maatpak. Ik beeld me hem in terwijl ik aan het werk ben. Ik ken hem zo goed dat de tranen soms over mijn wangen rollen, omdat ik hem zo erg mis dat ik er akelig van word. Ondertussen zie ik dat pak ontstaan en weet ik precies hoe het eruit zal zien op zijn lichaam. Hoe hij erin zal bewegen. Hoe hij het aantrekt als hij naar zijn werk gaat en hoe hij zich uitkleedt aan het eind van de dag. Hoe hij misschien het bovenste knoopje van het overhemd los zal dragen tijdens een minder formele werkdag. Hoe hij het jasje over de rugleuning van zijn bureaustoel zal kunnen hangen, als hij geen afspraken met cliënten heeft. Hoe andere vrouwen naar hem zullen kijken als hij het aanheeft. Hoe ze het van hem af zouden willen pellen, zoals ik dat zou willen doen en hoe ze hun neus tegen de stof zouden willen drukken om zijn geurtje op te snuffelen. Daar denk ik allemaal aan, terwijl ik dat pak in elkaar zet en daarom neem ik me voor te stoppen als nanny, zodra het pak af is. Binnen enkele dagen dus. En opeens werk ik minder hard dan ervoor.

Aan: Debtom@yahoo.com
Van: Hannah.Fisher@hotmail.com
Datum: 11-04-2010, 23:30
Onderwerp: auto

Hoi Deb,
Mag ik aanstaande dinsdag jouw auto even lenen? Ik had zo rond
lunchtijd in gedachten. Ik heb dat pak afgemaakt en ik moet dinsdag
weer op Sven passen. Voor het laatst dus. Ik ben er een beetje
verdrietig van, maar het gaat zo toch niet echt, dus dan moet ik het
maar doorzetten.
Dikke kus,
Hannah

Aan: Hannah.Fisher@hotmail.com
Van: Debtom@yahoo.com
Datum: 12-04-2010, 09:04
Onderwerp: Re: auto

Hi Hun,
Natuurlijk mag jij dat. Moet ik jou oppikken bij Frank thuis of kom ik
gewoon naar je flat gereden? En eh, zomaar iets waar ik aan dacht:
moet je misschien niet toch nog eens met hem praten? Gewoon
één keertje, ter afsluiting?
Hvj,
Debbie

Aan: Debtom@yahoo.com
Van: Hannah.Fisher@hotmail.com
Datum: 12-04-2010, 16:11
Onderwerp: Re: auto

Hmm, misschien. Weet het nog niet zeker. Ik zie je wel bij mij thuis.
Ik ga eerst nog even met Sven iets gezelligs doen. Naar het park en
een pannenkoek eten, of zo. Ter afsluiting, zoals jij zo mooi zegt. Als
ik maar niet moet janken waar hij bij is.
Ik zie je morgen. Bedankt!

Misschien moeten we nog praten. Daar zou Debbie gelijk in
kunnen hebben. Ik heb een briefje geschreven, kort en bondig,
waarin ik hem uitleg dat ik niet voor hem kan blijven werken,
maar dat ik, als dank voor alles wat hij gedaan heeft met betrekking tot de kwestie Anna Lee, toch nog een maatpak voor
hem gemaakt heb. Al is het dan een Hannah Fisher, in plaats van

een Anna Lee. En dat er dankzij hem misschien nog vele Hannah Fishers zullen volgen. Dat heb ik op de kledinghoes geplakt, die ik aan de deur van zijn kledingkast heb gehangen.

Nu zit ik met Sven op de bank een animatiefilm te kijken. Alsof hij weet hoe de zaken er voor staan, is hij ontzettend kroelerig. Hij komt duimend tegen me aan liggen en zegt om de paar tellen: 'Ikke fin jouw lief', waarbij hij met zijn andere handje over mijn arm aait en ik natuurlijk toch moet huilen. Maar dat ziet hij niet, denk ik.

Dus misschien moeten we nog praten, Frank en ik. Wat als ik nu achteraf spijt krijg dat we dat niet gedaan hebben? Wat als er eenmaal een andere vrouw in het spel is en ik dan plotseling verwerkt heb dat Frank en Micky... met elkaar... ik kan het nog steeds niet zeggen, zonder ineen te krimpen. Zelfs niet in gedachten. Dus misschien praat ik met hem. Als hij thuiskomt en hij is in een goede bui, dan doe ik dat misschien. Misschien wel. Ik zorg wel dat Sven al gegeten heeft, dan hoeven we ons daar niet voor te haasten.

Frank is aan de late kant die avond. Sven werkt de laatste hapjes van zijn pasta Napolitana, die ik in elkaar geflanst heb, naar binnen als hij rond kwart over zes binnenkomt. 'Sorry, dat ik zo laat ben,' zegt hij terwijl hij zijn laptoptas neerzet, zijn jasje uittrekt, zijn stropdas losmaakt en Sven tussen zijn haartjes kust, alles in één beweging. 'Mijn laatste afspraak liep uit en toen zat het verkeer hier ook nog tegen. Ik had moeten bellen, dat weet ik, maar...'

'Het is niet erg. Maar Sven had honger, dus ik ben alvast maar met hem begonnen. Dat is geen probleem, toch?'

'Nee.' Hij kijkt me verbaasd aan. 'Dat is prima. Hoe was het vandaag?' Sven pakt een pastavlindertje tussen zijn vingertjes en steekt zijn handje naar zijn vader uit. Dat vind ik altijd zo schattig, dat hij zijn eten met Frank wil delen. Hij doet het met alles wat hij krijgt. Eten, snoepjes, chipjes. Frank doet zijn mond open en doet alsof hij de hele hand van Sven wil opeten, wat Sven weer ontzettend grappig vindt. 'Alles goed gegaan met hem?' vraagt Frank daarna.

Ik knik. 'Ja, hoor. Heel goed.' Zo goed, dat het steeds onwaarschijnlijker wordt dat ik echt hiermee wil stoppen. Ik ben dol op dat kind én op de vader. Ik kan hen geen van beiden missen. Misschien moet ik mezelf meer tijd gunnen, hoewel de kans bestaat dat ik het dan nog lastiger voor mezelf maak. Jeetje, we moeten echt praten. Dat wil ik net tegen Frank zeggen, maar de bel gaat en hij staat op. Ik hoor hem een kort gesprekje voeren in de hal en dan komt hij weer naar binnen, met Kim vlak achter hem.

'Hoi,' zegt ze verlegen. 'Ik hoop niet dat ik stoor. Ik heb wat moeilijkheden met de tentamenstof.'

'Je stoort helemaal niet,' zegt Frank. Ik begrijp niet waarom hij dat zegt. Er was duidelijk een *vibe* tussen ons. Al lijkt hij vergeten te zijn dat ik er ook ben. Opeens lijkt het weer tot hem door te dringen. 'O, maar jij moet natuurlijk wel naar huis, nu.'

'Nou...' zeg ik.

'Anders moet je over een uurtje even terugkomen,' zegt hij tegen Kim. 'Dan kan Hannah naar huis en heb ik tijd om Sven zijn bedje in te krijgen. En dan heb ik de hele avond de tijd voor je.'

Wat zei hij daar? Is hij haar studiebegeleider of zo? 'Eigenlijk hoef ik nergens heen,' antwoord ik. Hij is gek als hij denkt dat ik nu gewoon naar huis ga, terwijl ik weet dat hij Sven zo snel mogelijk op bed gooit, zodat hij zelf de avond met haar door kan brengen. Mooi niet. 'Ik let nog wel even op hem. Dan kunnen jullie snel die tentamenstof tackelen en dan ga ik naar huis zodra jij weer alle tijd voor je zoon hebt.'

'Weet je het zeker?' vraagt hij. 'Je hoeft voor mij niet te blijven.'

'Nee, dat verstond ik de eerste keer ook,' zeg ik snibbig. 'Ik blijf voor Sven.'

'Nou, mooi zo,' antwoordt Frank. 'Laten we dan maar even naar boven gaan, Kim. Ik heb alles bij de hand op mijn werkkamer en dan hoeven we Hannah en Sven niet met ons saaie gedoe te vervelen.'

'Eigenlijk is de casus heel interessant,' zegt Kim terwijl ze Frank naar boven volgt. Ik hoor hem heel geïnteresseerd en behulpzaam reageren. Ik weet dat hij dat goed kan. Ik zie hem zó bezig in haar keuken om soep te maken als ze zich niet lekker voelt. En straks klaagt hij ook iemand voor haar aan om haar rijk te maken. Ze mocht ook al op Sven passen, dus nog even en ik ben op alle fronten verleden tijd.

347

Ik geef Sven zijn toetje en laat hem nog even met de houten blokken spelen. Ik probeer leuk met hem mee te doen, hoewel ik diep vanbinnen het kookpunt nader door Franks gedrag. Het is verdorie al een uur later en meneer is nog druk bezig de mentor uit te hangen. Ik neem Sven aan zijn handje mee naar boven. 'Zal ik hem ook maar even in bad doen?'

'O, Hannah,' zegt hij alsof hij me weer helemaal vergeten was. 'Wil je dat doen? Je moet het zeggen als je weg moet, hè? Ik heb je al zo lang opgehouden.'

'Ja, sorry,' zegt Kim met haar zachte stemmetje, 'de ene vraag roept de andere op.'

Ik glimlach, terwijl ik er echt niets van meen en laat Sven de badkamer in. Pas als Sven helemaal schoon in zijn pyjamaatje gestoken is, lijkt Kim bezig met afronden. Wat kan die meid dralen, zeg. En waarom heeft hij dat niet door? 'Leg je hem zelf in bed?' vraag ik.

'Ja, natuurlijk,' antwoordt hij. Hij tilt Sven op, die lekker doezelig van zijn bad is. Ik kijk naar Sven, die zijn hoofdje tegen Frank laat rusten, in het kuiltje van zijn schouder en zijn nek. Hij brengt zijn duimpje naar zijn mond. 'Slaap lekker, Sven,' zeg ik en ik laat mijn hand even over zijn haartjes gaan. Op hetzelfde moment aait Frank over zijn ruggetje en ergens in het midden kruisen die aanrakingen elkaar en ik voel zijn hand tegen de mijne. Ik trek vluchtig terug, maar kom een stuk moeizamer los van de blik die hij me daarna toewerpt. Hij kijkt naar me alsof hij me helemaal doorziet en ik draai me om en loop naar beneden, waar ik haastig wat spullen opruim en mijn jas en tas bij elkaar zoek. Ik moet maar gaan. Ik moet gewoon maar gaan en er een punt achter zetten, want als hij iets met Kim wil beginnen, gebeurt dat toch wel. Ik draai me drie keer om, voor ik de voordeur opendoe, maar op het moment dat ik voetstappen op de trap hoor en zeker weet dat het de zijne zijn, trek ik de deur definitief achter me dicht.

Aan: Hannah.Fisher@hotmail.com
Van: Micky_Micky@hotmail.com
Datum: 13-04-2010, 17:55
Onderwerp: Fw: Groot alarm

Hannah,

Ik kan me niet herinneren wanneer wij elkaar zó lang niet gesproken hebben. Ik denk niet dat het ooit is voorgekomen. Ik zou willen dat we er eens over konden praten, maar blijkbaar wil je dat niet. Ik vind het niet leuk wat je allemaal tegen me gezegd hebt. Ik vind ook niet dat ik dat verdiend heb. Ik snap wel dat je boos bent, maar het kwetst me dat je niet eens de moeite hebt genomen om één keer naar mij te luisteren. Ik zal je schrijven, wat ik je meteen gezegd had als je het had willen horen. Jij bent de beste vriendin die ik ooit gehad heb en waarschijnlijk ook de allerbelangrijkste persoon in mijn leven. Dat ik uitgerekend goedkope seks met jouw grote liefde moest hebben, is een toeval waar ik nog steeds goed ziek van ben. Maar het was niet meer dan dat: toeval. Ik zou nooit, maar dan ook nooit, ook maar één vinger uitsteken naar een man met wie jij iets hebt. Maar ik wist het niet. Dat ik het daarna had moeten opbiechten is iets waarover we van mening verschillen. Ik dacht dat je er niets aan zou hebben om het te weten (en afgaand op je reactie, zit ik er niet ver naast). Ik vond dat ik zelf maar met die rottige wetenschap moest leren leven, zodat jij gewoon gelukkig kon zijn met Frank. Als je me daardoor niet meer vertrouwt, of eeuwig zult haten, dan is dat niet anders.
Maar waarvoor ik je deze mailwisseling tussen Frank en mij doorstuur, is het volgende. Frank wilde het je de hele tijd vertellen. Het is mijn schuld dat hij dat niet gedaan heeft. Je kunt het hieronder allemaal lezen. Dus als het niet meer goedkomt tussen ons, dan hoop ik toch dat je in ieder geval Frank terugkrijgt. Want ik heb echt altijd alleen maar gewild dat jullie het zouden redden samen.
Ik wens je niets dan goeds,
Micky

Aan: Micky_Micky@hotmail.com
Van: Hannah.Fisher@hotmail.com
Datum: 13-04-2010, 22:11
Onderwerp: Re: Fw: Groot alarm

Mick,

Ik ben boos op je. Het gaat niet over, hoe graag ik dat ook wil. Maar ik mis je ook. En misschien helpt het om erover te praten. Ik weet niet of ik het achter me kan laten. Maar ik wil het graag proberen.
Hannah

Ik heb het mailtje nog maar net verzonden, als ik onze codeklop op mijn deur hoor. Zo snel was nu eigenlijk ook weer niet de bedoeling, maar ik kan haar nu ook niet aan de deur laten staan. Ik haal de ketting van de deur en doe open. Maar als ik dacht dat ik onvoorbereid was om Micky te zien, dan ben ik dat helemaal, nu niet zij, maar Frank voor mijn neus blijkt te staan. Hij heeft mijn pak aan en het is alles wat ik gehoopt had en meer, nu hij erin zit. Het is zo mooi dat ik niet kan geloven dat ik het zelf gemaakt heb. Niet dat het moeilijk is om hem mooi uit te laten komen, maar dit past bij hem, zoals ik nog nooit iets bij hem heb zien passen.

'En?' vraagt hij. 'Wat vind je?' Hij loopt langs me heen naar binnen en steekt zijn hand in zijn broekzak, alsof hij het einde van de catwalk bereikt heeft en op de flitsende camera's wacht.

'Het gaat erom wat jij vindt.'

'Ik heb veel liever een Hannah Fisher aan mijn lijf dan een Anna Lee, eerlijk gezegd.'

Ik loop naar hem toe. Ik kan er niets aan doen, ik moet hem van dichtbij bekijken. Of er details zijn die beter kunnen. Of ik ergens een steekje heb laten vallen in de afwerking, of wat dan ook.

'Dit is echt vakwerk, Hannah. Het wordt gegarandeerd mijn lievelingspak.'

'Zit het echt helemaal goed?' vraag ik. 'Overal?' Ik laat mijn handen langs zijn armen naar zijn schouders glijden.

'Het is perfect, Hannah.'

'Ik geloof het ook.' Ik volg de panden van zijn jasje naar de voorkant. Ik weet niet waar ik mee bezig ben. Het is deels vakkundige fascinatie en deels totale verliefdheid, want ik kan mijn handen niet van hem af houden.

'Wat als ik er nu nog meer wil hebben?' vraagt hij. Ik voel zijn borst rijzen en dalen onder mijn handen. 'Je maakt zoiets voor me… en dan verwacht je dat ik nog andere pakken wil dragen?'

'Het was gewoon een eenmalig cadeautje. Als afscheid.'

'Als afscheid?'

Ik knik. 'Als bedankje.'

'Ja, nou…' Zijn ogen boren zich in de mijne en ik merk dat ik veel te dichtbij sta. Véél te dichtbij. 'Daar ben ik het dus helemaal niet mee eens.'

'Nee,' antwoord ik onzeker, 'maar het is zoals het is. Je hebt mijn briefje toch wel gelezen? Dan weet je hoe het zit.' 'Dus als ik jou vraag om tegen betaling meer van dit soort pakken voor me te maken, dan weiger je dat?' vraagt hij. 'Ook al wil je daar je beroep van maken?' 'Dan weiger ik dat niet. Ik zal "nee" zeggen en jij zult net zolang doorgaan, tot ik toegeef. En zo zal het ook gaan met Sven. Als jij me nu vraagt te blijven, dan blijf ik. Dus ik vraag jou nu om me dat niet aan te doen, want ik kan het niet meer opbrengen om bij je te zijn. Je moet me loslaten.' Ik merk dat ik mijn handen nog steeds tegen zijn borst heb liggen. Ik moet hem ook loslaten. Ik zet een stapje terug en laat mijn armen langs mijn lichaam vallen. Mijn linkerhand is alleen net iets langzamer, of misschien is hij wel heel snel, want zijn hand grijpt de mijne vast, voor ik die terug heb kunnen trekken.

'Hannah,' zegt hij terwijl zijn vingers de mijne steviger omvatten. 'Toen Jackie bij me wegging, heb ik haar laten gaan.' Hij trekt me naar zich toe, zonder veel kracht te gebruiken en toch kan ik de afstand die ik net met moeite gecreëerd heb, niet in stand houden. 'Ik heb wel gezegd dat ik wilde dat ze bleef, maar ik heb er niet voor *gezorgd* dat ze het deed. Ik heb niet voor haar gevochten. Ik liet haar gewoon gaan. Zomaar.'

Ik kijk naar hem. Zijn ogen zijn donker en intens en de afstand tussen ons lijkt alleen maar kleiner te worden, hoewel ik niet merk dat hij beweegt.

'Als ik voor haar gevoeld had wat ik voor jou voel, Hannah,' gaat hij verder, 'dan was ze nergens naartoe gegaan. Ik laat *jou* niet gaan. Ik geef *jou* niet op. Voor jou ga ik vechten.' Nu beweegt hij wel, naar me toe en hoewel ik een stap terug doe, voor elke centimeter die hij dichterbij komt, lijkt hij het toch met gemak te winnen.

Met een diepe zucht – van opluchting, van verlangen, van verdriet omdat ik hem zó ontzettend mis – laat ik me door hem in zijn armen nemen. Mijn hart fladdert in mijn borstkas als een kolibrie, als zijn handen langs mijn middel hun weg omhoog vinden, langs mijn borsten en mijn nek, tot zijn vingers zich in mijn haar vastgrijpen. Hij kust mijn mond met warme, hongerige lippen die langzaam van elkaar gaan. Zijn tong traceert de onderkant van mijn bovenlip en mijn voortanden en vindt dan mijn tong. Ik zoen hem terug, me aan hem vastklemmend en ik voel een van zijn handen afdalen naar de holte van mijn rug. Zijn vingertoppen dringen zacht maar doelgericht in het vlees van mijn billen.

'Je mag niet blijven, vannacht,' zeg ik zonder mijn lippen van zijn mond te halen en ik geef hem geen kans om lucht te happen om te antwoorden. 'Dat meen ik dit keer. Je gaat zo weg.'

'Oké. Wat jij wilt.'

Hij weet best wat ik wil. Ik wil dat pak uit hebben, ik wil hem hier en nu, maar dat laat ik nu niet gebeuren. Niet vandaag. Niet zo makkelijk. 'Ik blijf niet je nanny, ik ga geen pakken voor je maken, ik zal *nooit* met je trouwen. Ik ga *niet* met je naar bed.'

'Nee? Nooit meer?'

Ik duw hem iets van me af. 'Je moet gaan, nu.'

'Mag ik wel weer terugkomen?' vraagt hij.

'Dat ligt eraan...' Ik reik naar achteren, waar de deurknop zou moeten zitten. 'Of je alles meende wat er in je mailtjes stond.'

'Alles. Elk woord,' zegt hij.

'Oké, nou dan mag je misschien terugkomen...' Ik open de deur en manoeuvreer me tussen hem en het gat waar hij doorheen moet, uit. 'Maar nu moet je weg.'

'Weet je het zeker?' vraagt hij. 'Ik heb Kim genoeg bijles gegeven om tot middernacht op te passen. Of we kunnen samen weggaan. Kom je mee naar mijn huis?'

'Dag, Frank...' zeg ik terwijl ik de deur langzaam dichtduw. Ik heb al spijt zodra de deur in het slot klikt en blijf staan waar ik sta. Ik ben nog helemaal trillerig van zijn kus en eigenlijk heb ik nooit iets met dat hele hard to get-spelen gehad. Daarbij heb ik hem al heel lang laten creperen, terwijl hij me de meest fantastische mailtjes bleef sturen en als ik eraan denk hoe hij net 'voor jou ga ik vechten' zei, dan word ik helemaal week. Misschien moet ik hem niet zo hard laten vechten.

Ik doe de deur weer open en verwacht min of meer dat hij daar nog staat, zoals de vorige keer, maar het is akelig leeg en stil op de gang. Ik zet een paar passen richting de trap, maar hij is daar zelfs niet meer te zien. Al hoor ik heel ver beneden wel wat voetstappen galmen. 'Verdomme, Frank...' roep ik hem na, 'als je zo snel opgeeft, win je het meisje natuurlijk nooit!'

Meteen hoor ik geroffel van voetstappen die de trap naar

boven op komen, zo te horen met twee, drie treden tegelijk. Binnen een paar tellen staat hij op de tussenlanding en terwijl hij de laatste trap op loopt, stort ik me vanaf de bovenste trede in zijn armen. Hij weet het onwaarschijnlijk goed op te vangen, maar wankelt wel, met mij om zich heen gewrongen, vijf treden naar beneden in hetzelfde tempo als hij net naar boven rende. We komen tot stilstand tegen het muurtje op de tussenlanding en hij duwt me kussend tegen de muur in de andere hoek.

'Zou het niet veiliger zijn als wij het gewoon goedmaken?' vraagt hij lachend.

Ik knik, zoen hem weer en klem mijn armen en benen nog steviger om hem heen, terwijl hij me de trap weer opdraagt, terug naar mijn flat. Aan het eind van de hal staat meneer Oss weer vol verwondering te kijken.

'Kijk maar goed, meneer Oss,' zeg ik, 'want deze ga ik houden.'

Dan slaat Frank de deur achter ons dicht.

EPILOOG

Aan: Hannah.Fisher@hotmail.com
Van: F.Stevens@A&S-advocaten.eu
Datum: 16-08-2010, 16:01
Onderwerp: ja!

Crazy rich chick,
Kom op… zeg gewoon ja. Je weet dat je het wilt…
X

Aan: F.Stevens@A&S-advocaten.eu
Van: Hannah.Fisher@hotmail.com
Datum: 16-08-2010, 16:35
Onderwerp: Nee!

Hé meneer de hotshot-advocaat,
Hoe vaak moet ik het nou nog zeggen? Ik trouw niet met je. Nooit.
Love you!

Aan: Hannah.Fisher@hotmail.com
Van: F.Stevens@A&S-advocaten.eu
Datum: 16-08-2010, 16:58
Onderwerp: Ja!!!

Wedden van wel?

Aan: Debtom@yahoo.com; J.Deckers@brsnotarissen.nl
Van: Micky_Micky@hotmail.com
Datum: 10-05-2011, 23:18
Onderwerp: vrijgezellenfeest

Meiden,
9-9-2011 (a.k.a. 'Hannahs Grote Dag') komt in zicht! We moeten nu
echt bij elkaar komen om definitief te kiezen wat we Hannah gaan
aandoen voor haar vrijgezellenfeestje. Ik stem sowieso voor de
cursus strippen. Dan heeft Frank er ook nog wat aan ;)
Ik kan 12 mei na 20.00 uur, 14 en 15 mei rond lunchtijd en
eventueel volgende week in de avonduren. Laten jullie snel wat
weten?
Liefs,
Micky

P.S. Jess, ik heb jouw mobiele nummer aan Björn gegeven. Hij heeft
tegen Rick gezegd dat hij het erg leuk vond met jou, op mijn
verjaardagsfeestje. Hij gaat je bellen.

Aan: PeterXYZ@ziggo.nl
Van: Jessica.Deckers@home.nl
Datum: 12-05-2011, 21:21
Onderwerp: zaterdag

Hoi Peter,
Even over onze date zaterdag. Ik moet deze helaas afzeggen. Er is
iets dringends tussengekomen. Ik wil het graag verplaatsen naar
volgende week, als dat kan. We kunnen dinsdag na het werk wat
gaan eten. Ik hoop dat het je dan ook uitkomt. Laat het maar weten,
dan reserveer ik even een tafeltje. Ik weet wel een leuk restaurantje
voor ons.
Jessica

Aan: Jessica.Deckers@home.nl
Van: PeterXYZ@ziggo.nl
Datum: 12-05-2011, 23:59
Onderwerp: Re: zaterdag

Jess, no problem. Zie ik je dinsdag. Rond een uurtje of zeven? Ik
hoop dat er niets ernstigs is. Als ik iets voor je kan doen, weet je me
te vinden.

Aan: Björntheboss@hotmail.com
Van: Jessica.Deckers@home.nl
Datum: 13-05-2011, 23:18
Onderwerp: zaterdag

Hoi Björn,
Ik heb nog even nagedacht over zaterdag. Het is me gelukt om mijn planning om te gooien. Als je nog steeds vrij bent, wil ik graag met je uit morgen. Bel me even.
X
Jessica

Aan: J.Deckers@brsnotarissen.nl
Van: V. Roelands@brsnotarissen.nl
Datum: 16-05-2011, 11:11
Onderwerp: Hoi!

Jessica,
Heb je zo even tijd voor sectieoverleg met z'n vieren? En daarna misschien weer even sexy overleg tussen jou en mij?
Vincent

Aan: Frank.Stevens@gmail.com
Van: Roy.Sanders@hotmail.com
Datum: 08-09-2011, 23:12
Onderwerp: Laatste kans

Frank, jongen, over een paar uur is het echt zover. Als getuige voel ik het als mijn plicht om het volgende te zeggen: als je wilt vluchten, doe het nu. Ik help je het land uit, no questions asked!

Aan: Hannah.Stevens-Fisher@HannahFisher.com
Van: AnnaLee@al.com
Datum: 05-03-2012, 08:01
Onderwerp: AFW

Beste Hannah,
Wat grappig dat we elkaar tegenkwamen bij de AFW. Je had een alleraardigste collectie. Maak je geen zorgen over het feit dat mijn

show drukker bezocht werd. We moeten allemaal ergens beginnen, nietwaar? Het was een hele beleving om te aanschouwen waar mijn geld voor gebruikt is. Ik wens je alle succes met je onderneminkje. Als ik had geweten dat je zo'n serpent bent, had ik je graag in dienst gehouden.
Groetend,
Anna Lee

Aan: Hannah.Stevens-Fisher@HannahFisher.com
Van: Debbie.Meyers@HannahFisher.com
Datum: 03-06-2013, 14:06
Onderwerp: Spenderella

We did it! Al het harde werk is niet voor niks geweest, kun je het geloven? De contracten zijn rond en straks hangt de nieuwe collectie in alle Megastores van Spenderella: Amsterdam, Londen, Parijs, New York, Madrid, Rome en Milaan... you name it! Niemand kan meer om ons heen! Ik ben zó trots op ons!
Hugs,
Deb

Aan: F.Stevens@Anders.Stevens.Sanders-Advocaten.eu
Van: Hannah.Stevens-Fisher@HannahFisher.com
Datum: 03-06-2013, 14:35
Onderwerp: Fw: Spenderella

Hey meneer de hotshot-advocaat,
Wij hebben iets te vieren vanavond.
Heel veel kusjes,
Hannah

Aan: Hannah.Stevens-Fisher@HannahFisher.com
Van: F.Stevens@Anders.Stevens.Sanders-Advocaten.eu
Datum: 03-06-2013, 15:48
Onderwerp: Re: Fw: Spenderella

Mevrouw de hotshot-ontwerpster,
Wat ben je toch geweldig! Nog even en ik kan mijn aandelen in deze tent verkopen en dan ga ik lekker op jouw zak teren. Ik had

dit meteen al in de gaten, weet je dat? Ik ben zo blij dat ik jou op tijd gestrikt heb. Waarom zouden we eigenlijk tot vanavond wachten? Ik heb nu ook wel even tijd…

Aan: F.Stevens@Anders.Stevens.Sanders-Advocaten.eu
Van: Hannah.Stevens-Fisher@HannahFisher.com
Datum: 03-06-2013, 15:50
Onderwerp: Re: Fw: Spenderella

Haha, dat klinkt leuk, maar Sven is thuis.

Aan: Hannah.Stevens-Fisher@HannahFisher.com
Van: F.Stevens@Anders.Stevens.Sanders-Advocaten.eu
Datum: 03-06-2013, 15:58
Onderwerp: Re: Fw: Spenderella

Gelukkig kan je kantoor op slot. Zie je zo!

Aan: Hannah.Stevens-Fisher@HannahFisher.com
Van: Auntiepate@live.nl
Datum: 07-07-2013, 12:21
Onderwerp: Nieuwsbrief

Hallo Hannah,
Bedankt dat je een e-mailadres voor me hebt aangemaakt. Nu kan ik je nieuwsbrieven ontvangen en ik stuur ze door aan iedereen die ik ken. Wanneer komen jullie weer deze kant op? Het is al veel te lang geleden, hoor. Heeft je moeder nog verteld over de huizen aan de Lindelaan die in aanbouw zijn? Ze zien er echt fantastisch uit. De tuinen zijn gigantisch, dat vind je echt niet in de grote stad. Ik moest vandaag toch naar het postkantoor, dus ik heb de brochure meteen meegenomen en voor je op de post gedaan. Het lijkt me echt iets voor jou. En je zou er je ouders zo'n groot plezier mee doen. Ze zeggen het zelf misschien niet, maar ze zouden het zo fijn vinden je weer dicht bij huis te hebben. En heb je het al gehoord van de vrouw van de bakker? Die is er vandoor met de eigenaar van de doe-het-zelfzaak. Dat hadden we natuurlijk allemaal allang zien aankomen. Volgens mij was de bakker die enige die het nog niet

doorhad, maar zo gaan die dingen altijd, nietwaar? Hoe dan ook, je moet de brochure maar eens goed bekijken, want je vindt het vast prachtig. Ik hoop je snel weer te zien.
Hartelijke groetjes,
Tante Tina

Aan: Hannah.Stevens-Fisher@HannahFisher.com
Van: F.Stevens@Anders.Stevens.Sanders-Advocaten.eu
Datum: 09-07-2013, 09:16
Onderwerp: Hoe gaat het?

Hé meisje van me,
Zie je nog groen?
Als je je niet goed voelt, wil je dan alsjeblieft gewoon lekker rustig aan doen vandaag? Anders kom ik naar huis. Ik weet heel veel manieren om je in bed te houden...
Kus,
Frank

Aan: F.Stevens@Anders.Stevens.Sanders-Advocaten.eu
Van: Hannah.Stevens-Fisher@HannahFisher.com
Datum: 09-07-2013, 09:28
Onderwerp: Re: Hoe gaat het?

Ah, wat ben je toch lief voor me (maar dat is juist wat die misse-lijkheid veroorzaakt heeft, hè?). Het gaat alweer beter. Ben alleen nog een beetje moe. Gelukkig zorgt Deb heel goed voor me met kopjes thee en droge biscuitjes en zo. Zij weet hoe het is, natuurlijk. Maak je maar geen zorgen, hoor. Ik moet er wel echt de hele tijd aan denken...
Hele dikke X

Aan: Hannah.Stevens-Fisher@HannahFisher.com
Van: F.Stevens@Anders.Stevens.Sanders-Advocaten.eu
Datum: 09-07-2013, 09:30
Onderwerp: Re: Hoe gaat het?

Ik ook. Ons geheimpje. (Vooruit: en van Deb.)

Aan: Hannah.Stevens-Fisher@HannahFisher.com
Van: AnnaLee@al.com
Datum: 02-09-2013, 17:53
Onderwerp: gefeliciteerd

Beste Hannah,
Gefeliciteerd met je Spenderella-deal. Ikzelf ben ook door deze
mensen benaderd, maar het was mij allemaal iets te commercieel.
Toch denk ik dat jouw stukken er prima tot hun recht komen. Het
wordt vast een enorm succes. Misschien is het leuk in de toekomst
onze krachten eens te bundelen?
Vriendelijk groetend,
Anna Lee

Aan: Frank.Stevens@gmail.com
Van: Sven&Jackie@home.nl
Datum: 20-09-2013, 17:06
Onderwerp: hoi

liefe papa en hannah
ik ben nu bij mama
ik mag van haar dit meeltje tiepe
het is leuk dat ik nu bij mama ben
maar ook dat ik bij jullie mag woone
ik fin het ook leuk da wij op vakansie gaan en met zun alle op het
strant
zulle wij heel vaak op vakansie gaan
ik ga nou stoppe want mama zegt da wij gaan eete
ik kom over morge weer naar huis zegt mama
groetjes van sven

Aan: F.Stevens@Anders.Stevens.Sanders-Advocaten.eu
Van: Hannah.Stevens-Fisher@HannahFisher.com
Datum: 30-10-2013, 16:52
Onderwerp: suggestie

Hoi lieverdje,
Ik wilde even wachten tot je thuis bent, maar ik mail je toch maar
even zodat je erover na kunt denken in de auto. En nu niet meteen

weer roepen dat je het helemaal niets vindt. Deze wil ik echt heel graag!
Wat dacht je van Emmy?

Aan: Hannah.Stevens-Fisher@HannahFisher.com
Van: F.Stevens@Anders.Stevens.Sanders-Advocaten.eu
Datum: 30-10-2013, 17:23
Onderwerp: Re: suggestie

Emmy Stevens…
Perfect…

Dankwoord

Priscilla, bedankt dat je me vertelde over een raadselachtig berichtje op je voicemail, waardoor het idee van dit boek tot stand gekomen is (het leven is een chicklit!). Je bent onovertroffen als zus én PA.

Ik bedank ook mijn ouders, omdat jullie mij gebracht hebben waar ik nu ben (door dat rare kind met haar verhaaltjes de ruimte te geven ze te vertellen).

Oma en opa Van Gastel, oma en opa Remie, jullie zijn de basis van alles en jullie liefde blijft mijn leven lang bij me.

Ik mag me gelukkig prijzen met zoveel mensen om me heen die elke stap volgen in het proces rondom het schrijven van een boek. Dankzij jullie is het een nog groter plezier om dit te doen. Voor hun oprechte interesse bedank ik Jessica, Joske en Myra en ik wil graag mijn vriendinnen en mijn tante bedanken omdat zij altijd bereid zijn om als proeflezers te dienen.

Melissa Hendriks, met één telefoontje veranderde je in januari 2008 mijn leven. Bedankt voor alles wat je sindsdien voor me gedaan hebt. Het was een bijzonder fijne samenwerking.

Daarnaast bedank ik iedereen bij the House of Books, omdat jullie het motto 'We don't print books, we publish dreams.' meer dan waar maken. Speciale dank gaat uit naar Heleen Buth, Jacqueline Dullaart, Margot Eggenhuizen, Tessa de Boer, Helen Araujo-de Vries, Wibbine de Ruig en Jette Schröder.

Daarnaast grote dank aan mijn lezers. Het is steeds opnieuw fantastisch om te merken dat jullie van mijn boeken genieten en dat jullie de personages in jullie hart sluiten, zoals ik dat doe.

Graag zeg ik ook dank aan de kinderdagverblijven in Nederland, omdat ze natuurlijk nooit zomaar kinderen aan willekeurige nanny's meegeven.

En tot slot Hannah en Frank: wat een lol heb ik gehad met het schrijven van jullie verhaal. Ik hoefde er alleen maar voor te gaan zitten en de woorden vlogen 'op papier'. Jullie waren geweldig!

Chantal van Gastel

'Eigenlijk zijn mijn vriendinnen en ik net Sex & the City. Al heb ik in geen tijden seks gehad. En die stad waarin ik woon, is ook niet echt New York of zo. Sommigen zouden het misschien een dorp noemen. We zijn trouwens ook maar met z'n drieën, maar ik weeg in mijn eentje wel net zoveel als Carrie en Samantha bij elkaar. Dat compenseert die ontbrekende vierde vriendin dan weer wel.'

Aan het woord is Isa, een jonge dierenarts die worstelt met haar gewicht, haar werk en de liefde. Helemaal, nu ze als een blok is gevallen voor Ruben, de ontzettend aantrekkelijke eigenaar van een labrador waar ze een levensreddende actie bij heeft uitgevoerd. Maar hoe zorgt ze er nu voor dat hij net zo gek op haar wordt als op zijn hond?

Nieuwkomer Chantal van Gastel slaat met haar debuut de spijker op z'n kop!
Chicklit.nl

ISBN 978 90 443 2513 3

Chantal van Gastel

Isa en Ruben zijn stapelverliefd en kunnen hun geluk niet op, nu ze gaan samenwonen. Ruben heeft zelfs een helemaal op haar wensen afgestemde inloopkast voor Isa gemaakt. En Isa is eindelijk een beetje gewend aan het idee dat Rubens waanzinnig aantrekkelijke verschijning nu echt 'bij haar' hoort. Ook al springt ze nog steeds uit bed om haar tanden te poetsen vóór Ruben wakker wordt. Maar dan gaat Ruben samenwerken met zijn knappe ex-vriendin en maakt Isa lange dagen in de dierenartspraktijk. Ze leert veel van haar nieuwe baas Hugo die haar bij een ingewikkelde operatie betrekt. Ruben en Isa zien elkaar alleen nog als ze 's avonds bij elkaar in bed ploffen en zo krijgt de jaloezie de overhand. Is hun relatie bestand tegen opdringerige collega's? En wanneer durft Isa nou eindelijk eens honderd procent zichzelf te zijn bij Ruben?

Kijk voor meer informatie op www.chantalvangastel.nl

ISBN 978 90 443 2529 4